İÇİMİZDE

Sabahattin Ali 25 Şubat 1907'de Gümülcine'de doğdu, 2 Nisan 1948'de Kırklareli'nde öldü. İstanbul İlköğretmen Okulu'nu bitiren Sabahattin Ali, Yozgat'ta bir yıl öğretmenlikten sonra, 1928 yılında Milli Eğitim Bakanlığı'nca Almanya'ya gönderildi. 1930'da döndükten sonra Aydın, Konya ve Ankara ortaokullarında Almanca öğretmenliği, Milli Eğitim Bakanlığı Yayın Müdürlüğü'nde memurluk ve Devlet Konservatuvarı'nda dramaturgluk yaptı. 1945'te Bakanlık emrine alındı, İstanbul'da *Markopaşa* adlı mizah gazetesini çıkardı. 1948'de bir yazısı yüzünden tutuklandı, üç ay kadar hapis yattı. Sürekli izlendiği için yurtdışına kaçmak istedi, ancak Kırklareli dolaylarında bir kaçakçı tarafından öldürüldüğü iddia edildi. İlk yazıları Balıkesir'de *Irmak* dergisinde çıkan (1925/26) Sabahattin Ali, 1930'lu yıllarda öyküye gerçekçi ve yeni bir soluk getirdi. Öykü kitapları: *Değirmen* (1935), *Kağnı* (1936), *Ses* (1937), *Yeni Dünya* (1943), *Sırça Köşk* (1947). Halk şiirinden esinlenerek yazdığı şiirlerini *Dağlar ve Rüzgâr*'da topladı (1934). *Kuyucaklı Yusuf* (1937), *İçimizdeki Şeytan* (1940), *Kürk Mantolu Madonna* (1943) adlı romanlarında, okurların gerçekliği daha derinden algılamasını sağladı. Sağlığında yayımlanmış dokuz kitabına, *Varlık* dergisinde tefrika edilen *Esirler* (1936) oyunu da eklenince on kitabı, yedi ciltlik bir külliyat halinde Varlık Yayınları arasında tekrar basıldı (1965/66). *Bütün Eserleri* önce Bilgi Yayınevi'nde, sonra Cem Yayınevi'nde yeniden basıldı. Öyküleri 1997'de YKY'de *Bütün Öyküleri* adı altında bir araya getirildi. *Kürk Mantolu Madonna* (1998), *Markopaşa Yazıları ve Ötekiler* (1998), *İçimizdeki Şeytan* (1998), *Kuyucaklı Yusuf*'un (1999) yeniden basımları yapılırken *Bütün Şiirleri* 1999'da yayımlandı. Öyküleri 2003'te ilk baskıları esas alınarak *Değirmen, Yeni Dünya, Sırça Köşk, Kağnı-Ses-Esirler* adıyla ayrı kitaplar olarak yayımlandı. *Bütün Romanları*'nın eleştirel basımı ise Ocak 2004'te Delta dizisinden çıktı. Ayrıca Sabahattin Ali'nin yazdığı ve ona yazılan mektupların toplandığı kitap *Hep Genç Kalacağım* 2008'de külliyata eklenmiştir. 1999'da *Kuyucaklı Yusuf* (*Youssouf le taciturne*), 2007'de *Kürk Mantolu Madonna* (*La Madone au manteau de Fourrure*), 2008'de *İçimizdeki Şeytan* (*Le Diable qui est en nous*) Éditions du Rocher tarafından yayımlanmıştır. Sindlinger-Burchartz 1991'de *Kağnı*'yı (*Ochsenkarren*); Unionsverlag 2007'de *İçimizdeki Şeytan*'ı (*Der Dämon in uns*); Dörlemann da 2008'de *Kürk Mantolu Madonna*'yı (*Die Madonna im Pelzmantel*) yayımlamıştır. *Kürk Mantolu Madonna* 2016'da Penguin Classics dizisi içinde yer almıştır.

Sabahattin Ali'nin
YKY'deki kitapları:

Bütün Öyküleri I *(1997)*
Bütün Öyküleri II *(1997)*
İçimizdeki Şeytan *(1998)*
Kürk Mantolu Madonna *(1998)*
Markopaşa Yazıları ve Ötekiler *(1998)*
Kuyucaklı Yusuf *(1999)*
Bütün Şiirleri *(1999)*
Çakıcı'nın İlk Kurşunu *(2002)*
Yeni Dünya *(2003)*
Sırça Köşk *(2003)*
Kağnı/Ses/Esirler *(2003)*
Değirmen *(2003)*
Mahkemelerde *(2004)*
Bütün Romanları *(Delta, 2004)*
Öyküler, Şiirler ve Oyun *(Delta, 2005)*
Hep Genç Kalacağım *(2008)*
Canım Aliye, Ruhum Filiz *(2013)*
Bütün Eserleri *(2013)*
Sabahattin Ali / Anılar-İncelemeler-Eleştiriler *(2014)*

Doğan Kardeş:
Kamyon - Seçme Öyküler *(2008)*
Üç Öykü / Arabalar Beş Kuruşa - Ayran - Sırça Köşk *(2016)*

SABAHATTİN ALİ

İçimizdeki Şeytan

Roman

Yapı Kredi Yayınları - 968
Edebiyat - 249

İçimizdeki Şeytan / Sabahattin Ali

Kitap editörü: İncilay Yılmazyurt
Düzelti: Sevengül Sönmez

Kapak tasarımı: Nahide Dikel

Baskı: Promat Basım Yayım San. ve Tic. A.Ş.
Orhangazi Mahallesi, 1673. Sokak, No: 34 Esenyurt / İstanbul
Sertifika No: 12039

1. baskı: Remzi Kitabevi, 1940
YKY'de 1. baskı: İstanbul, Şubat 1998
47. baskı: İstanbul, Ağustos 2017
ISBN 978-975-363-803-7

Yapı Kredi Kültür Sanat Yayıncılık Ticaret ve Sanayi A.Ş.
İstiklal Caddesi No: 161 34433 Beyoğlu / İstanbul
Telefon: (0212) 252 47 00 Faks: (0212) 293 07 23
http://www.ykykultur.com.tr
e-posta: ykykultur@ykykultur.com.tr
İnternet satış adresi: http://alisveris.yapikredi.com.tr

Yapı Kredi Kültür Sanat Yayıncılık
PEN International Publishers Circle üyesidir.

İÇİMİZDEKİ ŞEYTAN

Belki de İktidardaki Şeytan

1960'ların sonlarına doğru Sabahattin Ali'yi nihayet okuyabilmiştim. Ama bu okumaların geçmişe uzanan bir macerası vardı.

Daha Galatasaray Lisesi'nde ortaokul öğrencisiyken yakın dönem Türk edebiyatı yazarlarının eserlerini büyük bir tutkuyla okuyordum. Başlangıç talihliydi; çünkü halka kitap okumayı sevdirten yazarların romanlarıyla başlamıştım. Kerime Nadir'i Esat Mahmut, Ethem İzzet Benice'yi Muazzez Tahsin Berkand takip etmişti.

Önce Reşat Nuri büyüledi beni. *Çalıkuşu*'nu, *Dudaktan Kalbe*'yi ve *Akşam Güneşi*'ni derin hayranlık duyarak okudum. Sonra Halide Edip ve Yakup Kadri. Uzayıp gider liste.

Okumak mutluluk verdikçe, hem dünya edebiyatının hem Türk edebiyatının yazarlarına kavuştukça ufkum genişliyordu. Romanın yanı sıra öykü; öyküden bir zaman sonra da şiir.

Bütün bu süreçte Sabahattin Ali adını nereden işitmişsem işitmiştim. Eserlerini bulmak olanaksızdı. Bana, Sabahattin Ali'nin tıpkı Nâzım Hikmet gibi memlekete zararlı bir insan olduğunu söylediler. Kimler söylemişti, tam çıkaramıyorum.

Yalnız, 'memlekete zararlılığın' boyutu kişiden kişiye değişmiş olmalı ki, Sabahattin Ali'yi bazan 'vatan haini', bazan 'vatan haini bir komünist' falan gibisinden damgalanışlarla tanımıştım.

Nâzım Hikmet konusunda zaten ürperti verici bir anım vardı. *Ada, Her Yalnızlık Gibi*'de yazdım: Galatasaray Lisesi'nin büyük konferans salonunda toplanılmış; Nâzım Hikmet'in şiirlerini okuyan bir öğrenciyi ihbar ettiği için bir başka öğrenciye ödül verilmiş, artık uydurmuyorsam, madalya gibi bir şey takılmıştı...

Bu olay, sebebini bilmeksizin ve çözemeksizin, bende tuhaf bir iğrenti uyandırmıştı. Nâzım Hikmet'ten tek dize okumamıştım. Bununla birlikte, çok genç yaştaki bir insanın şiir okumak yüzünden okuldan atılmasını bir türlü anlayamıyordum.

Kitapları yasaklanmış, artık basılmayan Sabahattin Ali'yi okumak da aynı belalara yol açabilirdi elbette. Gelgelelim merak her zaman öne geçer.

Annemin ailesi Kadıköylüydü. Sabahattin Ali yazları Moda'da bir yaz otelinde kalırmış, eşi ve kızıyla birlikte. Annem, eşinin çok güzel bir kadın olduğunu hatırlıyordu. Sabahattin Ali biraz mağrur, enikonu soğuk tavırlıymış.

Annem başka şeyler de hatırlıyordu. Korka korka, hep de hayal meyal hatırlanan bu şeyler arasında, aylarca sürmüş duruşmalar, Ankara'daki gençlik gösterileri, adı yine ürkülerek söylenen Atsız diye bir başka yazar, *Marko Paşa* diye bir gazete, hikâyesi meçhul bir ölüm söz konusuydu.

Bildiklerini, hatırladıklarını benimle paylaşan annem, hele serüvenin sonunda ölümle yüz yüze gelindiğinde, *1984*'ün bir roman kişisi gibi kaygılarla donanır, bunları unutmamı ister, bunları kimseye söylememek gerektiğini defalarca tembih ederdi.

Tam bu lise yıllarımda beklenmedik bir şey oldu, Varlık Yayınevi Sabahattin Ali'yle Sait Faik'in "Bütün Eserleri"ni yayımlamaya koyuldu.

"Bütün Eserleri" başlığı bile bizim kuşak için... en azından benim için yepyeni bir adlandırıştı. Her nedense, Fransız yazarlarının öylesi basımları olabileceğini düşünmüşüm... Edebiyatımızın iki usta yazarı da şimdi "Bütün Eserleri"yle okura sunuluyordu.

Artık Atatürk Erkek Lisesi'ndeydim. Gerçek bir edebiyatsever olan öğretmenimiz Bakiye Ramazanoğlu sınıfta "Mahalle Kahvesi" hikâyesini okudu. Birdenbire Sait Faik'e vuruldum. "Mahalle Kahvesi" o güne kadar okuduğum hikâyelerin çok dışındaydı.

Gerçi yenilikçi edebiyattan Oktay Akbal, Necati Cumalı,

Sabahattin Kudret Aksal gibi değerli yazarlarımıza yabancı değildim. Ama "Mahalle Kahvesi"nde tam da özüne varamadığım derin ürpertiler gezinip duruyor, günler geçtiği halde hikâyenin etkisinden çıkamıyordum...

Bakiye Hanım, Sabahattin Ali'yi de "mutlaka" okumamız gerektiğini söylemişti.

1960 sonrasının görece özgürlük ortamında, yabana atılamayacak cesaretle, Yaşar Nabi Nayır, Varlık Yayınevi'nde Sabahattin Ali'yi yayımlamayı göze almıştı. O gün üzerinde hiç durmadığım bu cesaret, şimdi geçmişe dönüp bakınca şaşırtıcı geliyor bana. Üstelik Yaşar Nabi'nin adıyla birlikte 'tutuculuk'tan söz açmayı ille gereksinen kimi kişileri düşündükçe, andıkça.

Değirmen, Kağnı, Ses derken Sabahattin Ali'nin bütün öyküleri beni dergilerde yayımlanan ilk yazılarımdan birine götürecekti. Bu yazının adını bile hatırlamıyorum bugün. Ne var ki, *Yeni Dergi*'de yayımlandığını, nasıl gurur duyduğumu, ne sevinçlerle donandığımı asla unutmadım.

Fakat hemen eklemem gerekiyor: Sabahattin Ali'nin bütün öykülerini, öyküsel masallarını okumam Varlık Yayınları'nın basımları ötesinde bir çabayla olmuştu. 1960'ların görece özgürlüğünde *Sırça Köşk* orijinal haliyle yayımlanamamış, 1940'ların baskıcı ortamında mahkûm edilişi göz önünde tutularak, bazı metinlerin çıkartılması uygun bulunmuştu.

Sırça Köşk'ün aslını sahaftan edinmiştim, nice kaygıyla...

Ya romancı Sabahattin Ali?!

Varlık Yayınları önce *Kuyucaklı Yusuf*'u yayımlamıştı. Sabahattin Ali'nin öykülerindeki isyan çığlığı bu romanda doruğa çıkar. Art arda okuduğum *İçimizdeki Şeytan* ve *Kürk Mantolu Madonna* sadece çığlık açısından *Kuyucaklı Yusuf*'la akrabadırlar. Yoksa, bu son ikisi kentsel ortamda geçer ve *Kuyucaklı Yusuf*'un Anadolu romanına denk ortamından çok ayrıdırlar.

Tahir Alangu hocamızın *Cumhuriyet'ten Sonra Hikâye ve Roman*'da Sabahattin Ali'ye yönelik ilginç eleştirileri var. Yazarın siyasal mücadelesini pek olumlu karşılamayan Alangu, mücadelenin yazınsal çabayı, özellikle son dönemlerde, geri plana ittiğini belirtiyor.

Ben böyle düşünmüyorum.

O zamanlar, yeniyetmelik yıllarımda, Sabahattin Ali etrafındaki karanlık söylem, yalnızca etliye sütlüye karışmayanlarca dile gelmezdi. Bir yandan da, Sabahattin Ali'yle beş aşağı beş yukarı aynı dünya görüşünü paylaşmış, bu uğurda hayatlarını harcamayı göze almış kişiler de yazarın eseri, hatta yaşantısı konusunda ikircikli davranırlardı.

Şimdi burada sözkonusu ünlü kişilerin adlarını anmak istemiyorum. Geçen zaman pek çok acıyı Türkiye'de daha da bilediğinden, kaygılar, tasalar, kuruntular da birer acı olup çıkabiliyor. O kişilerin acılarını artık kavrayabiliyorum.

Ama o günlerde şaşırırdım. 1960'ların sonuna doğru *Papirüs* dergisinde yayımlanmış bir yazı vardı ki, beni neredeyse dehşet içinde bırakmıştı. Bu yazıda, Sabahattin Ali'nin gerçek yaşamöyküsünün kolay kolay yazılamayacağı ileri sürülüyor; bulanık bir ifadeyle, Sabahattin Ali'deki gelgitli yaradılışın daima ikili ve ikici bir akış gösterdiği öne sürülüyordu.

Trajik son, gelgitli yaradılış, düşünce ve davranışlardaki fırtına... Hepsi de Sabahattin Ali'nin eserinde olanca acısıyla duyumsanır. Birçok öyküsündeki trajik sonlar, günün birinde kendi sonu olup çıkmıştır.

Gelgelelim dönemin herkesi birbirine kırdırma politikasından Sabahattin Ali de nasibini alıyor; trajik sonu birtakım söylentilerle adeta hafifletiliyordu. Son kez yineliyorum: Bu tutuma çok tanıklık ettim...

Şimdi romanlara dönüyorum.

Sabahattin Ali bence büyük bir romancıdır, tıpkı büyük bir hikâyeci olduğu gibi.

Kuyucaklı Yusuf'un olağanüstü bulduğum Anadolu sahnelerinde hocamız Alangu, "maceralı, şiirli bir aşk hikâyesine" geçiş için dekor çabası bulur. *Kuyucaklı Yusuf*'u, *‹çimizdeki Şeytan* ve *Kürk Mantolu Madonna*'dan daha "gerçekçi" saymakla birlikte, eserde romantizmin ve "halk romanları"nın izlerini yakalar.

Alangu adeta iz sürüyor:

"Yusuf'un Edremit'teki arkadaşlarından bahsederken seçtiği kişilerin bütün canlı özellikleriyle verilişi, esere gerçekçi bir renk verdiği halde, maceralı, şiirli bir aşk hikâyesine geçilirken Reşat Nuri ve Ethem İzzet'in *Çalıkuşu* (1922) ve *Yakılacak Kitap*

(1927) gibi eserlerinde en tipik örneklerini bulan halk romanlarının tesirleri açıkça görülmektedir."

Uzunca bir dönem, Türk edebiyatı, aşktan söz açan eserlere mesafeli bakmayı tercih etmiştir. *Kuyucaklı Yusuf* da nasibini alıyor.

Oysa *Kuyucaklı Yusuf*, tıpkı *İçimizdeki Şeytan* ve *Kürk Mantolu Madonna* gibi, edebiyatımızda örneğine az rastlanılan bir romandır. Burada gerçekçilik, bence, yazarın kaleme getirdiği iç dünya gözlemlerinde aranmalıdır...

Sabahattin Ali'nin üç romanını da her zaman büyük bir hayranlıkla okudum.

İçimizdeki Şeytan'ı okuduğumda, romana yönelik eleştirilerin hiçbirini okumamıştım. Bu yüzden de, Sabahattin Ali'nin 'birtakım gerçek kişiler'i 'hedef' aldığını bilemez, düşünemezdim.

Sonradan öğrendiğime göre, *İçimizdeki Şeytan*'da, Peyami Safa, Atsız gibi gerçek kişiler ağır ithamlarla yeriliyormuş.

Bu türden sözlerin, söylentilerin geçersizliğini öğrenmek için de zamana ihtiyacım varmış: Bugün, roman sanatının, 'kurmaca'dan ötesiyle değerlendirilemeyeceğini bildiğimden; ne Sabahattin Ali'nin eserinde Peyami Safa'yı ya da Atsız'ı görüyorum, ne de Atsız'ın eserinde Sabahattin Ali'yi.

Tam tersine, hem Atsız'ın hem Sabahattin Ali'nin, gerçek yaşamda birer trajedi kişisi olduğuna inanıyorum. Dönemin müthiş baskısında, düşünsel inançları dolayısıyla handiyse cinnete sürüklenmiş kişiler... Üstelik yalnızca ikisi de değil!..

İçimizdeki Şeytan bu açıdan bir ibret kitabı gibi okunabilir. Karanlık siyasetin insanları birbirlerine nasıl kırdırtabileceğine işaret eden pek çok sayfası vardır. 'Birey'in gelişmesini asla istemeyen bu siyaset, sürekli gözetim ve denetim altında tuttuğu 'sürü'den ayrılmak isteyenlere inanılmaz kertede merhametsiz davranmıştır.

Romanda Ömer'in "büsbütün başka bir hayat" istemesi boşuna değildir. Büsbütün başka hayatı Ömer'den esirgeyen sadece içimizdeki şeytan olabilir mi?

Alangu'nun yürek yakıcı bir saptayımı var:

"Buradaki Yusuf, *Kürk Mantolu Madonna*'nın târik-i dünyası Râif, *İçimizdeki Şeytan*'daki Ömer, hepsi bir tek insandır, 'atını sürüp dağlara doğru gider.' Yarattığı kişilikleri, sonları ile sanatçının âkıbeti arasında ne derin ve düşündürücü bir benzerlik var!"

Ömer'in büsbütün başka bir hayat ülküsünü gönlümüzde hissedinceye kadar öylesi âkıbetlerle hep yüz yüze geleceğiz...

İçimizdeki Şeytan üzerine yazanlar, Ömer'den direnç beklemişler ve dirençsizliğini çoğu kez Ömer'in karmaşık, dahası hastalıklı kişiliğine bağlamışlardır.

Buna da katılmıyorum. Ömer, içindeki şeytanda, tiranlığı ortadan kaldıracak "sanatkâr" bir şey aranıp duruyor; nefretlerinde, suçlamalarında, acılarında ve nihayet yıkılışında, gelecekteki aydınlığı söylemeye çabalıyordu.

Ne yazık ki, Ömer'in içindeki "sanatkâr" şeytana, siyasetin ve iktidarın şeytanı yaşama, var olma hakkı tanımayacaktı...

Selim İleri

I

Öğleden evvel saat on birde Kadıköy'den Köprü'ye hareket eden vapurun güvertesinde iki genç yan yana oturmuş konuşuyorlardı. Deniz tarafında bulunanı şişmanca, açık kumral saçlı, beyaz yüzlü bir delikanlı idi. Bağa bir gözlüğün altında daima yarı kapalı gibi duran ve eşya üzerinde ağır ağır dolaşan kahverengi miyop gözlerini vakit vakit arkadaşına ve solda, güneşin ziyası altında uzanan denize çeviriyordu. Düz ve biraz uzunca saçları, arkaya atılmış olan şapkasının altından dökülerek sağ kaşını ve gözkapağının bir kısmını örtüyordu. Çok çabuk konuşuyor ve söz söylerken dudakları hafifçe büzülerek ağzı güzel bir şekil alıyordu.

Arkadaşı ise ufak tefek, zayıf, kolları sinirli hareketlerle mütemadiyen oynayan, gözleri her şeye keskin bir bakış fırlatan, soluk yüzlü bir gençti.

Her ikisi de yirmi beş yaşından fazla göstermiyorlardı ve boyları ortaya yakındı.

Şişmancası, gözlerini denizden çevirmeyerek anlatıyordu:

"Kendimi tutmasam kahkahayı koparacaktım. Tarih müderrisi sualleri birbiri arkasına sıraladıkça kız şaşırıyor, dört tarafından yardım ister gibi başını çeviriyordu. Bir kere bile notları açıp okumadığını bildiğim için bal gibi çaktı dedim. Bir de gözüm arkasında oturan Ümit'e ilişti, ne göreyim, kaşıyla gözüyle profesöre işaretler yapıyor. İstediği de oldu azizim, hoca birkaç sudan şey sorup cevaplarını kendisi verdi ve kızı mezun etti."

"Ümit'e pek mi tutkun?"

"Her kıza tutkun... Biraz yüzüne bakılır olursa..."

Sonra elini arkadaşının dizine vurarak, hikâyesine devam ediyormuş gibi bir eda ile:

"Hayat beni sıkıyor..." dedi. "Her şey beni sıkıyor. Mektep, profesörler, dersler, arkadaşlar... Hele kızlar... Hepsi beni sıkıyor... Hem de kusturacak kadar..."

Bir müddet durdu. Eliyle gözlüğünü oynattı ve devam etti:

"Hiçbir şey istemiyorum. Hiçbir şey bana cazip görünmüyor. Günden güne miskinleştiğimi hissediyorum ve bundan memnunum. Belki bir müddet sonra can sıkıntısı bile hissedemeyecek kadar büyük bir gevşekliğe düşeceğim. İnsan bir şey yapmalı, öyle bir şey ki... Yoksa hiçbir şey yapmamalı. Düşünüyorum: Elimizden ne yapmak gelir? Hiç!.. Milyonlarca senelik dünyada en eski şey yirmi bin yaşında... Bu bile biraz palavralı bir rakam. Geçen gün bizim felsefe hocasıyla konuşuyordum. Lafı gayet ciddi tarafından açtım ve 'hikmeti vücudumuz'u araştırmaya çalıştım. Dünyaya ne halt etmeye geldiğimiz sualine o da cevap veremedi. Yaratmak zevkinden, hayatın bizatihi bir hikmet olduğu hakikatinden dem vurdu, fakat çürük. Ne yaratacaksın? Yaratmak yoktan var etmektir. En akıllımızın kafası bile bizden evvelkilerin depo ettiği bir sürü bilgi ve tecrübenin ambarı olmaktan ileri geçemez. Yaratmak istediğimiz şey de bu mevcut malları şeklini değiştirerek piyasaya sürmekten ibaret. Bu gülünç iş bir insanı nasıl tatmin eder bilmiyorum. Bize ziyasını beş bin senede gönderen yıldızlar varken, en kabadayısı elli sene sonra kütüphanelerde çürüyecek ve nihayet beş yüz sene sonra adı unutulacak eserler yazarak ebedi olmaya çalışmak, yahut üç bin sene sonra, kolsuz bacaksız, bir müzede teşhir edilsin diye, ömrünü çamur yoğurmak ve mermere kalem savurmakla geçirmek bana pek akıllı işi gibi gelmiyor."

Sesine mühim bir eda vererek ağır ağır mırıldandı:

"Bana öyle geliyor ki, hakikaten yapabileceğimiz bir tek iş vardır, o da ölmek. Bak, bunu yapabiliriz ve ancak bu takdirde irademizi tam bir şey yapmakta kullanmış oluruz. Ben ne diye bu işi yapmıyorum diyeceksin! Demin söyledim ya, müthiş bir gevşeklik içindeyim. Üşeniyorum. Atalet kanunu icabı sürüklenip gidiyorum. Eeeeh."

Ağzını müthiş bir surette açıp esnedi. Ayaklarını uzattı. Karşısında oturarak Ermenice bir gazete okuyan yaşlıca bir adam bu genişleme karşısında hemen toplandı ve genç adama ters bir bakış fırlattı.

Arkadaşı bütün bu sözlere, belki onuncu defa dinlediği için pek kulak asmamış, gözlerini etrafta gezdirmeye ve kafasında birtakım fikirleri toparlamak ister gibi ara sıra kaşlarını çatarak mırıldanmaya devam etmişti.

Yanındakinin nutku bitince manalı bir tebessümle:

"Ömer" dedi. "Paran var mı? Bu akşam bir rakı içelim."

Ömer biraz evvelki derin sözlerine pek yakışmayan pişkin bir tavırla:

"Yok ama, birini kafesleriz. Ben bugün daireye uğrasam kolaydı, fakat hiç niyetim yok."

Zayıf genç mühim bir tavırla başını sallayarak:

"Seni yakında sepetlerler. Bu kadar asmak olur mu? Zaten bütün daireler dârülfünuna* devam eden memurları yakalarından atmak için bahane arıyorlar. Senin gibi postanede çalışanların vaziyeti büsbütün berbat. Orada vakit her yerden pahalıdır. Yahut böyle olması icap eder."

Sonra gülerek ilave etti:

"Tevekkeli değil, Beyazıt'tan gönderdiğimiz mektuplar Eminönü'ne kırk sekiz saatte varıyor. Senin gibi gayretli memurlar sağ olsun."

Ömer gayet sakin cevap verdi:

"Benim mektuplarla alakam yok. Ben muhasebedeyim. Akşama kadar defter dolduruyorum. Akşamları da ara sıra veznedara yardım ediyorum. Para saymak tatlı bir şey Nihatçığım."

Nihat birdenbire canlanmış gibi:

"Enteresan şey..." dedi. "Umumiyetle para enteresan bir şeydir zaten. Çok kere cebimden bir lira alır, önüme koyarak onu saatlerce seyrederim. Hiçbir fevkaladeliği yok. Birtakım hünerli çizgiler, tıpkı mekteplerdeki resmi hattî** vazifeleri gibi. Belki biraz daha ince ve karışık... Sonra bir resim. Birkaç satır muhtasar yazı ve bir iki imza... Üzerine biraz fazla eğilince insanın burnu-

* Üniversiteye.

** Bir yazı stili

na ağır bir yağ ve kir kokusu da vurur. Fakat ne muazzam şeydir bu kirli kâğıt azizim, bir düşün!"

Bir müddet gözlerini yumdu.

"Mesela herhangi bir gün müthiş bir iç sıkıntısı seni boğar. Hayat sana karanlık, manasız gelir. İnsan, biraz evvel senin zırvaladığın gibi felsefeler yapmaya başlar. Hatta yavaş yavaş onu da yapamaz ve canı ağzını açmayı bile istemez. Hiçbir insanın, hiçbir eğlencenin seni canlandıramayacağını sanırsın. Hava sıkıcı ve manasızdır. Ya fazla sıcak, ya fazla soğuk, ya fazla yağmurludur. Gelip geçenler suratına salak salak bakarlar ve on para etmez işlerin peşinde, bir tutam otun arkasından koşan keçiler gibi dilleri bir karış dışarı fırlayarak dolaşırlar. Aklını başına derleyip bu pis ruh haletini tahlil etmek istersin. İnsan ruhunun çözülmez düğümleri bir muamma gibi önüne serilir. Kitaplarda okuduğun depresyon kelimesine bir cankurtaran simidi gibi sarılırsın. Çünkü nedense hepimizde, maddi olsun, manevi olsun, bütün dertlerimize bir isim takmak merakı vardır, bunu yapamazsak büsbütün çılgına döneriz. Mamafih insanlarda bu merak olmasa doktorlar açlıktan ölürlerdi. Bu depresyon kelimesine yapışıp iç sıkıntısının uçsuz bucaksız denizinde bocalarken karşına uzun zamandan beri görmediğin bir ahbap çıkar. Kılık kıyafetinin düzgünce olduğunu görür görmez derhal aklına kendi meteliksizliğin gelir ve gafil dostundan, talihin varsa, bir iki lira borç alırsın... İşte ondan sonra mucize başlar. Şiddetli bir rüzgâr ruhundan bir sis tabakasını sıyırıp götürmüş gibi içinin birdenbire aydınlandığını, bir hafiflik, bir genişlik duyduğunu görürsün. Eski sıkıntı pır deyip uçmuştur. Gözlerin etrafa memnuniyetle bakar ve sen de gevezelik edecek bir arkadaş aramaya başlarsın. İşte, iki gözüm, ciltlerle kitabın, saatlerce tefekkürün yapamadığı işi iki kirli kâğıt başarır. Sen ruhumuzun bu kadar ucuz bir bedel mukabilinde takla atmasını haysiyetine yediremediğin için belki daha asil sebepler peşinde koşarsın, gökyüzünde birkaç yüz metre daha yükselen bir bulut, yahut ensene doğru esen serince bir rüzgâr, yahut o esnada aklına gelen zekice bir fikir, sana bu değişmenin sebebi gibi görünmek ister. Fakat söz aramızda, iş bunun tamamıyla aksinedir, cebimize giren iki lira sayesindedir ki havanın biraz açıldığını görmek, rüzgârın serinliğini hissetmek, hatta akıllıca şeyler düşünmek mümkün olmuştur... Kalk, iki gözüm, iskeleye geldik. Günün birinde ya çıldıracağız, ya dünyaya hâkim olacağız. Şimdilik bir rakı parası bulmaya çalışalım ve parlak istikbalimizin şerefine birkaç kadeh içelim."

II

Nihat sözlerini bitirip ayağa kalkınca Ömer'in yerinden kımıldamadığını gördü. Elini onun omzuna dokundurdu; Ömer biraz irkildi, fakat vaziyetini bozmadı. Öteki, acaba uyudu mu diye bakmak için biraz eğilince arkadaşının, gözlerini mukabil taraftaki kanepelerden birine dikerek, fevkalade meraklı bir şey seyreder gibi etrafla alakasını kesmiş olduğunu gördü. Başını o tarafa çevirip gözleriyle araştırdı. Hiçbir şey göremedi. Elini tekrar Ömer'in omzuna koyarak:

"Hadi, kalksana!" dedi.

Ömer cevap vermedi, yalnız kendini rahat bırakmasını isteyen bir ifade ile yüzünü buruşturdu.

"Ne var yahu! Nereye bakıyorsun?"

Ömer, nihayet başını çevirmeye karar vererek: "Sus ve otur!" dedi.

Nihat bu emre itaat etti.

Yolcular yavaş yavaş yerlerinden kalkarak çıkılacak kapılara doğru yürümeye başlamışlardı. Ömer bunların arasından karşı tarafı görebilmek için başını yukarıya, sağa sola çevirip duruyordu. Arkadaşı onu dürterek söylendi:

"Eee! Sıktın artık. Söylesene, nereye bakıyorsun?"

Ömer ağır ağır başını çevirdi, bir felaket haberi veriyormuş gibi:

"Şurada genç bir kız oturuyordu, gördün mü?" dedi.

"Görmedim, ne olmuş?"

"Şimdiye kadar ben de görmemiştim!"

"Saçmalıyor musun?"

"Şimdiye kadar böyle bir mahluk görmemiştim diyorum!"

Nihat canı sıkılmış gibi yüzünü buruşturdu, tekrar ayağa kalkarak:

"Sen bütün büyük laflarına ve dillere destan olan zekâna rağmen asla ciddi bir insan olamayacaksın!" dedi.

Bu cümleden sonra dudaklarının kenarında kalan bir istihza çizgisi birkaç saniye kadar devam etti, sonra yerini lakayt bir ifadeye bıraktı. Ömer de kalkmıştı. Boynunu uzatıp ayaklarının ucuna kalkarak aranıyordu. Bir aralık Nihat'a döndü:

"Daha oturuyor!" dedi. Sonra gözlerini arkadaşının yüzüne dikerek:

"Gevezeliği bırak. Şu anda ömrümün en ehemmiyetli dakikalarını yaşıyorum. Hislerim beni şimdiye kadar asla aldatmamıştır. Müthiş bir şey oldu veya olacak. Şurada gördüğüm genç kız, bana, daha dünyaya gelmeden, daha dünyanın, daha kâinatın teşekkül ettiği sıralardan tanıdığım birisi gibi geldi. Sana nasıl anlatabilirim. 'İlk görüşte deli gibi âşık oldum, yanıyorum, tutuşuyorum!' gibi laflar mı söyleyeyim? Fakat işin tuhaf yanı bunlardan başka da söyleyecek sözüm yok. Hatta burada seninle nasıl durup çene çaldığıma hayret ediyorum. Bundan sonra ömrümün bir dakikasının bile ondan uzakta geçmesi benim için ölüm demektir. Demin pek göklere çıkardığım ölüme şimdi müthiş bir şey gibi bakmama da hayret etme, ne diye mi hayret etmeyeceksin? Ne bileyim ben? Sana izahat verecek değilim ya... Ne lüzumu var! Yalnız ukalalık etmeden bana bir akıl öğret! Ne yapayım? Korkunç bir vaziyet karşısındayım. Onu bir kere gözden kaybedersem ölünceye kadar ömrüm yalnız aramakla geçer; ve herhalde bu müddet pek kısa olur. Of be! Saçmalıyorum. Fakat fevkalade doğru söylüyorum. Onu bir daha hiç görmemek ihtimali en feci ve maalesef en akla yakın olanı. Düşün ki şu anda çehresini hatırlayamıyorum bile, fakat hafızamdan daha derin bir yerde onun bir taşa hakkedilmiş* kadar keskin bir tasvirinin, akılların almayacağı kadar eski zamanlardan beri mevcut olduğuna eminim. Şu kalabalığın içine gözlerim kapalı olarak karışsam bir kuvvet beni muhakkak hiç şaşırtmadan doğru ona götürecektir."

* Oyulmuş.

Fevkalade süratle söylediği bu sözlerden sonra hakikaten gözlerini kapayarak bir adım ilerledi. Sol eliyle hâlâ Nihat'ın bileğini tutuyordu. Nihat zangır zangır titreyen bu kolun sahibine hayretle baktı. Onun her türlü çılgınlığına alışık olduğu halde bu şiddetli heyecan kendisine biraz yabancı geliyordu. Söyleyecek bir şey bulamayarak:

"Sen ne biçim mahluksun Ömer?" dedi.

Ömer'in terli avcu Nihat'ın bileğini daha çok sıktı:

"Bak, bak, hâlâ orada... Görmüyor musun?"

Nihat başını Ömer'in baktığı tarafa çevirince, tamamen boşalan kanepelerden birinde oturan siyah saçlı bir genç kız gördü. Yanında yaşlıca ve şişman bir kadın daha vardı ve bir şeyler konuşuyorlardı. Kız bir elinde kalın bir paket halinde bir sürü notalar tutuyor, ötekiyle yanına dayanıyordu. İnce boynunun üstündeki kıvırcık saçlı başını zarif bir hareket ettirişi vardı. İlk göze çarpan hususiyeti çenesinin meydana vurduğu kuvvetli bir irade ifadesiydi. Nihat'ın bulunduğu yerden işitilmeyen sözlerinin arasında, kati bir hüküm vermiş gibi susuyor, sonra yeniden, gene bir hüküm bildiriyormuş gibi söze başlıyordu. Bakışları biraz karanlık fakat tabiiydi. Zaten bütün duruşu ve hali tam bir tabiilik gösteriyordu. Ara sıra dayandığı yerden kalkarak bir işaret yaptıktan sonra yavaşça kanepenin muşambasına uzanan eli, zayıf denecek kadar ince parmaklı ve soluk renkli idi. Tırnakları dibinden kesik ve ince uzundu. Nihat bir müddet gözlerini kızın üzerinde dolaştırdıktan sonra başını Ömer'e çevirdi ve "Eh, ne olmuş? Ne var bunda?" der gibi onun yüzüne baktı.

Ömer sayıklıyormuş gibi bozuk bir sesle:

"Hiçbir şey söyleme! Ne cevher yumurtlayacağın suratından belli!" dedi. "Ben kararımı verdim. Derhal gidip kızı kolundan tutacağım ve..."

Bir müddet sustu, düşündü; sonra mırıldandı:

"Ve... bir şeyler söyleyeceğim herhalde. Belki de o benden evvel söylemeye başlayacak. Muhakkak ki beni görür görmez tanıyacaktır. Başka türlü olmasına imkân yok. Ve tanıyınca bunu saklayamayacak. Gel istersen beraber gidelim, sen biraz arkamda dur. Bizi dinle. Aslını bilmediğimiz âlemlerde tanıştığımız bir kızla konuşmamız herhalde alelade olmayacaktır."

Bunları söyleyerek Nihat'ı kolundan çekti. O elini kurtararak:

"Vapurda rezalet çıkarmak niyetinde misin?"

"Ne gibi?"

"Kız derhal polisi çağırır ve polis senin gibi bir serseriyi karakola götürmekte tereddüt etmez. Sen dünyayı kafanın içi gibi ipsiz sapsız şeylerle dolu mu zannediyorsun Allah aşkına? Bir türlü kendine ve insanlara gözlerini açarak bakamayacak mısın? Bütün ömrün tasavvurlar, hayaller, Don Kişotça emeller peşinde koşup kendini aldatmak ve aleladeliklerden başka hiçbir şey yapılmayan bu dünyada kendinin ve başkalarının fevkaladelikler yapacağını vehmetmekle mi geçecek? Daha demin dünyada bir insan hiçbir şey yapamaz diyordun, şimdi dünyada pek az insanın yapabileceği hafifliklere kalkıyorsun. Senin alelade bir mecnundan farkın nedir anlamıyorum!"

Ömer hakarete uğramış gibi boynunu gerdi:

"Şimdi görürsün. Senin kuş beynin insanlar arasındaki karanlık ve derin münasebetleri anlayamaz. Burda bekle."

Bu sözleri söyleyerek genç kıza doğru yürüdü. Nihat başını gayri ihtiyari denize doğru çevirerek "Eyvah!" dedi ve kopacak rezaletin ilk gürültülerini beklemeye başladı.

Gözlerini genç kıza dikerek ağır ağır yürüyen Ömer birdenbire uykudan uyanıyormuş gibi başını silkti. Tam kıza yaklaştığı sırada kulağının dibinde bir kadın sesi: "O!... Ömer, nasılsın?.. Hiç görünmüyordun!" dedi. Başını o tarafa çevirince, genç kızın yanında uzak akrabalarından Emine Hanım'ın oturduğunu gördü.

Emine Hanım devam etti:

"Ayol, deminden beri buraya bakıyorsun, geleceksin diye oturup kaldım, bir türlü çeneyi kesemedin. Haydi vapurda kalacağız."

Her iki kadın doğrularak yürüdüler. Ömer ne söyleyeceğini şaşırmış, kendini toplamaya çalışıyordu:

"Vallahi ne bileyim... teyzeciğim. Derslerden, işten vakit oluyor mu? Hem siz beni bilirsiniz canım, kusuruma bakacak değilsiniz ya!" dedi.

Emine teyze güldü:

"Ayol, senin kusuruna kim bakar! Anasına babasına bile senede bir kere olsun mektup yazmayan insandan kime hayır gelir! Hadi bakalım, nasılsa buluştuk, anlat bari, ne âlemdesin?"

Ömer gözlerini genç kızdan ayırmayarak cevap verdi:

"Hep eskisi gibi. Vaziyette bir yenilik yok!"

Bu sırada köprüye çıkmışlardı. Hep beraber İstanbul tarafına doğru yürüdüler.

Ömer'in, teyzesinin şişman ensesinden kaydırdığı gözleri hiç lafa karışmadan yanlarında giden genç kızın bakışlarıyla karşılaştı. Kız bir müddet, bir şey hatırlamak ister gibi devamlı ve dalgın bir bakışla ve gözlerini hiç kırpmadan karşısındakini süzdükten sonra başını ileri çevirdi. Ömer bir müddet de onun uzun kirpiklerinin gözlerinin altına düşen gölgesini seyrettikten sonra teyzesine dönerek başıyla: "Bu kim?" demek isteyen bir işaret yaptı.

Emine Hanım, uzun müddet İstanbul'da oturan Anadolululara mahsus bir kibarlıkla:

"Ah!.. Tanıştırmadım mı? Siz birbirinizi tanırsınız da!.. Macide'yi bildin mi bakayım? Annenin büyük dayısının torunu ayol. Öyle ya, sen Balıkesir'den çıktığın zaman o daha şu kadarcıktı. Altı aydan beri bizde. Piyanoya çalışıyor, bir mektebe de gidiyor."

Başını çevirerek Macide'ye baktı. Bu sırada Ömer'in elini sıkan kız:

"Konservatuvara gidiyorum!" dedi ve gözlerini tekrar ileri çevirdi. Ömer kafasını yorarak adedi yüzleri aşan ve bugün İstanbul, Balıkesir ve daha birçok yerlere yayılmış bulunan akrabaları arasından annesinin büyük dayısını ve onun torununu bulup çıkarmaya çalışıyordu.

Gözleri Emine teyzeye ilişince onun yüzünün biraz kederli ve şaşkın bir ifade almış olduğunu fark etti. Sordu; o:

"Bunun yanında söylenmez!" manasına birtakım işaretler yaptı.

Ömer merakla başını eğince, şişman kadın zayıf bir sesle çabucak mırıldandı:

"Sus! Sorma başımıza geleni! Bize uğra da anlatırım!"

Gözleri birçok şeyler söylemek ister gibi oynadı. Bakışlarında kıza karşı alaka ve acınmayı anlatmak isteyen bir ifade vardı. Sağında giden Macide'ye süratle bir göz attıktan sonra Ömer'e dönerek:

"Zavallıcığın daha haberi yok... Bir türlü söyleyemiyorum, bir hafta evvel babası öldü... Ne yapacağım bilmem" diye mırıldandı.

Ömer içinde birdenbire sevince benzer bir şey parladığını hissetti ve gene bir anda bu histen dolayı müthiş bir utanma duydu. Bu ölümü kendisine yardım edecek bir hadise olarak telakki etmenin pek dürüst bir şey olmadığını düşündü. Fakat içimizde, bizim "ahlak" tarafımızda hiçbir şekilde münasebete geçmeyerek hadiseleri muhakeme eden, neticeler çıkaran ve tedbirler alan bir "hesabi" tarafımız vardı ve lafta değilse bile fiilde daima o galip çıkıyor ve onun dediği oluyordu.

Bunları düşünürken geçen birkaç saniyelik sükûtu Ömer'in bir akraba ölümü karşısında duyduğu teessüre hamleden* Emine teyze:

"Bugünlerde bize uğra, uzun meseledir, sana anlatırım" dedi.

Eminönü'ndeki tramvay durak yerine gelmişlerdi. Kadın ve genç kız Ömer'den ayrıldılar. Delikanlı bir müddet onların arkalarından baktı ve kendisine itiraf etmediği halde, Macide'nin başını çevirmesini bekledi.

Fakat o, ince ve güzel vücuduyla, alçak ökçeli iskarpinlerinin üzerinde, süzülür gibi gitti ve o sırada gelen bir tramvaya atlayarak Emine teyzeye elini uzattı.

Gözleriyle hâlâ onları takip eden Ömer, omzuna hızla vuran bir elin tesiriyle sıçradı. Nihat kavga edecek gibi bir tavır alarak ondan izahat bekliyordu. Ömer'in ağzını açmadığını görünce:

"Amma adamsın yahu!" dedi. "Vapurda çıkaracağın kepazeliği görmemek için size arkamı dönmüştüm, bir de baktım ortada yoksunuz. Sonra köprüde onlarla ahbapça konuşup giderken gördüm, arkanızdan geldim. Kız galiba o yolun yolcusu? Ha? Şişman karıda da tam esnaf kılığı var ya!.."

Ömer güldü:

"Sen zaten başka türlü düşünmezsin ki; o mübarek kafan her şeyi mevcut bir ölçüye uydurmadan rahat edemez. Bu adam

* Yoran.

şu kadını tanımıyordu, gitti, konuştu. Kadın polise vermedi, demek ki o yolun yolcusuydu. Oldu bitti. Başka bir şey olamaz. Hayatta fevkalade hiçbir hadise yoktur. Her şey birbirinin aynıdır. İşte bu kadar..."

Eliyle arkadaşının kafasını dürterek:

"Böyle dümdüz bir beynim olacağına hiç olmamasını tercih ederdim. Muhayyile namına bir şey yok yahu!.."

Nihat bu sözlere ehemmiyet bile vermeden sordu:

"Peki, iki gözüm, ne oldu öyle ise? Sen yanına gider gitmez kız: Vay, nereden çıktın, kâinatın teşekkülü esnasında karanlık âlemlerde eş olduğum insan, diye boynuna mı sarıldı? Buna inansam bile o şişman karının bu metafizik aşinalığı pek sükûnetle karşılayacağına inanamam!"

Ömer bir sır veriyormuş gibi:

"Akraba çıktık azizim!.." dedi. "Ben kıza bakmaktan dünyayı görmemişim, yanındaki kadın bizim mahut Emine teyze imiş. Küçükhanım da yakın akrabadan Macide Hanım. Konservatuvara gidiyormuş. Bir hafta evvel babası ölmüş. Daha kendisinin haberi yokmuş."

Nihat başını sallayarak:

"Allah bakilere ömür versin!" dedi. Sonra alaylı bir bakışla Ömer'e sordu:

"Mevcut ölçülerin dışındaki fevkalade tanışma bu mu? Oğlum, sen dünyada ne kadar antikalık yapmak istersen hayat da önüne o kadar gündelik hadiseler çıkarıyor. Korkuyorum ki bu, ömrünün sonuna kadar böyle devam edecek ve sen dünyanın parmağını ağzında bırakacak bir iş beceremeden rahmeti rahmana kavuşacaksın. Bayıldım doğrusu, demek daha kâinatın teşekkülü sıralarında ahbaplık tesis ettiğini söylediğin taze, akrabadan imiş! Çocukluğunuzda ihtimal beraber oynadınız. İhtimal hafızanın bir köşesinde o eski çocuk çehresinin birkaç çizgisi canlandı. Ve senin o daima kırk bir derecei hararette çalışan dimağın işi derhal esrarengiz örtülere bürüdü. Komik adamsın vesselam!"

Ömer başını salladı:

"Evet, tanışmamız hakikaten pek harcıâlem bir şekilde oldu, fakat ona karşı duyduğum hisler hep aynı halde. Onunla beni bizim iradelerimizin üstünde bir bağın bağladığına eminim. Göreceksin, bundan sonra Emine teyzenin evini ne kadar sık ziyaret edeceğim!.."

Nihat kahkahayı bastı:

"Ve bu çok orijinal aşkınız bir akraba sevişmesi halinde sona erecek değil mi? Dünyada teyzezadesini baştan çıkaran yegâne delikanlı diye anılacaksın. Ne diyelim, Allah muvaffakıyet versin!"

Ömer cevap vermedi. Sözü değiştirdiler ve akşam nerede içeceklerini konuşarak Beyazıt'a doğru yürüdüler.

III

Macide birkaç günden beri evdekilerin kendisine karşı olan muamelelerinin tuhaflaştığını fark etmiyor değildi. Bunun hayırlı bir şeye alamet olmadığını da seziyordu. Fakat kime sordu ise: "Yok canım ne var ki ne saklayalım, senin evhamın!" cevabıyla karşılaştı.

Emine teyze birkaç kere yanına sokuldu, bir şey söyleyecekmiş gibi tavırlar aldı, sonra saçma sapan söylenerek ayrıldı.

Emine teyzenin kızı Semiha, ile zaten arası pek iyi değildi. Daha doğrusu Semiha, Macide'nin kendini pek beğendiğini zannediyor ve ona karşı küçük mevkide kalmamak için kendini ağır almak icap ettiğini sanarak lüzumsuz bir soğukluk yaratıyordu.

Yağ iskelesi civarındaki mağazasından geç vakit yorgun ve argın dönen Galip amca, ev halkı ile konuşmak itiyadını senelerden beri kaybetmişti. Yemeği yer yemez eline gazeteyi alır, kendisini kısa zamanda ümmilikten okuryazarlığa çıkaran iri Latin harflerini büyük bir sabırla hecelemeye başlardı.

Gedikli çavuş mektebinin son sınıfında bulunan Emine teyzenin oğlu Nuri ise, eve ancak haftada bir kere, hatta bazen daha seyrek uğradığı için ondan bir şey öğrenmek hiç mümkün değildi.

Macide, altı aydan beri aynı evde yaşadığı halde henüz hiçbiriyle içli dışlı olamadığı bu akrabalarına daha fazla ısrarla bir şey sormuyordu. Zaten buradaki hayatı bir pansiyondakinden farksızdı. Sabahları notalarını alıp gidiyor, akşamüzerleri, henüz ortalık kararmadan gelip odasına kapanıyordu. Semiha'nın ona bu kadar içerlemesine sebep de belki bu uzak duruştu. Emine teyze kendi âleminde, kendi dostlarıyla ve eğlenceleriyle meşgul olduğu için evinde yaşayıp giden bu sakin genç kıza pek fazla dikkat etmiyordu. Onu, ekseriya gündüzleri gelen misafirlerine, ailelerinin askerliğine bir misalmiş gibi, anlatıp methediyor, "musikiye aşina" olduğunu bilhassa zikrediyor, fakat bazı geceler evde toplanıp erkekli kadınlı saz yapan ve oldukça alaturka bir şekilde eğlenen meclislere bir kere bile sokulmamış, o kadar ısrara rağmen müzikteki hünerlerinin bir parçasını bile göstermemiş bulunan Macide'nin müzisyenliğinden en başta kendisi şüphe ediyordu.

Yağ iskelesindeki mağaza, son senelerde pek o kadar iyi işlemediği için, etrafa belli etmeseler ve memleketten gelen tanıdıkları gene bazen haftalar ve aylarca misafir etmekte devam etseler bile, oldukça sıkıntı çekiyorlar ve bunun için, Macide'nin babasından aydan aya gelen bir miktar parayı çok kere sabırsızlıkla bekliyorlardı.

Hatta Galip amca Macide'ye bu kırk liranın gelmesinin sebebi olmaktan başka bir gözle bakmamıştı. Fakat eşraf evi temposuyla yürümeye alışmış olan bu evin gidişatı böyle kırk elli liralarla düzelecek soydan değildi. Bir kere içine daldığı borçlar her gün biraz daha sıkışarak elini kolunu sarıyor, hâlâ otuz sene evvelki esnaf metotlarıyla bunun içinden sıyrılmaya çalışan adamcağızı büsbütün şaşırtıyordu.

Eskiden her sıkıntıdan çabuk kurtulmaya alışmış olduğu için henüz ümidini kesmiş değildi. Fakat bugün ne kendisinde o gençlik demlerinin enerjisi ne de etrafında o zamanların hep kendine benzeyen tüccarları vardı. Piyasa, bilhassa yağ ve sabun ticareti; kurnaz, bilgili, genç ve bilhassa zengin kimselerin elindeydi. Adımını onlara uyduramayan esnaf ezilip kenara atılıyordu, ve aşağı yukarı on seneden beri devam eden bu mücadele Galip Efendi'nin elindeki birkaç parça arazi ile birkaç yüz ağaç zeytini eritmekle kalmamış, Şehzadebaşı'nın arka sokaklarının birinde yan yana duran üç evin, içinde oturduğundan maada* diğer ikisini alıp götürmüştü.

* Başka.

Emine teyzenin beşibirliklerinden, incilerinden bir kısmı da son günlerde Sandal Bedesteni'nin yolunu tutmuştu. Mamafih vaziyetlerinin bozukluğuna dair her laf açılışında oturup ağlayan ve bir eşraf karısının bir türlü tükenmeyen mücevherlerinden birisini daha satmaya mecbur olunca başına ağrılar gelip çatkılar çatan Emine teyzenin teessürü yirmi dört saatten fazla sürmüyor, ilk fırsatta etrafına İstanbullu ve çenesine kavi dalkavuklarını toplayarak çalgılı âlemler yapıyordu.

Eski ve bol zamanlarda ailece bunlardan geçinen, şimdi vaziyetin bozukluğunu sezdikleri halde bir türlü uzaklaşmayan bu ahbaplar, iki birbirine zıt hissin tesiri altında idiler: Hem eski velinimetlerini sıkıntılı zamanlarında bırakıp gitmeyi doğru ve insanlığa yaraşır bir hareket bulmuyorlar, hem de onların henüz bütün menbalarının kurumadığını bildikleri için, son kırıntıyı yemeden kapılanacak başka bir yer aramayı istemiyorlardı.

Zaman zaman Balıkesir'den kalkıp gelen ve oradaki eski tufeyliliklerini* birkaç ay da İstanbul'da yiyip içip eğlenerek yâd etmeyi fena bulmayan hemşeriler ise evin, çökmeye yüz tutmuş bütçesine birer balyoz darbesi gibi oturuyorlardı.

Macide bütün bunları görüyor, anlıyor fakat fevkalade bulmuyordu. Kendini bildi bileli babasının Balıkesir'deki büyük evinde de aynı şeyleri görüp işitmiyor muydu? Orada da hep sıkıntıdan, bu sene mahsul kaldırılamadığından, falanca tarlanın ipotek edildiğinden, filanca bağın satıldığından başka ne laf edilirdi? Kendi annesi de bir beşibirlik bozdurunca başını çatkılar, kendi babası da akşamları eve gelince hiç konuşmadan dizlerini dikip oturarak tespih çekmeye ve zihnen, içinden çıkılmaz hesaplar yapmaya dalardı.

Çocukluğundan beri bitip tükenmeyen bu dertlerden ziyade onu hayrete düşüren başka bir şey vardı: Bu ne sonu gelmez tarla, bağ, ev, zeytinlik ve beşibiryerdeydi! Nesilden nesile biriken ve değişen zamanın değirmeninde erimeye başlayan bu servetler bir türlü bitmek bilmiyordu. Borçlar alınıp verilir, tarlalar satılır veya ekilirken, eskilerini aratmayan düğünlerle kızlar gelin ediliyor, akraba düğünleri için kenardan köşeden elmas küpeler, inci gerdanlıklar bulunup çıkarılıyordu.

* Asalaklıklarını.

Bu karmakarışık hayat içinde Macide daha ziyade tesadüflerin sevkiyle büyümüş ve okumuştu. Çocukluğunda evi yoklayıp geçen çeşit çeşit hastalıklardan biriyle ölmediyse bir tesadüf; ilkmektebi bitirdikten sonra evde alıkonmayıp ortamektebe gönderildiyse, bu da bir tesadüftü. Babası kendini çıkmaz işlerin içinde bu kadar kaybetmiş olmasa, kendisine kızını okutmasını tavsiye eden birkaç mektep muallimінin sözüne belki kanmaz ve onu da, ablası gibi on beş yaşında kocaya verirdi.

Macide'nin hayatı tesadüflerin oyuncağı olmaktan ancak ortamektebin ikinci sınıfında kurtuldu. Kendisini mektebe biraz geç, dokuz yaşında gönderdikleri için yedinci sınıfa gelince on altıya basmış, oldukça serpilmişti.

Bir eşraf evinin ağırbaşlı havası ve mütehakkim* edası tavırlarında göründüğü için arkadaşları ona pek sokulmuyorlardı. Sadece dersleriyle uğraşıyor ve tamamıyla kendine bırakılmış bir hayat sürüyordu. Ne çalışmasıyla alakadar olan, ne de şu yolda hareket et diye kendisine bir şey diyen vardı. Annesi ara sıra elbiselerinin açık veya kapalı, dar veya bol olduğuna dair bir şeyler söylemeye kalkıyor, sonra ne üstüme vazife der gibi omuzlarını silkip odasına gidiyordu. Hemen hemen bütün aileler kızlarını okuttukları için Macide'nin okumasında bir fevkaladelik bulmuyor, fakat onun hemen bir kocaya gitmesini tercih edeceğini kendinden saklamıyordu.

Loş bir taşlık etrafında birkaç oda ve kilerle üst katta geniş bir sofanın etrafına dizilmiş gene kocaman bir sürü odadan ibaret olan eşraf evi, Macide'nin gözünde günden güne yabancı bir şekil alıyordu. Mektepteki hayat, okuduğu kitapların ve dinlediği derslerin anlattığı şeyler onun, elli sene evvel taş kesilip olduğu yerde kalmış gibi hakikatten uzak olan evinden ve oradaki yaşayıştan tamamen ayrıydı.

Odasının şurasına burasına dağılı duran elbiseleri, göğüslükleri, kapıları yontmalı yerli ceviz dolapların raflarında karmakarışık yığılı duran kitapları buraya hiç yakışmıyordu. Birbiri arkasına okuduğu ve birçoğunu elinden garip bir tiksinti ile attığı bir sürü roman ve hikâye kitapları kafasının içinde, iyiliği veya fenalığı hakkında bir hüküm veremediği, fakat başkalığını ve içinde bu-

* Baskıcı.

lunduğundan daha hakiki olduğunu sarahatle gördüğü bir hayatı canlandırıyorlardı.

Mektepte diğer arkadaşlarıyla teması oldukça azdı. Bu, biraz yalnızlığı sevmekten biraz da onların konuştukları şeyleri hoş bulmamaktan ileri geliyordu. Yaşları on üçle on altı arasındaki bu çeşit çeşit kızlar, aralarında, yetişkin bir insanı kıpkırmızı edecek bahisler açıyorlar, sınıf arkadaşları olan oğlan çocukları hakkında, onları görünüşte daima istihfaf etmelerine* rağmen, pek vâkıfane mütalaalar yürütüyorlardı. Macide bu mükâlemeleri** hâkim olamadığı bir merak ile dinlese bile, yalnız kalır kalmaz büyük bir tiksinti duyuyor, arkadaşlarının yanına hiç sokulmamaya karar veriyordu.

İlk zamanlarda bu tiksintide biraz da anlamamazlık karışıktı. Mektebin bahçesinde grup grup baş başa vererek Ahmet'in dudaklarının kalın, Mehmet'in ellerinin beyaz ve yumuşak olduğunu, şu muallimin bu kıza biraz şaşı baktığını, dikiş hocasının asla koca bulamayacağını daima bir dudak büküşüyle birlikte söyleyen ve bütün düşünceleri bunlara benzer mevzular etrafında dönen arkadaşlarını anlayamıyordu. Bu bahisler ona manasız ve lüzumsuz geliyordu.

Sonraları, bilhassa birçok kitaplar okuyup kafasında birtakım hayaller, yeni yeni dünyalar teşekkül ettikten sonra bu kabil mübahaseleri*** iğrenç bulmaya başladı. Arkadaşlarının her sözü, hatta istikbale ait her hülyası onun geniş muhayyelesinin doğurduğu güzel dünyalardan birini kirletiyordu. Kendisi de gözünün önünden türlü türlü istikbal levhaları geçirdiği halde bunları kıymetli birer eşya gibi saklıyor, hatta sık sık düşünerek şekillerini bozmaktan bile korkuyordu.

Tam bu sıralarda, yedinci sınıfın ortalarında geçirdiği bir macera, onu büsbütün etrafından ayırdı. Fakat tamamıyla kendi içinde doğup büyüyen ve en ufak bir alameti bile dışarı sızmayan bu vak'aya macera demek bile doğru değildi.

* Küçümsemelerine.
** Konuşmaları.
***Söyleşileri.

IV

Macide ilkmektepten beri sesinin güzelliği ve musikiye istidadı ile göze çarpmıştı. Beşinci sınıfta iken musiki muallimleri Necati Bey isminde, Balıkesir'in aşağı yukarı bütün mekteplerini dolaşan, yaşlıca bir zattı. Sınıfa girince kutusundan klarnetini çıkarıp yeknesak mektep havaları çalar ve çocukları gelişigüzel bağırtırdı.

Macide, ara sıra kendisi de besteler yapmaya özenen ve edebiyata hevesli bazı mektep müdür ve muallimlerinin yazdığı vezin, kafiye ve manası bozuk satırları bir türlü aleladenin üstüne çıkamayan müziklerle birleştiren bu adamın nasılsa gözüne çarptı. İçinde gizliden gizliye bir sanat ihtirası tutuşan, fakat istidatsızlığının boyunduruğunu bir türlü kıramadığı için zamanla kalenderleşmiş ve dünyaya küsmüş bulunan Necati Bey Macide'yle meşgul olmayı kendine iş edindi. Babasıyla konuştu, akşamları mektep zamanından sonra, diğer bir iki hususi talebesiyle beraber onu Muallimler Birliği'ne götürerek akordu bozuk bir piyanoda çalıştırmaya başladı. Macide kısa zamanda arkadaşlarını bile hayrete düşürecek bir terakki gösterdi. İlk mektebi bitirdiği sene son sınıfın verdiği müsamerede ona tek başına piyano çaldırdılar. Sekiz aylık bir müptedinin* elinden gelebilecek en büyük hüneri gösterdi. Salonda bulunanlar çocuk velileriyle birkaç muallimden ve birkaç memurdan ibaret olduğu ve içlerinde müzik hakkında en küçük fikri olan bir kişi bile bulunmadığı için onu adamakıllı ve samimi bir hayranlıkla alkışladılar. Macide ortamektebin birinci sınıfında da bu şekilde ders almaya devam etti. Necati Bey'in kendisi de pek iyi piyano çalamadığı için iki sene kadar süren bu dersler, ekseriya olduğu gibi, talebenin yarım yamalak bir musiki ukalası olmasıyla neticelenmedi, ileri götürücü bir çalışma halinde devam etti.

Ortamektebin ikinci sınıfına geçtikleri sırada Necati Bey başka bir memlekete nakledildi. Macide tatilde piyanoyla hiç denecek kadar az meşgul olabildi. Yalnız başına Muallimler Birliği'ne

* Aceminin.

gitmeyi hem istemiyor, istese bile bunun muhiti tarafından hoş görülmeyeceğini biliyordu.

Mektep açılınca yeni ve genç bir musiki muallimi gelmiş olduğunu gördü. Bu, Bedri isminde uzun boylu, siyah ve kısa saçlı, yuvarlak çehreli bir gençti. Yüzünün hep gülümsüyormuş gibi bir ifadesi vardı ve bu hal kızların ilk günden itibaren onu alaya almalarına sebep oldu.

Bedri ilk günlerde buna fena halde kızdı. Derslerde yüzü kıpkırmızı kesiliyor, dakikalarca bir şey söylemeden duruyor ve dudaklarını kemiriyordu. Fakat biraz sonra yüzü tekrar o mütebessim halini alıyor, gözlerini talebelerin üzerinde tekrar tekrar gezdirerek anlatmaya devam ediyor ve piyanonun başına geçiyordu.

Büyük ve daima soğuk olan müzik dershanesi çocukların kendilerini kapıp koyvermeleri için en münasip yerdi. Erkek çocuklar en serbest el şakalarını yapmaya, genç kızlar konuşup konuşup sonra mendillerini ağızlarına tıkamaya çalışarak kahkaha ile gülmeye burada imkân bulurlardı. En ağır sözü:

"Rica ederim, size yakışır mı?" demekten ileri geçmeyen genç muallim, gürültüyü piyanoya daha şiddetle vurarak veya derhal hep beraber söylenecek bir şarkıya başlayarak bastırmak isterdi. Böyle zamanlarda bazen mektep müdürü Refik Bey sınıfın camekânlı kapısında görünür, istihfaf dolu gözlerle bu inzibatsız muallime bakar, çatık kaşlarıyla çocukları sükûta davet eder ve yılışık sırıtmalarla karşılaşırdı.

Yavaş yavaş Bedri bunları tabii bulmaya başladı. Çocukların ekserisi o kadar şımarık ve fena yetiştirilmiş mahluklardı ki, bunları güzel sözler ve ricalarla yola getirmeye imkân yoktu. Zaten müthiş dayak atan bir tarih hocasıyla sıfırcı diye ismi çıkmış bulunan bir lisan mualliminden başka dersi sükûnetle geçen kimse yoktu. Müdürün kendi dersleri bile bir curcuna idi. Şehrin diğer mekteplerinde de aynı halin mevcut olduğunu öğrenen Bedri, işi kalenderliğe vurdu ve ancak dersiyle alakadar olan birkaç kişi ile ciddi şekilde meşgul olarak diğerlerini kendi haline bırakmayı tercih etti.

Macide bu meraklılar arasındaydı. İlk zamanlarda sessiz sessiz bir kenarda durduğu için pek göze çarpmamıştı, fakat kısa bir müddet sonra Bedri'nin bütün alakasını üzerinde topladı. Genç adam mektep müdürüne olsun, diğer muallimlere olsun, bir şey keşfetmiş gibi heyecanla, bu fevkalade istidatlı talebeden bahsediyor ve onu muhakkak yetiştirmek lazım geldiğini söylüyordu. Bu sözleri büyük bir merak ve tasvip ile dinleyen muallimler onun arkasından ya gülümsüyorlar, yahut da manalı gözlerle birbirlerine bakıyorlardı.

Macide ise, Necati Bey'den ders aldığı zamanlardan kalma bir itiyatla, belki bir kere bile hocasının yüzüne dikkatli bakmamıştı. Beraber oldukları zaman gözleri ve aklı tamamen notalarda, Bedri'nin parmaklarında veya zaman zaman dalıp gittiği vuzuhsuz* hayallerin peşindeydi. Konuştukları şey, üzerinde çalıştıkları parçanın dışına hemen hemen hiç çıkmıyordu. Her ikisinde de, sanatın herhangi bir şekline bağlanan ve şuurlu veya şuursuz bir sanat ihtirasını içlerinde taşıyan insanların körlüğü vardı. Etrafları, hatta çok kere kendi kendileri tarafından enayilik diye telakki edilen bu gaflet bu muallimle talebe arasında belki devam edip gidecekti, fakat mektep müdürü Refik Bey her ikisinin de gözlerini ve düşüncelerini müzikten başka hususlara da çevirmelerine yardım etti.

Bir gün akşamüzeri çocuklar evlerine giderken Bedri muallim odasında oturmuş, İstanbul'da bulunan annesine mektup yazıyordu. Koridorda çocukların ayak sesleri seyrekleştiği bir sırada acele mektubu zarfa yerleştirip kapadı, üstünü yazdı, dışarı fırlayarak bir talebe aradı.

Kendisi mektepte yattığı ve bu akşam dışarı çıkmaya niyeti olmadığı için mektubu, yolu postane önünden geçen çocuklardan birine vermek istiyordu.

Sokak kapısından bahçeye doğru bakındı. Herkes gitmişti. Kendisi gitmek için geri dönüp şapkasını aldı, bu sırada kulağına müzik odasından piyano sesleri geldi:

"Macide burda galiba; onunla göndereyim!" dedi.

O tarafa yürüdü. Kapıyı açtığı sırada Macide piyanonun kapağını kapamış, çantasını almıştı.

"Biraz çalıştım efendim!" diyerek çıkmak istedi.

Bedri ona yol verdi ve:

* Belli belirsiz.

"Postanenin önünden geçerken şunu atıver!" dedi.

Genç kız zarfı çantasına yerleştirdi, hafifçe dizlerini kırarak: "Allahaısmarladık" dedi.

"Mektubu çantada unutmayasın!"

"Unutmam efendim!"

Macide bahçeye çıkarak kumlu yolda hızlı hızlı yürüdü, o sırada muallim odasına dönen Bedri, müdürün koridorun karanlık bir köşesinden fırlayarak süratle yanından geçtiğini ve bahçeye koştuğunu gördü. Refik Bey'in telaşı ve kendisini fark etmemiş gibi yanından geçişi onu hayrete düşürmekle beraber bunun üzerinde fazla düşünmedi.

Ertesi akşam Macide'nin ders günüydü. Paydostan sonra bir saat beraber çalışacaklardı. Müzik odasına giden Bedri, bu şekilde hususi olarak ders verdiği altı talebenin de orada olduklarını gördü.

"Bugün sizin gününüz değil, ne diye kaldınız?" dedi. Fakat onların bu fazla alakalarına içinden memnun da oldu.

Kızlar birbirlerine manalı bir şekilde bakıştılar. Macide, Bedri'nin yakınında, kıpkırmızı olarak başını önüne eğmişti.

İki erkek talebeden biri:

"Müdür bey emretti, bundan sonra ayrı ayrı ders almayacakmışız. Hep beraber çalışacakmışız!" dedi.

Bedri bir an ne demek istediklerini anlamayarak karşısındakilere baktı. Sonra omuzlarını silkerek notaları açtı ve evvela Macide'yi sonra diğerlerini dinledi, geri kalanlara:

"Siz de yarın akşam!" diyerek odadan dışarı çıktı. Müdürü görerek bu yeni emrin sebebini sormak istiyordu.

Onu odasında bulamayınca geri döndü, biraz hava almak için dışarı çıktı.

Ders verdiği yedi çocuk ellerinde çantaları ile beş on adım ilerden gidiyorlardı. Onlara yaklaştı. Bir müddet beraber yürüdüler. Her zamankinin aksine olarak bu akşam hepsi de susuyorlardı.

Bedri:

"Derslerde hepiniz beraber olursanız tabii daha faydalıdır. Fakat dikkat etmek ve gevezeliğe başlayıp büsbütün zararlı olmamak şartıyla!" dedi.

Çocuklar susmakta devam ettiler.

Bedri, Macide'ye dönerek, laf olsun diye:

"Mektubu unutmadın ya!" dedi.

Genç kız birdenbire kıpkırmızı oldu. Müthiş bir şaşkınlığa düştü. Öteki çocuklar da önlerine bakıyorlar, hem kızarıyor, hem de gülmemek için dudaklarını ısırıyorlardı.

Macide duyulur duyulmaz bir sesle:

"Mektubu müdür bey aldı efendim!" dedi.

Bedri olduğu yerde kalarak sordu:

"Ne münasebet?"

"Bilmiyorum efendim! Dün daha bahçe kapısından çıkmadan arkamdan koşup geldi. Sizin biraz evvel bana verdiğiniz mektubu istedi. Zarfı kendisine verirken 'Ne var mektupta?' diye sordu. 'Bilmiyorum, postaya atmak için Bedri Bey verdi' dedim. O zaman zarfın üstünü okudu. 'Peki peki... Hadi git, bir daha böyle postaya mektup filan götürme!' dedi. Sonra mektubu üçüncü sınıftan Enver'le yollamış."

Bedri sesini çıkarmadı, çarşıya gelmişlerdi:

"Hadi, güle güle!" diyerek talebelerinden ayrıldı. Ekseriya muallimlerin doldurdukları bir kahveye girdi.

Başka mekteplerin hocaları da dahil olmak üzere, bütün meslektaşları burada gibiydi. Kimisi pastra, kimisi tavla oynuyor, birkaç tanesi de oynayanları seyredip iki tarafa yardım ediyordu.

Uzaktaki bir köşede müdürün iskambil kâğıdı karıştırmakta olduğunu gördü. Sağ ayağını altına almış ve şapkasını yanına koymuştu. Ara sıra sol eliyle saçsız başını kaşıyor, sonra tekrar kâğıtlarla meşgul oluyordu. Bedri'yi uzaktan görünce evvela görmemezliğe geldi, fakat onun kendisine doğru ilerlediğini fark eder etmez o tarafa başını çevirerek:

"Buyursanıza kardeşim! Şöyle gelin! Ne içersiniz?" diye ikramda bulundu.

Bedri:

"Teşekkür ederim" dedi. "Bir şey içmeyeceğim. Yalnız sizinle hemen biraz konuşmak istiyorum!"

Diğer muallimler kahveye pek uğramayan bu oyunbozana iç sıkıntısı ile baktılar. Müdür:

"Baş üstüne kardeşim, istersen şu partiyi bitiriverelim!.. Acele mi? Pekâlâ!"

Yanındaki seyircilerden birine dönerek:

"Hadi bakalım, benim yerime bir el oynayıver. Dikkat et ha... İki partidir içerdeyim!" dedi.

Yerinden kalktı. Nispeten tenha bir köşeye gittiler.

Bedri evvela söyleyecek bir şey bulamadı. Müdür daha çabuk davranarak:

"Galiba şu mektup meselesini soracaksınız. Sabahtan beri gelirsiniz diye bekledim, siz görünmeyince herhalde kendisi de hatasını anlamıştır dedim. İki gözüm, siz çok yer gezip çok şey görmüşsünüz ama, bizim de tecrübemiz fazla. Böyle ufak yerlerde insan adımını çok hesaplı atmalı, insanı tefe koyup çalıverirler. Burası Almanya değil... Siz Almanya'da bulunmuştunuz değil mi?"

"Hayır, Viyana'da."

"Neyse, hepsi bir. Burası Avrupa değil. Gerçi Avrupa'ya benzemek istiyoruz ama, yavaş yavaş."

Bedri sert ve asabi bir hareketle müdürün sözünü kesti:

"Bunları ne diye söylüyorsunuz?" dedi. Biraz durduktan sonra ilave etti: "Mektubu niçin aldınız? Yahut üstünü okuduktan sonra niçin tekrar vermediniz de başkasıyla yolladınız?"

Buraya müdürle adamakıllı kavga etmeye gelmişti. Bu anın yaklaştığını hissediyordu.

Müdür elini onun omzuna koyarak, samimiye çok benzeyen bir sesle:

"Sizi müşkül vaziyetten, derhal ortalığa yayılacak olan dedikodulardan kurtarmak için!" dedi.

Bedri, sesi titreyerek:

"Beni aptal yerine mi koyuyorsunuz?" dedi. "Benim o kızla postaya mektup gönderdiğimi sizden başka kimse görmedi, görmüş olsalar da sizden başkasının aklına böyle bir münasebetsizliğin geleceğini tasavvur edemem..."

Yerinden fırladı. Yüzü sapsarı olmuştu:

"Bu mesele üzerinde konuşmak, size izahat vermek mecburiyetinde kalmak bile bana müthiş azap veriyor. Bu kadar bayağıca bir isnat altında kalmak..."

Müdür onu kolundan çekip oturttu. Sesinde hep o sakin ve samimi eda vardı:

"Belki asabileşmekte haklısınız!" dedi. "Yalnız benim vazifemden başka bir şey yapmadığıma emin olunuz. Hakkınızda hüsnüniyet dışında en küçük bir şey düşünmediğime emin olunuz, yalnız muhitin böyle olmadığını ve ekseriyetin suiniyet* ile hükümler vereceğini göz önünde tutmaya mecburum.

"Talebe karşısında beni kepaze bir mevkiye düşürdünüz!"

"Böyle yapmasam daha fena mevkiye düşecektiniz!"

"Ben talebenin yüzüne nasıl bakacağım!"

"Yok canım, bunlar olağan şeylerdir. O kadar üzülmeye değmez. Bir parça dikkatli hareket etmek kâfidir."

Ayağa kalktı. Gözüyle takip ettiği parti bitmiş, yerine bıraktığı arkadaşı oyunu kaybetmişti. Sözü kısa kesmek için:

"Yarın mektepte uzun uzun konuşuruz. Zamanla bana hak vereceksiniz" dedi. Sonra aklına gelmiş gibi ilave etti: "Ha, çocuklara akşamları teker teker ders vermeyi münasip bulmadım. Kulağıma birtakım lakırdılar geldi. Malum ya, muhtelit** mektep. Ebeveynin itimadını sarsmaya gelmez. Müsaade!" diyerek uzaklaştı.

Oyuna başlarken kendisine sorucu gözlerle bakan arkadaşlarına:

"Hiç" dedi, "Herkesi aptal mı sanıyor nedir? Bizim elimizden neleri geçti... Böyle kurtları genç kızların arasına başıboş salmaya gelir mi hiç! Ara sıra gözümüzün kör olmadığını anlatmalıyız..."

Kâğıtları eline aldı, "Hadi bakalım, bu sefer hakkınızdan geleceğim" diyerek karıştırdı ve dağıtırken kendi kendine söylenir gibi mırıldandı:

"Bu kadar senedir müdürlük ediyorum, bulunduğum mektepte hiç vukuat vermedim. Bu yaştan sonra şu züppe için başımı derde mi sokacağım!"

Bedri, olduğu yerde kalmıştı. Yolda gelirken hazırladığı müthiş cümleler, ağır hakaretler, hatta çıkarmak niyetinde olduğu kavga suya düşmüştü. Aklının almadığı bir bayağılığı, düşün-

* Kötü niyet.
** Karma.

mekten bile utandığı bir iftirayı bu kadar tabiilikle müdafaa eden bir insana karşı değil kendini müdafaa etmek, ona küfretmek bile imkânsızdı. Her söyleyeceği sözün, mukabelesi imkânsız bir cevapla karşılaşacağını derhal anlamıştı. Suiniyeti esas olarak kabul eden ve bir insanın dürüst, samimi ve namuslu olabileceğine ihtimal vermeyen bir kimseye karşı kendini müdafaa edebilmenin hazin imkânsızlığı onun elini kolunu bağlamıştı. Süratle kahveden çıkarak mektebe döndü, canı bir şey çalmak istemiyordu. Bavulunu karıştırarak rasgele bir kitap aldı ve okumaya çalıştı.

V

Macide arkadaşlarından ayrılıp eve dönünce derhal odasına çıktı. Çantasını yavaşça bir kenara bıraktı. Göğüslüğünü sükûnetle çıkardı, yüzünü gözünü yıkadı, sonra tekrar çantasının başına giderek bir coğrafya kitabı aldı ve minderin üstünde çalışmaya koyuldu.

Aynı sayfayı iki defa okuduğu halde neden bahsettiğini anlamamıştı. Düşünceleri mütemadiyen sıyrılıp başka taraflara kaçıyordu. Birisiyle mücadele ediyormuş gibi dişlerini sıktı ve kaşlarını çattı. Göğsü süratle inip kalkıyor ve yumrukları titriyordu. Nihayet elindeki kitabı bir kenara fırlatarak mindere kapandı ve hıçkırarak ağlamaya başladı.

Sesini duyurmamak için dişlerini hırsla ot yastığa geçiriyordu. Bu kendini sıkma onun hiddetini daha çok arttırıyor, başına müthiş bir ağrı getiriyordu.

Hırsından, yalnız hırsından ağlıyordu. Herkese, en başta Bedri olduğu halde, müdüre, arkadaşlarına, kendine ve etrafındakilere kızıyordu.

Ne hakları vardı? Onu küçük düşürmeye, onunla alay etmeye, bütün bu iğrenç hadiselere sebep olmaya ne hakları vardı? Mektebe gitmek ona korkunç bir şey gibi geliyor, gitmemek ve neden gitmediğinin sebebini söylemek veya başkaları arasında bu sebebin fısıldandığını düşünmek daha müthiş görünüyordu.

Dün akşam, müdürün o muamelesinden sonra, kendine hâkim olmaya çalışmış, muvaffak da olmuştu; fakat bugün mektepte arkadaşlarının ona karşı aldıkları tavır gözünden kaçmamıştı. Derhal mektebe yayılan hadise, Macide'nin sessizliğini kendini beğenme zannedenlerin veya onun istidadını çekemeyenlerin açıkça hücuma geçmelerine sebep olmuştu. Yanında, duyabileceği şekilde: "Vah vah!.. Neler oluyormuş da haberimiz yokmuş!.. Müdür bey sağ olsun!" gibi sözler söyleniyor, bakışlar beş on misli manalanıyordu.

Mağrur ve kendini beğenmiş değildi. Hiç değildi. Hatta belki de bunun aksine olarak nefsine itimadı henüz pek zayıftı. Fakat buna rağmen bu çocukların nasıl olup da başka birine bu derece ehemmiyet vererek bütün kafalarını onunla alakadar edebildiklerini anlayamıyordu. Bir insanı kendisi kadar, kendi düşünceleri, dertleri, korkuları ve noksanları kadar ne meşgul edebilirdi? Halbuki bütün arkadaşlarının gözünde sanki sihirli bir gözlük vardı ve onların kendilerini görmelerine mâni oluyordu. Bu kadar ahmakça bir körlüğe başka türlü mana verilemezdi. Anasının düzgün ve boyalarını çalıp sürünerek mektebe gelen bir kızın başka bir kıza, tırnaklarını biraz sivriltmiş diye kinayeli laflar söylemesi; oğlan çocuklarla pazar günü gezmeye gidip bütün şehre yayılacak kadar kepazelik çıkaran ve bu yüzden daha iki gün evvel inzibat meclisine* çıkıp bir hafta muvakkat tart alan bir zavallının hiç yüzü kızarmadan "Aman yarabbi! Hiç utanmak kalmamış... Ayşe'nin Ahmet'le gezişine bakın!" demesi sadece gevezelik ve düşüncesizlik olamazdı.

Macide etrafındakilerde hoşuna gitmeyen herhangi bir şey gördüğü zaman aklına ilk olarak: "Acaba ben de aynı şeyi yapmıyor muyum?" düşüncesi gelirdi. Fakat arkadaşlarından hiçbirinin, ömründe bir defa olsun, kendini böyle bir sualin karşısında bırakmadığı muhakkaktı.

Onlara karşı derin bir istihfaf duydu. Bu yüzden hayatının yolunu değiştirecek kadar heyecana düşmeyi nefsine karşı bir haksızlık saydı.

"Ne yaparlarsa yapsınlar, aldırış bile etmeyeceğim!" diyerek kalktı. Sofadaki muslukta yüzünü, gözünü yıkadı. Tekrar odası-

* Disiplin kuruluna.

na gelip mindere oturunca biraz evvel elinden attığı kitabı aldı ve oldukça sükûnetle yarınki dersi gözden geçirdi.

Yalnız ara sıra gözleri dalıyor, kafasından hain yüzlü arkadaşlarının hayali geçiyor, yahut Bedri mahcup ve hiddetli tavrıyla karşısında dikilip duruyordu. Fakat Macide her defasında hafifçe başını silkip kaşlarını kaldırarak bunları önünden uzaklaştırıyor ve derslerine dönüyordu.

Ertesi günü mektep ona korktuğu kadar değişmiş görünmedi. Daha yolda iken içinde hiçbir sıkıntı bulunmadığını tespit etmişti. İyi bir haber almaya gidiyormuş gibi manasız bir hisle ayakları yolun bozuk kaldırımlarında çabucak sekiyordu. Sabahleyin derse girmeden evvel ve ders arasındaki teneffüslerde kızların kendilerine başka meşguliyetler bulduklarını, iki gün evvelki vak'anın zannettiğinden çok daha erken unutulacağını gördü. Arkadaşları arasında hiçbir zaman mühim bir yer tutmadığını, hiçbir zaman büyük ve devamlı bir alakanın merkezi olamayacağını belki biraz hüzünle, fakat müsterih bir nefes alarak hatırladı.

Birkaç gün içinde hayat eski şeklini aldı. Şimdi yedi kişi beraber müzik dersi görüyorlardı. Bedri eskisine nazaran biraz daha dalgın, biraz daha sinirliydi. Ara sıra, küçük sebeplerle bağırıveriyor, fakat biraz sonra, kendini affettirmek ister gibi yumuşak bakışlarla etrafını süzüyordu. Bilhassa Macide'ye karşı tavrı çekingen olduğu kadar müşfikti. Kendi yüzünden genç kızın ne kadar üzüldüğünü tahmin eder gibiydi. Ona hem ortada bir şey yokmuş hissini vermek, hem de olan işlerde kendisinin bir kabahati olmadığını anlatmak istiyordu. Ara sıra koridorda birbirlerine rast gelince pek kısa bir bakışla gözlerini birbirlerine dikiyorlar ve bu anda bazı hususlarda anlaştıklarını fark ediyorlardı. Çocuklar dersteyken Bedri ara sıra sınıfın önünden geçerdi. Macide bu sırada onun adımlarını yavaşlattığını ve camekânlı kapıdan sınıfa bakan gözlerinin kendini aradığını hissederdi.

Aralarında aynı haksızlığa uğrayan iki kişinin yakınlığı tesessüs etmeye başlamıştı. Bilhassa Macide Bedri'nin ağır ve dalgın halinin tesiri altındaydı. Akşamüzerleri eve dönerken bazen arkada kalıyor ve herhangi bir iş için çarşıya inen Bedri'nin uzun boyu, biraz düşük omuzları, daima öne eğilmiş başıyla, yokuşun alt tarafında kayboluşunu seyrediyordu. Kendi kendine bile itiraf etmek istemediği halde, onun başka kızlarla fazlaca konuşması adamakıllı canını sıkıyordu. Böyle zamanlarda: "Acaba müdür bey haklı değil miydi?" diye kendine soruyor, fakat bütün bu değişmelerin müdürün o müdahalesinden sonra başladığını hatırlayarak nefsine karşı temize çıkmaya çalışıyordu. Arkadaşları o hadiseyi unutmuş görünmekle beraber, Bedri ile Macide'nin herhangi bir vesile ile yan yana gelmelerini, birkaç kelime konuşmalarını manalı bakışlar için bahane yapmakta devam ediyorlardı. Bu hal Macide'yi büsbütün şaşırtıyor, fakat nedense, Bedri'ye daha çok yakınlaştırıyordu. Artık her derste gözü kapının camındaydı. Ve onun koridordan geçmesini yüreği hızla atarak bekliyor, dışarıda adımlar duyunca, ne vaziyette olursa olsun, başı çevriliyordu. Diğer çocukların dikkatine çarpacak herhangi bir şey yapmaktan adamakıllı korktuğu halde, Bedri'nin bakışlarına uzun müddet mukabele ediyor ve cesaretinden dolayı garip bir gurur duyuyordu.

Mamafih ne kendi tabiatı, ne de Bedri'nin hali bu hislerinin daha fazla artmasına müsaade edecek gibi değildi. Genç adam akşamları ders verirken olsun, teneffüslerde yahut mektep dönüşü yolda olsun, konuşmak fırsat ve imkânlarını asla kullanmıyor, buna mukabil, hiç umulmadık bir zamanda, hırsızlama gibi bir bakışla birçok şeyler ifade etmeye çalışıyordu.

O da artık lakayt değildi. Müdür onun gözlerini, istemeyerek, Macide'nin üzerine çevirmişti. Şimdi genç kızın insana hayret veren müzik istidadı kadar, onu alakadar eden bir boyu, bir çift eli ve içinde birçok şeyler saklı olan gözleri vardı. Ne sözlerinde, ne tavırlarında hiç yapmacık bulunmayan, bir kadında pek az görülen bir cesaret ve bir açıklıkla insana uzun uzun bakan gözlerinde birçok şeyler ifade eden, fakat aynı zamanda bunlara gene pek tabii bir irade ile hâkim olmayı bilen bu on altı yaşındaki genç kızı, mektebin diğer talebeleriyle karıştırmaya imkân yoktu.

Onunla ders yapacağı zamanları sabırsızlıkla bekliyor, fakat bir gece evvelden rüyasını gördüğü bu saatlerde diğer çocuklara gösterdiği alakanın yarısını bile Macide'ye göstermiyordu. Bunda belki sebepli bir korkunun, kıza laf gelmemesi arzusunun tesiri vardı. Her mektepte insanı kusturacak kadar bol görünen bir talebe ve hoca muaşakası* yapmak niyetinde değildi. Aynı zamanda Macide'nin diğer çocuklar gibi insanı saatlerce uğraştıracak derecede az istidatlı olmadığı da muhakkaktı. Fakat bütün bu sebeplerin yanında, bunlardan daha kuvvetli olarak onu kızdan uzaklaştıran ve hakikatte daha çok yaklaştıran bir şey vardı: Bedri hislerine her zaman hâkim olmaya alışmamış bir sanatkârdı. Âşık olmaktan, hakikaten ve deli gibi sevmekten korkuyordu. Elinden gelse bu tehlikenin önüne geçmek için kıza daha başka muamele ederek onu kendinden uzaklaştıracaktı. Fakat bu kadar ileri gidemiyor, kimsenin farkında olmadığını zannettiği anlarda Macide'yi sonsuz bir şefkat ve hayranlıkla süzmekten kendini alamıyordu. Bu zayıf anlarının kız tarafından hissedildiğini görmekle de asla bedbaht değildi.

Macide'nin hislerini belli etmemesi onu bilhassa sevindiriyordu. Çünkü genç kızın memnuniyet ifade eden herhangi bir hali onu muhakkak ki, isteksiz ve soğuk bir mukabele kadar üzecekti.

Kendilerini birbirine manen bu kadar sokulmuş bulan bu iki insan, biri yaşının, öteki sanatkârlığının çocukluğu içinde bocalar dururken sene sonu gelmiş ve mektep tatil olmuştu. Bedri İstanbul'a annesinin yanına, Macide ahşap ve büyük evine döndü. Her ikisinde de mektebin bahçesinde veya Beş Mayıs gezintisinde diğer çocuklarla bir arada çektirilmiş birkaç fotoğraftan başka elle tutulur bir hatıra kalmamıştı. Ancak kafalarında, birbirinin hayali değil, bir zamanlar şiddetle duydukları hislerin kuvvetli hatırası, hatta biraz da devamı, uzun zaman kaldı.

Bedri istasyona giderken bir arabaya binmişti. Yolda birkaç arkadaşıyla beraber giden Macide'yi gördü. Çocuklar hocalarını başlarını eğerek selamladılar. Bedri olsun, Macide olsun, bu anda birbirlerine gözlerini çevirmekten bile kaçtıkları halde, uzun uzun bakıştıklarını zannettiler.

Eylülde mektepler açılınca başka bir musiki muallimi geldi. Bedri'nin İstanbul'da kaldığı söyleniyordu. O sene, Macide'nin kafasında hemen hemen hiçbir iz bırakmadan geçti. Gene pek genç olan yeni muallim çocukların hususi müzik derslerine devam etti. Macide, talebeden müteşekkil bir grupla beraber birkaç

* Aşkı.

konser verdi ve alkışlandı. Kafasına neler ilave ettiğini bir türlü anlayamadığı birtakım derslerden imtihan verdi ve Fransızcadan başka hiçbir derste babasının iltimasını kullanmadan ortamektebi bitirdi.

Artık her şey tamamdı. Bundan sonra ne yapılacağını ne anası, ne babası, ne hocaları, ne de herhangi bir kızın anası, babası ve hocası biliyordu. Herkes gibi onun da akıbetini tesadüfler tayin edecekti. Belki bir müddet sonra bir kocaya vermek isteyecekler, o reddedecek, başka birini ortaya sürecekler, onu da istemeyecek, bu mücadele pek de uzun sürmeden genç kızın sebepsiz ısrarı sona erecek, o da nihayet, "ne olursa olsun" deyip boyun eğecek ve bir şeyler, bir şeyler olacaktı.

Demek hayat böyle iki adım ilerisi bile görülmeyen sisli ve yalpalı bir denizdi. Tesadüflerin oyuncağı olacak olduktan sonra ne diye bir irademiz vardı? Kullanamadıktan sonra göğsümüzü dolduran hisler ve kafamızda kımıldayan düşünceler neye yarardı? Yaşayışımıza ve etrafımıza şekil vermek arzusuyla dünyaya gelmekten ise hayatın ve muhitin verdiği şekli kolayca alacak kadar boş ve yumuşak olmak daha rahat, daha makul değil miydi?

Macide buna benzer şeyleri sisli bir şekilde düşünüp cevaplandırmaya çalışırken günler orağın biçtiği saplar gibi üst üste yığılıp kalıyorlardı. Kendini piyano ile avutmaya çalıştı. Bir zamanlar bir Rumun evinden emvali metruke* idaresine geçen ve son günlerde ucuz bir fiyatla satılığa çıkarılan eski ve akortsuz bir piyanoyu, pek fazla ısrara lüzum kalmadan, babasına aldırmak mümkün olmuştu. Yukarı katın büyük sofasında bir kenara yerleştirilen ve paslı şamdanlarıyla alçak tavanı işaret eden bu zavallı alet, Macide'ye sadece hüzün veriyordu. Şimdiye kadar aldığı müzik derslerinin, ancak dünyada insan ruhunu harekete getirmeye müsait bir müzik olduğunu ispat etmek gibi bir faydasını görmüş, fakat buna henüz ne kadar uzak olduğunu anlamakta gecikmemişti. Önüne bir nota açarak çalışmaya başladığı zaman kulağında bir zamanlar Bedri'den, hatta daha sonraları onun kadar kuvvetli olmayan diğer muallimden dinlediği nağmeler canlanıyor, hafızasının ve muhayyilesinin bu insafsızca oyunu karşısında çaresizce kapağı vurup kalkıyordu.

* Sahipsiz eşyalar.

O, müziğe diğer arkadaşları gibi, bulacakları kocanın seviyesini bir derece yüksek tutmakta yardımcı olsun diye heves etmemişti. Ona, evlendikten sonra bir kenara atılacak bir genç kızlık elbisesi gözüyle bakmıyor, bütün ömrü müddetince, bu ömrün manası olarak yanında götüreceği yakın bir arkadaş diye sarılıyordu.

Yazın sıcak günlerini loş sofada uzanmak, uçsuz bucaksız düşüncelere dalmak, annesinin komşularla beraber tertip ettiği bağ ve bahçe gezmelerine giderek delişmen arkadaşların oyunlarına katılmak ve bu muvakkat* "kendini unutma"dan daha kuvvetli bir iç sıkıntısı ile uyanmak suretiyle geçiriyordu.

Bu sırada, gene bir tesadüf, nasıl devam edecek diye düşünmekten bile yorulduğu hayatına, başka bir istikamet verdi:

Hem gezmek, hem de satıp savacak şey kalıp kalmadığını bir daha gözden geçirmek için İstanbul'dan Balıkesir'e gelen Emine teyze, hoppa kızına hiç benzemeyen bu ağırbaşlı, güzel akrabaya meftun oluvermişti. Hele onun müziğe çalıştığını öğrenince ortalığı ayağa kaldırdı. Balıkesir'de kalmış olan akrabalarına biraz da merhametle baktığını hissettiren bir eda ile:

"İnan olsun Macide'yi burada bırakmam. Burada ziyan olacak kız mı bu? İstanbul'da hem okur, hem dünya görür, hem de burada patlayacağına Semiha ile gezip eğlenir..." dedi.

Sonra, kızın anasını ve babasını asıl canevinden yakalayarak:

"Kızınıza burada memurdan başka koca bulamazsınız ki... Halbuki o doktorlara, mühendislere layık... Hele birkaç sene bizde kalsın da görürsünüz" diye ilave etti.

Macide bu neşeli, cana yakın teyzeye bayılmıştı. Eve her gelip gidişinde yanaklarını sıkı sıkı öpen, ona İstanbul'dan, orada bulacağı arkadaşlardan bahseden ve Macide'nin:

"Acaba konservatuvara gidebilir miyim?" sualine:

"A!! O da söz mü? İstediğin yere gidersin!" diye cevap veren Emine teyze, Macide'nin gözüne gökten onu kurtarmaya gelmiş yaşlıca ve şişmanca bir melaike gibi görünüyordu.

Annesi ve babası pek itiraz etmediler. Mevsim sonbahara yaklaştığı için ellerinde mahsulden kalma biraz paraları vardı.

* Geçici.

Macide'ye birkaç kat "İstanbulluk" elbise yaptırdılar. Emine teyze ile ikisinin yanına bir teneke yeşil zeytin, birkaç teneke bal ve iki tane küçük halı kattılar ve bir daha görmeyecekleri çocuklarını trene bindirip yolladılar.

İstasyonda yalnız annesi ağladı, babası ara sıra yakalıksız gömleğini kurcalamakla ve tren kalktığı sırada kaşlarını çatıp başını hafifçe sallamakla iktifa etti.*

VI

Nihat'la Ömer köprüden ağır ağır Babıâli Caddesi'ne doğru yürüdüler. Kitapçı camekânlarını seyrederek Beyazıt'a gitmek istiyorlardı. İki tarafında zevksiz kapaklar içinde iyili kötülü kitapların ve ciğer kebabı ile zeytinyağlı enginarın teşhir edildiği yokuşu hiç konuşmadan çıkıyorlardı. Postane yakınından geçerlerken Ömer'in içinden bugün şeytanın ayağını kırıp daireye uğramak geçti, fakat öğle paydosu yaklaşmıştı; gitmek gülünç olacaktı. Vazifeperverlikten geldiğini zannettiği ve manasız bulduğu garip bir üzüntü ile ayaklarını sürüdü. Bir tütüncünün tezgâhında, su musluğunun yanına sıralanmış duran mecmualardan birini 15 kuruş verip aldı; yazanların ismine bir göz attıktan sonra kıvırıp cebine koydu.

Nihat hep dalgındı. Bir öğle yemeğine yetecek kadar paraları olmadığı halde Ömer'in bir mecmuaya 15 kuruş verdiğini bile fark etmedi. Öğleden evvel çok tenha olan caddede hiçbir tanıdığa rastlamadılar. Beyazıt'a gelince caminin yanındaki kahvelerden birinde oturdular. Burada da kimseler yoktu. Uzaktaki köşelerden birinde iki tane zavallı fen fakültesi talebesi harıl harıl ders ezberlemekle meşguldüler. İlerde, caddeye yakın tarafta sakallı bir softa bozuntusu nargile içiyor ve kurnaz gözlerle etrafı süzüyordu.

Bir müddet oturup meydandan gelip geçenlere, tramvaylara, dilencilere baktılar. Nihayet Nihat rüyadan uyanıyormuş gibi başını kaldırarak:

* Yetindi.

"Para lazım azizim!" dedi.

"Malum. Birazdan yemeğe gelenler arasında bir ahbap bulur, isteriz... Bir lira yeter değil mi?"

Nihat istihfaf ve hiddetle ona baktı:

"Öyle para değil, adamakıllı para... İş yapacak para!.."

"Ticarete mi başlıyorsun?"

"Gevezeliği bırak azizim. Senin kafan da işte bunları anlamaz. Benimki nasıl senin semalarda dolaşan tefekküratını* kavramıyorsa... Ömrümün sonuna kadar felsefe fakültesi talebesi kalmak niyetinde değilim herhalde..."

"Talebesi kalma da mezunu ol."

"Mezun olsam da bu beni tatmin eder mi sanıyorsun?"

Ömer biraz ciddileşerek:

"Sahi, Nihat!" dedi. "Son günlerde sen biraz esrarengiz adam oldun. Garip sözler söylüyorsun, hiç görmediğim birtakım insanlarla ahbaplık ediyorsun, hele geçen gün yanındaki tatar suratlı herifi hiç beğenmedim. Nedir bunlar?"

Nihat şüpheli bir bakışla etrafını gözden geçirdi, sonra:

"Sus" dedi. "Sen gevezenin birisin, aklının ermediği şeylere burnunu sokma... Zekice sözler söylemekte ve hayaller kurmakta devam et. Akıllandığın ve realiteye döndüğün zaman seninle daha uzun konuşuruz..."

Bir müddet düşündükten sonra fikrini değiştirmiş gibi:

"Mamafih bugünlerde seninle konuşacağım. Yalnız şu kadarını söyleyeyim ki, paraya ihtiyacımız var..."

"İhtiyacınız mı var? Siz kimsiniz?.. Ne kadar lazım?"

"Kim olduğumuzu şimdilik sorma... İstediğimiz para da bir miktar değil... Her zaman ve hiç arkası kesilmeden para lazım."

Ömer güldü ve:

"Merak etmeye başladım!" dedi.

Nihat eliyle mükâlemeyi** kesti:

"Yeter. Seninle konuşacağım dedim ya, bekle... Şimdi öğle yemeğini ve sonra da akşamı düşünelim!"

Saat ikiye kadar kahvenin karşısındaki lokantaya gelenleri gözden geçirdiler. Bunların arasında tek tük tanıdık bulunmakla

* Düşüncelerini.

** Konuşmayı.

beraber bir yemek ısmarlatacak kadar yakın kimse yoktu. Nihayet ümidi keserek birer simit ve birer çay ile karınlarını doyurdular.

Mekteplerin tatil zamanı olduğu için bu kahveleri memleketin muhtelif yerlerinden İstanbul'a eğlenmeye gelen muallimler dolduruyordu. Öğleden sonra birer ikişer gelip burada diğer arkadaşlarıyla buluşan ve akşama kadar vakitlerini tavla oynamakla geçiren bu "yazlık" müşteriler, gece nereye gideceklerine dair kararlar verdikten sonra gene geldikleri gibi grup grup kalkar ve Beyoğlu'nun ucuz birahanelerinin yolunu tutarlardı. Ortalık karardıktan sonra burada yalnız talebeler, bir de ders senesi esnasında tatil için para biriktirememiş olanlar kalırdı.

Ömer'le Nihat, güneşin tesiriyle ara sıra yer değiştirerek akşama kadar oturdular. Her ikisi de kendi âlemine dalmıştı. Nihat planlar, tasavvurlarla dolu kafasına serbestçe yol veriyor, Ömer muayyen bir şey üzerinde durmadan birçok birbirine aykırı şeyler düşünüyordu.

Birkaç kere elini cebine atarak biraz evvel aldığı mecmuayı okumak istedi. Fakat yazıların başlıklarından ileri geçemedi ve elinde kıvırdığı sayfaları masanın üzerine vurarak:

"Yarabbi... İnsanı bu iç sıkıntısından kurtaracak bir şey yok mu?" diye söylendi.

Çok kere böyle oluyordu. Bütün kafası birdenbire boşalıyor, göğsünün ve gırtlağının üstüne bir ağırlık çöküyor ve ne olduğunu bilmediği birtakım şiddetli arzuların hasretini duyuyordu.

Nihat:

"Ne istediğini bilsen canın sıkılmaz!" dedi.

Ömer, yalvarır gibi cevap verdi:

"Bana istenecek bir şey söyle, uğruna can verilecek bir şey söyle, hemen dört elle sarılayım..."

Nihat güldü:

"Gördün mü? Derhal sapıtıyorsun. Hayatta hiçbir şey, uğrunda ölmek için istenmez. Her şey yaşamamız için olmalıdır. Hatta biraz ileri gideyim, kendi yaşamamız için... Sen kafanın içindeki yokluğa o kadar saplanmışsın ki, derhal uğrunda can feda edecek bir şey arayarak ikinci bir yokluğa dalmak istiyorsun! Yaşamak, herkesten daha iyi, herkesten daha üstün yaşamak, insanlara hâkim olarak, kuvvetli, belki de biraz zalim olarak yaşamak...

Dünyada bundan başka istenecek ne vardır? Hayatını bu gayeye vakfet, görürsün, nasıl birdenbire canlanacaksın!"

Nihat'ın zayıf yüzü birdenbire kırmızılaşmış, çabuk hareket eden gözleri parlamaya başlamıştı. Ömer gevşekliğini hiç bozmadan mırıldandı:

"Sen sahiden değişmeye başladın Nihat! Yahut ben seni pek iyi tanıyamamışım. Senin içinde meğer ne ihtiraslar saklıymış... Fakat fazla hodbin değil misin? Belki sözlerin doğru... Fakat içimde bunların doğru olmasını istemeyen bir yer var..."

Beyaz önlüklü bir garson elektrik düğmesini çevirdi. Ağaçların arasına gerilmiş tellere asılı duran bir sürü ampul birdenbire sarı bir ışıkla canlandı. Bu sırada dört kişi hararetli münakaşalar ederek geldiler, Ömer'le Nihat'ın masasının yanına oturdular.

Nihat bunlara dönerek:

"Nereden teşrif, üstatlar?" dedi.

Yeni gelenlerin arasında kısa boylu ve sinirli hareketleriyle göze çarpan biri:

"Siz burada mısınız?.." diye başka bir sualle cevap verdi. Sonra: "Ne saçma sual, değil mi?" diye ilave etti: "İşte görüyoruz ki buradasınız. Ne diye sorarız acaba?.. Türkçenin kendine mahsus bir manasızlığı... Dünyada hiçbir lisanda bu kabiliyet yoktur... Saatlerce konuşup hiçbir şey ifade etmemek kabiliyeti!"

Gene yeni gelenlerden ve gene kısa boylu birisi, kalın camlı gözlüklerinin altında ne renkte olduğu belli olmayan gözlerini kısarak:

"Sualinde Türkçenin bu kabiliyetini arttırmakla meşgul olduğunun farkında mısın?" dedi.

Ömer yüzünü buruşturarak mırıldandı:

"Aman!.. Gene espriler başladı. Benim kafamın boş zamanları bana bu bitip tükenmez nüktelerden daha manalı görünüyor..."

Nihat aynı yavaş sesle:

"Düşün ki ikisi de bu memleketin meşhur adamlarıdır. Bir büyük şairin ve daha büyük bir muharririn sözlerinde herhalde bir keramet mevcuttur..." dedi ve Ömer'in kıs kıs gülmesine iştirak etti.

Gelenlerin arasında ilk konuşan iki kişiden başkası ağızlarını açmıyordu. Nihat bunlardan birine yavaşça sokuldu, birkaç kelime konuştular. Öteki başıyla evet makamında bir işaret yaptı. Nihat derhal Ömer'e dönerek:

"Oldu... Bu akşam emniyetteyiz..." dedi. Ömer içini çekti.

Bu havadisin onu pek sevindirmediğini gören Nihat:

"Ne o? Beğenmedin mi?" diye sordu.

"Ne kadar zavallı olduğumuzun farkında mısın?"

"Neden? Hiç ömründe anafor rakı içmemiş gibi konuşuyorsun!"

"Allah aşkına sus. Bütün ömrüm... Bütün ömrümüz kepazelik..."

"Meğer sen fazilet abidesiymişsin!"

"Değil... değil... fakat şu muhakkak ki bugün olduğum gibi olmak da istemiyorum. Büsbütün başka bir hayat, daha az gülünç ve daha çok manalı bir hayat istiyorum. Belki bunu arayıp bulmak da mümkün... Fakat içimde öyle bir şeytan var ki... bana her zaman istediğimden büsbütün başka şeyler yaptırıyor. Onun elinden kurtulmaya çalışmak boş... Yalnız ben değil, hepimiz onun elinde bir oyuncağız... Senin dünyaya hâkimiyet planların bile eminim ki onun mahsulü..."

Nihat daha fazla sabredemeyerek Ömer'in sözünü kesti:

"Allah aşkına bu mistik konferansları bırak. Ben senin derdini anlıyorum. Yalnız bunu yüzüne söylersem kızacaksın!"

"Söyle bakalım!"

"Sen evlenmek istiyorsun!"

Ömer tiksinir gibi oldu ve:

"Aptal!.." dedi. Sonra cebinden mecmuasını çıkararak karıştırmaya başladı.

Nihat biraz evvel konuşan kalın gözlüklü zata dönerek:

"E, İsmet Şerif Bey, bugünkü yazınız nefisti. Düşmanlarına sizin kadar keskin silahlarla ve kuvvetli mantıkla hücum eden başka muharririmiz yok. Her hafta makalelerinizi sabırsızlıkla bekliyoruz."

Ömer mecmuadan başını kaldırarak:

"Kari* mektubu mu okuyorsun?" dedi.

"Yanlış mı söylüyorum?"

* Okuyucu.

"Hayır... Fakat şunu da ilave et ki, dostumuz İsmet Şerif'in yere çaldığı düşmanların başında kendisi geliyor. Bir ay evvel söylediğinin bir ay sonra daima ve daha kuvvetle aksini iddia ettiğine göre ilk öldürdüğü hasım gene İsmet Şerif'tir. Değil mi Emin Kâmil?"

Demin Türk lisanının manasızlık kabiliyetinden bahseden ve her meselede İsmet Şerif'le münakaşa halinde olduğu görülen büyük şair:

"Tabii, tabii" dedi.

İsmet Şerif, küçüklükte aldığı bir yara neticesinde sol omzuna doğru biraz eğrilmiş olan başını doğrultmaya çalışarak:

"Hayatın bir değişmeler silsilesi ve her değişmenin bir tekâmül olduğunu anlamayanlar yobaz kafalı insanlardır" dedi ve başka cevaba lüzum görmeyerek boynundaki yara yerini kurcaladı.

Balkan Harbi'nde babasıyla beraber Edirne'de bulunurlarken serseri bir mermi parçasının boynunda açtığı bu oldukça büyük yara, İsmet Şerif'in hayatının en mühim hadisesiydi. Bu onun, en büyük romanına mevzu olmakla kalmamış, bölüğüyle Edirne'den bir çıkış hareketi yaparken kahramanca şehit olduğunu söylediği babasıyla beraber karakterinin ve kafasının teşekkülünde en mühim rolü oynamıştı.

Şimdi büyük gazetelerden birine haftada bir defa yazdığı makalelerle memleket içinde ve dışındaki bütün siyasi, iktisadi ve edebi meselelere temas ediyor ve her yazısını, akıllıca bir mantık silsilesini takip eden keskin bir hüküm ve çare ile bitiriyordu.

Bu büyük muharrir ve mütefekkirle* çok kere beraber gezen, beraber içen ve beraber düşünen, fakat aynı zamanda arkadaşının her fikrine, her sözüne itiraz etmeyi kendisine vazife addeden şair Emin Kâmil, iş güç sahibi olmayan bir mirasyediydi. Ömrünün büyük bir kısmını babasının Yeşilköy civarındaki çiftliğinde oturup avlanmak, köpek beslemek ve senede birkaç derin manalı şiir yazarak edebiyat meraklılarını mesut etmekle geçiriyordu.

Başka işi olmadığı için son senelerde Budizme merak sardırmış, saçlarını kökünden kestirip çiftlikte yalınayak dolaşarak Nirvana'ya varmak istemiş, sonra bundan vazgeçerek birkaç ay-

* Düşünürle.

dan beri Çinli Laotse'nin hayranı olmuştu. Elinde Çin felsefesine dair Fransızca kitaplarla dolaşıyor, hayatı ve insanları bunlara göre izah etmeye çalışıyordu. Zeki ve duygulu tarafı olduğu halde arkadaşları arasında pek ciddiye alınmamasından müteessirdi ve bunun acısını etrafını mağrur bir istihfaf ile* süzerek çıkarmaya çalışıyordu.

Nihat'la Ömer bir zamanlar bir gençlik mecmuası çıkarmışlar ve bu iki üstattan başmakale ve şiir istemek suretiyle onları tanımışlardı. Mecmua çoktan battığı ve yerine gene süratle batan yenileri çıktığı halde bu ahbaplık devam ediyordu; Ömer böyle şeylerle artık meşgul olmadığı halde Nihat'ın hâlâ birtakım mecmualarla alakası vardı. İsmet Şerif'in yazı yazdığı gazetelerde ara sıra "Gençlik Hareketleri" diye makaleler neşreder ve ne kastettiği pek kolay anlaşılmayan ve açıkça söylemediği bir düşmana çatıyormuş hissini veren yazıları bazı gençler tarafından hararetle münakaşa edilirdi.

İsmet Şerif'le Emin Kâmil'in yanında gelen gençler ise, tahsillerini yarıda bırakıp gazeteciliğe süluk etmişlerdi.** Türkçeleri düzgün olmadığı ve hemen hemen hiçbir şey bilmedikleri için muhabirlikten ileri geçemiyorlardı. Üstatların meclisinde ses çıkarmadan otururlar ve onların hiç arkasını kesmeden savurdukları nüktelere hayran hayran gülmekle vakit geçirirlerdi.

İsmet Şerif, birdenbire yerinden fırlayarak emreder gibi:

"Hadi gidelim!.." dedi.

Onun sık sık görülen bu mütehakkim*** hali ile mazlum bir şekilde sol omzuna doğru yatan boynu hazin bir tezat teşkil ediyordu.

Hep beraber yerlerinden kalktılar. Ömer içtiği çayın parasını teneke masanın üstüne bıraktı. Nihat da kendi parasını verdi. Diğerleri küçük bir münakaşadan sonra oraya yakın bir yerde, Koska taraflarında son zamanlarda keşfettikleri bir meyhaneye gidilmesini kararlaştırmışlardı. Hep beraber yürüdüler.

Dışarıdan bakılınca meyhaneden ziyade kalaycı dükkânını andıran bu basık tavanlı yerde, tıraşları uzamış birkaç yaşlı ak-

* Küçümsemeyle.
** Başlamışlardı.
***Baskıcı.

şamcı ile iki üç esnaftan ve tezgâhın yanında bir iskemleye oturarak udunu yanına dayayan siyah gözlüklü bir çalgıcı ile, ayağına çorapsız potinler giymiş on on iki yaşlarında bir çocuktan başka kimseler yoktu. Bunlar bir müddet çaldıktan sonra istirahat edere benziyorlardı. Uzun ve sarı yüzlü çocuk Ömer'in hemen gözüne çarptı. Halinde henüz atamadığı bir masumluk ile henüz tamamıyla benimseyemediği bir pişmanlık ve hilekârlık birbirine karışıyordu. Büyük kahverengi gözlerini etrafında gezdirirken, hasta ve merhamete muhtaç bir tavır almaya gayret ediyor, fakat ara sıra kendini unutarak endişeli gözlerle yanındaki udîye bakınca, yahut meyhaneci Ermeninin müşterilere taşıdığı türlü mezelere gözü takılıp hasretle içini çekince sahiden zavallı ve yürek parçalayıcı bir hal alıyordu.

Hep birden küçük bir masanın etrafına sıkıştılar. Meyhaneci hemen tepsi içinde bir karafa rakıyla beraber küçük börekler, fasulye piyazları, izmarit tavaları getirdi. Tekrar başlayan sazın gürültüsü arasında konuşmaya koyuldular. Şair Emin Kâmil şarkı söyleyen oğlan üzerinde felsefe yapıyor, İsmet Şerif milli yaralarımızı bir makale edasıyla şerhe* çalışıyor, gazeteci delikanlılar hürmetle susmakta devam ediyorlardı.

Bir aralık Nihat oradakilere Ömer'in bu sabah yaptıklarını anlatmaya başladı. Ömer canı sıkılmış bir eda ile tekrar mahut mecmuasını cebinden çıkardı, okumaya koyuldu. Nihat'ın hikâyesi masadakileri kahkaha ile güldürmeye başlamıştı ki, Ömer birdenbire, gözleri parlayarak, elindeki mecmuayı masaya vurdu.

"Bakınız... Bakınız!" dedi. "Burada bir şiir var... Beni deli eden şeyleri ne kadar açık söylüyor. Siz beni anlamıyorsunuz... Eminim ki bunu yazan beni anlayacaktır..."

Mecmuayı tekrar masadan alarak okumaya başladı. Bu, tanınmış şairlerden birinin "Şeytan" adlı bir şiiri idi.

Ömer sesi titreyerek ve bütün içini dökmek isteyen bir adam gibi ikide birde karşısındakilerin gözüne bakarak okudu. Şiirde gölgesiyle bizi kovalayan, arkamızdan fısıldayan, buz gibi elleri ensemizde dolaşan ve bizi hiçbir yere kaçırmayıp sımsıkı yakalayan bir şeytandan, bizi sıska bir çocuk gibi karşısında ürpertip

* Açıklamaya.

titreten bir kuvvetten bahsediliyordu. Ömer şiiri bitirdiği zaman alnı ter içindeydi.

"Bakın şu satırlara!.." diyerek şiirin ortasından birkaç mısrayı tekrar okudu:

Onu ben çocukluğumdan,
İlk rüyalardan tanırım.
Yalnız yürüdüğüm zaman
Odur arkamdaki adım.

Onun korkusu, içimde
Ürkek bir dünya yaratan...
....

Ömer haykırır gibi tekrarladı:

"Evet, evet onun korkusu... İçimde bu ürkek dünyayı yaratan onun korkusu... Ben bu değilim... Ben başka bir şeyler olacağım... Yalnız bu korku olmasa... Hiçbir şeyi bana tam ve iyi yaptırmayacağına emin olduğum bu şeytandan korkmasam..."

Emin Kâmil başını sallayıp gözlerini sinirli sinirli kırpıştırarak:

"Neden kızıyorsun? Neden şikâyet ediyorsun?" dedi. "İçinde şeytan dediğin o şeyin en kıymetli tarafın olmadığını nereden biliyorsun? Sizin gibi beş hissinden başka duygu vasıtası olmayanlar bu daimi korkudan kurtulamazlar. Asıl sebep ve illetlere* varabilseniz göreceksiniz ki en zayıf tarafımız dışımızdadır. Gözümüzü kör eden yedi renktir, kulağımızı sağır eden sesler, ağzımızı paslandıran yediklerimiz, kalbimizi önce coşturup sonra durduran sonsuz koşmalarımızdır. Yüksek insan dışına değil, içine kıymet verendir."

Nihat kendini tutamayarak:

"Dışınızı da pek ihmal edere benzemiyorsunuz üstat... Laotse'nin bütün hikmetlerine rağmen tatlı tuzlu bir ömür sürüyorsunuz!"

Emin Kâmil cevap vermek üzereydi. Fakat İsmet Şerif daha evvel davrandı, Ömer'e dönerek:

* "Neden" anlamında.

"Fevkalade bir şey değil... Bu şeytan hepimizde vardır. Bizim sanatkâr tarafımız onun çocuğudur. Bizi gündelik hayatın dışına çıkaran, bize insanlığımızı, makine olmadığımızı idrak ettiren odur. Emin Kâmil'in söyledikleri saçma... İç başka dış başka olmaz. Bunlar bir fikrin iki görünüşünden başka bir şey değildir..."

Ömer başka şeylere dalmıştı ve dinlemiyordu. Nihat kadehini ağzına götürerek:

"Mamafih Emin Kâmil'den pek ayrılan tarafınız yok!" dedi. "Bilhassa işi derhal ciddiye alıp felsefesini yapmak hususunda müştereksiniz... Hâlâ bizim Ömer'i öğrenemediniz. Küçük bir şey onu muazzam heyecanlara götürebilir. Küçük bir yaprağın arkasında bir dünya gördüğünü zanneder de koca dünyayı görmeden yaşar. İçinde bir türlü aslını öğrenemediği bir kâinat bulunduğuna kânidir."

Sonra Ömer'e dönerek ilave etti:

"Hayata, realiteye, menfaatlerine döndüğün zaman içinde ne şeytan kalacak ne peygamber... Vücudunun ve ruhunun ne kadar basit bir makine olduğunu öğren, istediklerini tayin et ve bunlara doğru azimle ilerlemeye başla... Göreceksin!"

Ömer başını salladı:

"Hiçbirinizi anlamıyorum. Verecek cevap da bulamıyorum. Fakat yanılmadığıma eminim: Bizi istemediklerimizi yapmaya çeken bir kuvvet var, bu muhakkak. Bizim daha başka, daha iyi olmamız lazım... Bu da muhakkak... Bunu nasıl birleştirmeli, bunu bilmiyorum..."

Nihat güldü:

"Ömrünün sonuna kadar da öğrenemeyeceksin..."

Meyhane boşalmıştı. Üçüncü kadehten sonra eğri başı sallanmaya başlayan İsmet Şerif'le sinirli hareketleri daha çoğalan Emin Kâmil hararetli bir münakaşaya dalmışlardı. Birbirlerinin sözünü ret mi, kabul mü ettikleri belli değildi. Her ikisi de büyük manalı kelimeler, girift cümleler kullanıyorlar, sözlerinin muayyen yerlerinde durarak yaptıkları tesiri kontrol ediyorlar, bazen de aynı zamanda söze başlayarak birbirlerini dinlemeden söyleniyorlardı. Ömer münakaşanın neye dair olduğunu anlamak istedi, kulağına gelen, idrak, tefekkür, kıstas, sistem, şuur gibi yüksek tabakadan kelimelere, kalıbımı basarım... fikir çığırtkanları, politika tellalı... mefkûre bezirgânı gibi münevver argosu numunelerinin karıştığını fark etti.

"Yarabbi... Bu adamlar ne kadar kendilerini tekrarlıyorlar" diye mırıldandı.

Nihat:

"Ne dedin?" diye sordu.

Kafasından geçen her şeyi arkadaşına açmaya alışmış olan Ömer bu sefer ilk defa olarak düşündüklerini ona söylemeyi lüzumsuz buldu ve başını sallayarak:

"Hiç... Farkında değilim!" dedi.

Karşılarındaki altı köşeli tahta duvar saati on biri gösteriyordu. Ömer şapkasını yakalayarak:

"Ben şimdi geliyorum!" dedi ve sokağa fırladı. Hızlı adımlarla Laleli'ye kadar geldi, burada sağa dönerek yangın yerleri ve tek tük evlerin arasından geçen bozuk bir sokaktan Şehzadebaşı'na doğru yürüdü..

Meyhanede kalan Nihat, yanındaki gazeteciye telaşla sordu:

"Yahu, bu akşamki masraf senden değil miydi?"

Öteki ağırlaşan gözkapaklarını ve başını kaldırmaya uğraşarak evet makamında başını salladı.

Nihat derin bir nefes aldıktan sonra:

"Bizim deli oğlan ne diye kaçtı öyleyse?" diye mırıldandı.

VII

Emine teyzelerin kapısını çaldığı zaman saat gece yarısına yaklaşmış bulunuyordu. Evin sokak üstündeki odalarının hepsi karanlıktı. Yalnız kapının üstündeki camekândan hafif bir ışık vuruyordu. "Herhalde sofada oturanlar var!" dedi.

Belki bir seneden beri uğramadığı bu akrabalarını böyle münasebetsiz bir saatte yoklamak kendisine pek garip gelmiyordu. Eskiden beri, hatta lisede okuduğu zamanlarda bile, mektebe dönemeyecek kadar geç kalınca buraya gelir, emektar hizmetçi

Fatma'nın boş odalardan birine serdiği yatakta çocukluğunu hatırlatan rahat bir uyku uyur ve sabahleyin de ekseriya kimseye görünmeden çıkardı.

Bu sefer buraya gelmek kararını ani olarak vermişti. Meyhanede konuşulanlar ona anlatılamayacak kadar boş ve soğuk görünüyordu. Bu âlemden tamamıyla ayrı, daha olduğu gibi, daha toprağa yakın bir muhite gitmek arzusunu duydu. Teyzesinin sonradan görme evinin aradığı yer olmadığını biliyordu. Fakat onu buraya asıl çeken sebebi kendine bile itiraf etmek istemiyordu.

Kapıyı her zamanki gibi Fatma açtı. Otuz seneden beri bu evin kahrını çeken ihtiyar kız mutfak kokan elbiseleri, daima gülümseyen gözleri ile karşısındaydı. Ömer'i görünce duyduğu samimi sevinç her halinden belli oluyordu.

"Buyur bakalım küçükbey... Daha yatmadılar..." dedi. Sonra "Sorma... Bu akşam vaziyet fena... Ama kendileri anlatsınlar, buyur!" diye yol açtı.

Ömer birkaç ayak merdiveni çıkınca muşamba döşeli sofada Galip amcayı ve Emine teyzeyi buldu. Galip Efendi uyukladığı yerden doğrularak misafiri güler yüzle karşılamaya gayret ediyor, Emine teyze ise başındaki beyaz çatkısı ve kızarmış gözleriyle:

"Gel bakalım, gel Ömerciğim... sorma başımıza gelenleri!" diye sızlanıyordu.

Ömer derhal meseleyi anladı:

"Söylediniz mi?" dedi.

"Söyledik... Söyledik... Zaten biz söylemesek de o anlamaya başlamıştı. Bu akşam boynuma sarıldı. Ben koskoca kızım, ne diye saklarsınız? dedi. Beni böyle şüphede bırakmak daha çok üzüyor, Allah aşkına ne varsa söyleyin, dedi. Ant verdi. Ben de ağzımdan kaçırdım. Kendimi zapt ederim diyen kızı bir göreydin! Yürekler acısı! Bağıra bağıra minderlere serildi. Sonra bir tesellimizi bile dinlemeden kaçtı, yukarıya odasına gitti, kapıyı arkasından kilitledi. Elektriği söndürdü. Biraz sonra da sesi kesildi."

Ömer telaşla sordu:

"Yanına gidip bakmadınız mı?"

"Bakmaz olur muyuz... Ama dedim ya, kapıyı kilitledi. Haydi bende bir telaş. Acaba canına mı kıyacak diye ödüm koptu. Kapıyı yumrukladım. Teyzeciğim, beni rahat bırakın, azıcık başım dinlensin, uyuyayım! diye cevap verdi. Ne bileyim ben, acayip bir kız. İnsan böyle dertli zamanında dert ortağı arar, halbuki o kaçacak yer arıyor."

Elini tekrar yaşaran gözlerinde gezdirdi:

"Benim de sinirlerim ayaklandı. O zamandan beri başım çatlıyor. Ne de olsa baba ölümü... Ama elden ne gelir..."

Galip Efendi:

"Merhumun vaziyeti de bir hayli kötü idi..." diye mırıldandı.

Emine teyze ona, böyle yaslı zamanlarda bile "vaziyet" düşündüğü için kızdığını anlatan bir bakış fırlattı.

Ömer bu anda zavallı kıza sahiden acıdığını hissetti. Dört sene evvel ölen kendi babasını hatırladı. İstanbul'da leyli mekteplerde geçen ömrü, babasını adamakıllı tanımasına mâni olmuştu. Ona aydan aya para yollayan ve tatillerde evine gidilen biri nazarıyla bakmaya alıştığı halde ölüm haberi kendisini adamakıllı sarsmıştı. İnsan oturduğu odanın duvarlarından biri yok oluvermiş gibi bir noksanlık, bir çıplaklık duyuyor, bir gün evveline kadar kolumuz, bacağımız gibi pek tabii surette mevcut olan bir şeyin birdenbire hiç olmasına inanmak istemiyordu.

Ömer düşünceli bir tavırla:

"Bari tahsili yarım kalmasa!" dedi.

Galip amca derhal uykusundan fırlayarak cevap verdi:

"Bakalım vaziyetleri müsait olacak mı!"

Emine teyze biraz evvelki bakışını tekrarladı ve kocasının eski hovardalığının ve bir eşrafa yakışan eli açıklığının zamanın tesiriyle nasıl silinip yerini manasız bir hasisliğe bıraktığını bir daha düşündü. Emine Hanım olmasa eve gelen misafirlere, hemşerilere bir lokma yemek bile çıkarılmayacaktı. Fakat o bütün kuvvet, bütün iradesiyle bu korkunç anı biraz daha geri itiyor, "Ben kan tükürürüm de kızılcık yedim derim. Misafire ikramda kusurum olacağına evcek oruç tutarız daha iyi!" diyordu. Mamafih henüz evcek oruç tutulduğu da yoktu.

İçtiği rakılar Ömer'e garip bir ağırlık vermişti. Birkaç defa esnedi. Bir kenarda dizüstü oturan Fatma yerinden fırladı:

"Yukarıda yatağınız hazır küçükbey!.."
Ömer gerinmeye çalışarak:
"Gideyim öyleyse!" dedi ve kalktı.
Emine teyze sitemli bir eda ile:
"Sakın gene bize görünmeden gitme... Bu sefer darılırım!.. Allah rahatlık versin!" dedi.
Ömer tahta ve gıcırtılı merdiveni çıkarak sokak üstündeki küçük odaya girdi. Yere serilen büyük bir yatak odanın ortasını kaplıyordu. Elektriği açmak için düğmeyi aradı, sonra vazgeçti. Tam pencerenin önünde yanan sokak lambası odayı tamamıyla aydınlatıyordu.
Kapıya yakın bir iskemleye çöktü. Başı ağrımaya başlamıştı. İçinde sebepsiz bir üzüntü vardı. Gözlerini etrafta gezdirdi.
Eskiden tanıdığı bu odada hemen hemen hiçbir şey değişmemişti. Yayları çökmüş bir kanepe ile gıcırdayan dört iskemleden ibaret ucuz, fakat aşırı derecede fantezi oda takımı eski yerini muhafaza ediyordu. Yerde aynı eski, fakat güzel Uşak halısı, pencerenin yanındaki sedirde aynı patiska örtüler ve ot yastıklar, duvarda aynı "besmele" levhası ve bir köşede küçük bir masanın üzerinde aynı portatif gramofonla yırtık kılıflı plaklar duruyordu.
Ömer bu karmakarışık eşya içinde daha çok sıkıldı. Sonra kederine rağmen gözlerinin sürmesini ve yanaklarının allığını unutmayan teyzesiyle şimdi herhalde odasında gamsız bir uyku uyuyan şişman teyzezadesini, Semiha'yı düşündü; ve onların buraya ne kadar uyduklarına şaştı. Onlar da bu oda gibi, bütün evleri gibi henüz nereye ait olduklarını bulamamışlardı. Onların içinde de besmele levhasıyla Sonya plağı yan yana duruyordu.
Oturduğu iskemleden kalkarak pencereye gitti, camı açtı. Serin bir bahar gecesiydi. İçeri giren soğuk havanın başındaki ağrıya faydası olacağını ümit etti.
Şehrin ışıklarının kızarttığı gökyüzünde tek tük bulutlar koşuşuyor, birkaç sokak öteden tramvay tekerleklerinin gıcırtısı geliyordu. Gözlerini karşıya çevirince senelerden beri orada duran ve büyük bir konak bahçesini çeviren yüksek duvarların hiç değişmeden aynı yerde yükseldiklerini gördü ve hayret etti. Hayatında her şey o kadar çabuk değişiyordu ki, aradan bir müddet

geçtikten sonra gene aynı halde kaldığını gördüğü eşya onu şaşırtıyor ve üzüyordu.

Başının içindeki düşünceler tıpkı şu gökyüzündeki seyrek bulutlar gibi daimi bir hareket halinde, şekilsiz ve elle tutulamayacak kadar dağınıktı. Fakat yavaş yavaş daha çok derlenip toplandılar, birtakım hatıralar, istekler, ihtiraslar, ümitler halinde birbirini kovalamaya devam ettiler.

Bu sırada kendi kendine bir şeyler söylendiğini fark etti, bütün gayretine rağmen ne söylediğini hatırlayamadı. Kafasında onun iradesine tabi olmayan bir merkez işliyor ve o dikkatini buraya çevirmek isteyince derhal sisler içinde kayboluyordu. Başını pencerenin tahtasına dayadı. Gözleri yarı kapalıydı. Karşı konağın bahçesindeki birkaç ağacın duvarı aşan dalları bir bacadan fışkıran duman gibi yumuşak hareketlerle gecenin içinde sallanıyordu. Bir an için tramvay gürültülerinden, elektrik ışığından ve geceden uzaklaşıp yeşil ve aydınlık bir yere doğru sürüklendiğini hissetti. Kavak fidanları arasında ve dar bir yolda gidiyor, sağ tarafında bir adım genişliğindeki bir arktan köpüklü sular akıyordu. Sol tarafında aşağıya doğru uzanan hafif bir sırt ve bunun üzerinde, etrafı böğürtlen ve yabangülü çitleriyle sarılmış bağlar vardı. Çömelmiş insanlar gibi duran kütükleri ve üzerlerinde kırmızı meyveleriyle kiraz fidanlarını gayet iyi görüyordu. Bir müddet sonra yol kısa bir yokuşa geldi. Şimdi iki tarafındaki ağaçlar ve çalılar etrafı göstermeyecek kadar sıklaşmış ve yükselmişti. Yokuşun sonunda genişçe bir meydan vardı. İri ceviz ve karaağaçlar gökyüzünü tamamen kapatıyor ve yaprakların arasından sızan ışıklar meydanın bir kenarındaki küçük bir havuzu daima değişen bir mozaikle süslüyordu. Geldiği yolun kenarından akan su demek buradan çıkıyordu. O tarafa yürüdü. Havuz yosunlu ve sarmaşıklı kayaların altında kayboluyordu. Etrafta yaprakların hışırtısından ve havuzun dibinden, kumlar arasından çıkan su habbeciklerinin tatlı şıpırtısından başka bir ses yoktu...

Bir tramvay tekerleğinin acı feryadı onu sıçrattı. Bir anda müthiş bir merak ile yanmaya başladı: Bu manzarayı, bu yeşil yolu ve kayaların içinden fırlayıp tabii bir havuz vücuda getiren suyu nerede görmüştü? Bütün hafızasını topladı. Çocukluğundan beri gezdiği yerleri, kafasında yer eden güzel manzaraları gözünün önüne getirmeye uğraştı. Burasını bir türlü hatırlayamıyordu. Neredeydi? Dursun Bey ormanlarından Kazdağ çamlıklarına ve pınarlarına kadar her yeri araştırdı. Arabayla ve yayan gezdiği yerleri düşündü. Bu ağaçlı yolda yalnız mıydı, yanında başkaları da var mıydı? Bunu da hatırlamıyordu. Kafasını çatlatırcasına işletti. Gözünün önünde bu kadar teferruatla canlanan yerler bir hayal değildi. Buraları muhakkak gördüğünü biliyordu. Ama ne zaman?.. Acaba rüyalarımdan birinde mi gördüm, dedi. Hayır, bu rüya filan değildi. O yoldan geçmiş, kiraz ağaçlarını ve bağ kütüklerini gözleriyle görmüştü... İçinde orayı tekrar görmek için müthiş bir arzu uyanıyor, fakat neresi olduğunu hatırlamayarak çaresizlik içinde kıvranıyordu.

Bu muvaffakiyetsizlik canını sıkmıştı. Gözlerini tekrar odaya çevirdi. Bu hal çok kere başına geliyordu: Bir kitap okurken oradaki birkaç satırı tanır gibi oluyor, fakat nerede, nasıl öğrendiğini hatırlayamıyordu. Yahut birisine bir şey söylerken kafasının içindeki bir yer ona bu mükâlemeyi aynı şahıslar ve aynı kelimelerle bir başka zaman gene yapmış olduğunu fısıldıyor ve Ömer sözlerini unutarak bunu araştırmaya başlıyordu. Birkaç kere bunları rüyalarında gördüğünü zannetmek istedi. Belki garip bir kuvvet ona bazı hadiselerin daha evvelden rüyasını gösteriyordu. Sonra bu düşünceyi gülünç buldu. Fakat birtakım hadiselerin, hayatında ilk defa yaptığı bazı işlerin ve söylediği veya duyduğu bazı sözlerin ona yabancı olmadığı da muhakkaktı. Bunları tayin edemediği bir zamanda, fakat herhalde yaptığını, gördüğünü veya duyduğunu biliyordu.

Başını yorgun bir halde patiska örtülü ot yastığa dayadı. Evin içi sessizdi. Gözlerini kapayarak hayalinde bütün odaları dolaştı.

Fatma herhalde aşağıdaki muşamba döşeli sofaya yatağını sermiş ve o hafif uykusuna dalmıştı. Topukları çatlamış ayaklarından biri yorganın kenarından dışarı çıkmıştı. İş görmekten büyüyen ellerini, kimse dokunmadan küçülen ve pörsüyen memelerinin üstünde kavuşturmuştu. Siyah saçları kirli yemenisinden fırlayarak yastığa dağılıyordu. Göğsü sükûnetle inip kalkıyor ve düşünmeyi unutan kafası belki de, yedi yaşından beri görmediği anasıyla babasına ait rüyalarla meşgul olarak, işleme kabiliyetini büsbütün kaybetmemeye çalışıyordu.

Alt katta bahçe üstündeki odada uyuyan Emine teyze ile Galip amcanın yatışlarını tasavvur etmek pek hoş değildi. İki kocaman yağ kütlesi halinde somyayı çökerten vücutlar birbirine arkasını dönmüştü. Galip amcanın beyaz ve önü işlemeli entarisi beline toplanmış ve sedef düğmeli pazen donunun bir parçası dizine kadar sıyrılmıştı. Emine teyze gerdanının kıvrımları arasında beliren hafif ter damlacıkları ve gözlerinin kenarından taşan sürme ve çapaklarla uyuyordu. Her ikisi de üzüntülü rüyalar görüyordu. Galip amcanın horultusu, karısının dudaklarından mı, burnundan mı çıktığı belli olmayan bir ıslığa karışıyordu.

Yukarıda, gene bahçe üstünde bir odada şişman, fakat genç vücuduyla Semiha yatıyordu. Kumral ve düz saçlarını işlemeli yastığa sermiş, bir elini yanağının altına, ötekini göğsüne koymuştu. Beyaz ve tombul bacakları, gerilmiş ve birbirinden ayrılmış olarak patiska çarşaflara sarılıyordu. Endişesiz kafasından belki otomobilli kocalar, ipekli elbiseler, bir yerde saç kıvırtmak rüyaları geçiyordu.

Ömer'in yanı başındaki odada ise...

Ömer evin bütün odalarına hayalen yaptığı bu gezintinin sırf buraya varmak için olduğunu kendisine itiraf etmek istememişti. Fakat şimdi anlıyordu ki, meyhaneden kalkıp gece yarısı buraya gelişinin sebebi de budur.

Sabahleyin vapurda, kızı ilk defa gördüğü zaman hissettiği şeyler kafasından bir kere daha geçti.

"Aptal Nihat... Beni neredeyse olduğumdan başka türlü yapacak!.." diye söylendi. O zamana kadar aklından ve kalbinden geçen her şeyi olduğu gibi ortaya dökmekten bir nevi gurur ve zevk duymaya kendini alıştırmıştı. Bu, ona nefsine olan itimadının bir ifadesi gibi geliyordu.

Bu sefer de başka türlü hareket etmek için hiçbir sebep olmadığını düşündü. "İsmi neydi? Macide, evet, Macide!" dedi. "Pek de güzel bir isim değil. Herhalde babası bir memur çocuğunda duydu ve kızına bu adı verdi. Ne olursa olsun, ismine rağmen yarın onu görürsem kendisine deli gibi âşık olduğumu söylerim..."

Macide'yi hayalinde canlandırmaya çalıştı. Yüzünü bir türlü tamamıyla bulamıyordu. Yalnız tramvaya binmek için yanından ayrıldıkları zaman nasıl tatlı bir yürüyüşle ve bir kere bile arkasına bakmadan uzaklaştığını ve bir de siyah, kıvırcık saçlarıyla ince omuzlarının arasında ancak iki parmak kadar görünen harikulade güzel boynunu hatırladı. Gözleri ne renkteydi? Göze çarpan bir teni ve çenesi olduğu muhakkaktı, fakat ağzının ve dişlerinin şekli nasıldı?

"Nasıl olursa olsun!.. Bir benzerini bütün hayatımda görmediğim bir mahluk. Yarın... Yarın..."

Kendisi böyle hodbin tasavvurlarla uğraşırken zavallı kızın kim bilir ne halde olduğu aklına gelince utandı.

Belki soyunmuş ve yatağına uzanmıştı. Belki de elbiseleri ile odanın bir köşesine büzülmüş oturuyordu. Fakat herhalde uyanıktı. Belki şu anda gözleri gökyüzünde koşan aynı buluta dikilmişti. Genç kız göğsünün içinde kalbi kim bilir nasıl burkularak atıyordu.

Ruhları insana yabancılardan daha uzak olan böyle akrabaların evinde on sekiz yaşında bir kızın gece yarısı karanlık bir odada yapayalnız uyanık durması ve iki saat evvel öğrendiği acıklı hakikatle mücadeleye çalışması hazin bir şeydi. Ömer böyle zamanlarda insanın nasıl aptallaşarak etrafında dert dökecek birini aradığını biliyordu.

"Yarın onu teselli etmeye çalışırım!" dedi. Fakat bu anda ne kadar bayağılaştığını görünce yüzünü buruşturdu.

Ona nasıl içini açacağına, onun nasıl tatlı ve muvafık cevaplar vereceğine dair hayaller kurmak isteyen kafasıyla mücadele etmeye başladı. Bu ana kadar olan tecrübeleri, hayalinde yaşattığı hadiselerin asla vaki olmadığını ona öğretmişti. Bunun sebebini emellerinin genişliğinde ve imkânsızlığında değil, talihin düşmanca oyununda buluyordu. Onun için bu sefer hiçbir şey düşünmemek istedi. Kızın kendisine nasıl müsait davranacağını tasavvur ederse yarın muhakkak aksiyle karşılaşacağına emindi. Halbuki bu sefer, her zamankinin zıddına olarak hayallerine değil, hakikate, kızın yarın sahiden alacağı vaziyete ehemmiyet veriyordu. Bunun müspet olmasını temin için şimdi menfi şeyler düşünmek gibi bir hileye sapmak istedi. Fakat saatlerden beri dört tarafa koşmaktan yorulan ve rakının tesirini henüz muhafaza eden dimağı yavaş yavaş sislendi ve Ömer açık pencerenin önünde, başı ot yastıklarda uyuyakaldı.

VIII

Daha ortalık aydınlanmadan uyandı. Karşı konağın bahçesindeki ağaçların arkasında hafif bir beyazlık başlamıştı. Vücudunu hareket ettirdi. Biraz boynu ağrıyordu. O da yastıkta rahatsız yatmaktandı. Gecenin serinliği genç adalelerine tesir edememişti. Yalnız yüzünde ve ellerinde hoş olmayan bir yaşlık vardı. Cildinin uyku esnasında çıkardığı ifrazdan* mı, yoksa havanın rutubetinden mi geldiğini bilmediği bu ıslak tabakayı mendiliyle sildi. Aynı mendille uzun uzun gözlüğünü de temizledi. Herkes uykuda iken musluğa gidip gürültü yapmak istemiyordu. Oturduğu yerden ayrılmak da hoş bir şey değildi. Karşı bahçede cinsini anlayamadığı bir sürü kuş cıvıldayıp duruyordu. Yaprakları henüz minimini olan ağaçlar tatlı bir rüzgârın tesiriyle kımıldanıyorlar ve duyulur duyulmaz bir ses çıkarıyorlardı. Gökteki yıldızların teker teker söndüğünü görmek fevkalade güzel bir şeydi. Kirli ve yosunlu kiremitlerin gitgide artan bir ışık altında nasıl canlanıp hareket eder gibi olduklarını, ağaçlardan ve çatılardan yükselen tül gibi bir buğunun nasıl bu aydınlığın içinde eriyip kaybolduğunu görmek insana cesaret veriyordu. Ömer:

"İlkbahar gibi bir mevsimi olan bu dünya, üzerinde yaşanmaya değer... Ne olursa olsun..." diye mırıldandı.

Yavaş yavaş sokaklarda hareket başladı. İlk tramvayların o feci gıcırtıları dalga dalga etrafa yayıldı. Birkaç evin bahçesinden takunya ve tulumba sesleri geliyordu. Sokağın biraz ilerisindeki hâlâ kafesli evlerden birinin camı gürültüyle yukarı sürüldü. Bir otomobil, homurdanarak geçti ve tramvay caddesine çıktı...

Ömer yalnız bu akrabalarının, yalnız onların evinin değil,

* Salgıdan.

bu şehrin de yamalı bir şey olduğunu düşündü. Tabiatla teknik, yüz sene öncesiyle bugün burun buruna gidiyordu. Güzelle yapmacık, lüzumlu ile özenti birbirine sürtünerek yaşamaktaydı.

Bu arada alt kat sofasında ayak tıpırtıları oldu. Herhalde Fatma kalkmış, kahvaltı sofrası hazırlıyordu. Ömer aynanın önüne giderek boyunbağını ve saçlarını düzeltti. Biraz daha bekledikten sonra muslukta yüzünü ıslatmak ve kana kana bir su içmek istiyordu.

Yanındaki odada sesler duyuldu. Kapı açıldı. Ömer derhal yerinden fırladı. Hiçbir şey düşünmeden süratle sofaya çıktı. Macide elinde havlusu ile apteshane aralığındaki musluğa girmişti. Yarı aralık duran kapıdan beyaz geceliği ve dağınık saçları görünüyordu. Ömer derhal:

"Demek soyunmuş ve yatmış!" dedi. Sanki elbiseyle sabahlamak matem icabı imiş gibi bunu biraz garip buldu.

Macide yüzünü yıkamış, kurulayarak çıkıyordu. Ömer şaşkınlıkla etrafına bakındı ve kendi kapısının yanındaki iskemlenin arkalığına bırakılmış olan küçük ve pembe havluyu alarak elinde kıvırmaya ve sallamaya başladı.

Başını kaldıran genç kız evvela tanıyamamış gibi karşısındakini süzdükten sonra gayet lakayt bir tavırla:

"Siz misiniz? Bonjur!" dedi.

Ömer kıvırıp iki kat ettiği havlu ile sağ dizini dövüyordu. Küçük bir çocuk gibi heyecanla:

"Evet, benim... Geç vakit geldim... Siz yatmıştınız.. Yani erken çekilmiştiniz, göremedim... Geçmiş olsun... şey, yani başınız sağ olsun..." dedi.

Macide'nin gitmek için bir hareket yaptığını görerek acele acele konuşuyor, onu bir müddet daha orada tutmak istiyordu. Genç kızın geceyi uykusuz geçirdiği muhakkaktı. Gözleri şiş ve kırmızı, yüzü sapsarı ve düşkündü. Ömer onun yatıp uyuduğunu düşünmekle biraz evvel haksızlık ettiğini gördü. Bir taraftan da karşısındakini baştan aşağı süzüyordu. Uzun ve beyaz bir gecelik giymiş olan Macide, daha uzun boylu ve ince duruyordu. Kırmızı kadife terliği ile entarisinin eteği arasında kalarak görünen dört parmak genişliğindeki ayağı fildişi gibi beyaz, düz ve hareketsizdi. Omuzlarını örten kıvrımlar arasından fırlayarak iki yanına uzanan kolları da hareketsiz ve beyazdı. Havluyu tutan elinin üst tarafında, bileğinden parmaklarına doğru yelpaze şeklinde dağılan ince ve belli belirsiz mavi damarlar vardı. Kesik kıvırcık saçları kulaklarının arkasına atılmıştı ve ıslak tarafları yer yer parlıyordu.

Ömer söyleyecek başka bir şey bulamadı. Kızın gecelik kıyafetiyle, fakat hiç sıkılmadan ve gayri tabii bir telaş göstermeden karşısında duruşu ve cesaretli gözlerle bakışı onu büsbütün şaşırtıyordu. Macide yapmacık bir heyecanla kızarmaya, şurasını, burasını örterek kaçmaya kalksa Ömer belki: "Ne o, küçükhanım..." diye başlayan harcıâlem şakalar yapacak ve yüzsüzleşecekti. Fakat karşısındaki kendisinden daha tabii, yani daha kuvvetliydi.

Ömer bir yutkundu ve: "Evet... çok üzüldüm. Başınız sağ olsun!" dedi.

Macide, gene aynı lakayt tavrıyla, fakat hiç nezaketsiz olmayarak:

"Teşekkür ederim" dedi ve odasına girdi.

Ömer de kendi odasına girmek için döndü, fakat o zaman dışarı çıkışının ne kadar gülünç olacağı aklına gelerek musluğa gitti, gözlüğünü bir eline aldı; öteki eliyle yüzünü biraz ıslattı ve avcunda bir tura gibi bükülmüş duran havluya kuruladı. Ağzı büsbütün kuruduğu halde su içmeyi unutmuştu. Odasında bir müddet ayakta kaldı. İçinde her şeyi daha fena yaptığına, genç kızın karşısında gülünç ve zavallı bir hal aldığına inanan bir taraf vardı.

"Tuu Allah belasını versin. Ne kadar salaklaştım. Galiba kıza da yiyecek gibi baktım. Belli etmedi ama, muhakkak fena halde içerlemiştir. Ben kız olsam benim tipimde erkeklerden istikrah ederdim*" diye söylendi.

Gidip sedire oturamıyor, küçük odada aşağı yukarı dolaşmak istese, bununla telaşını ispat edeceğini, belki de bitişik odadan duyulacağını düşünüyor, kararsızca ortada dikilip kalıyordu. "Hayat sahiden yaşanmaya değmeyecek kadar küçüklükler ve bayağılıklarla dolu!.." diye mırıldandı. Sonra:

"Adam sen de!" diyerek geriye döndü, dışarı çıktı ve merdivenlerden alt kata, sofaya indi.

Beyaz muşamba örtülü sofra hazırlanmıştı.

* İğrenirdim.

Fatma ıslak ellerini birer birer yanlarına kurulayarak bahçe tarafından geldi. Bir elindeki emaye kapta iri yeşil zeytin taneleri vardı. Bunu masanın üzerine, gömeçli bal tabağının yanına koydu ve:

"Siz oturun beyim... bizimkiler geç kalkarlar!.." dedi.

Ömer bugün de ev halkını görmeden gideceğini, mamafih onların buna gene darılmayacaklarını düşündü. Yalnız:

"Eniştem gitti mi?" diye sordu.

"Hayır... daha kalkmadı!"

Demek Galip Efendi de artık işlerin yakasını bırakmıştı. Yağ iskelesindeki dükkâna sabah namazından evvel gitmenin bir faydası olmadığını nihayet o da anlamış ve on altı yaşındaki çırağın namusuna güvenerek sabah uykusu kestirmeyi daha akıl kârı bulmuştu.

Bir iskemle çekip oturdu. Önündeki beyaz cam fincana Fatma çay dolduruyordu. Yukarıdaki odanın kapısı açıldı. Sofada ayak sesleri oldu.

Ömer lakayt olmaya çalışan bir sesle:

"Semiha galiba!.." dedi.

"Değildir, değildir... Küçükhanım öğle olmadan kalkmaz... Herhalde Macide Hanım olacak. Mektep vaktidir. Dün gitmemişti. Kadıköy'de bir ahbapta idiler. Ama bugün nasıl gidecek?.."

Yukarıda ayak tıpırtıları devam ediyordu. Macide herhalde ayakkabılarını giymekle meşguldü. Fatma, Ömer'in yanına sokularak kulağına fısıldadı:

"O mektep çalgılı, türkülü bir yermiş... Böyle günde gidilir mi?.."

Sonra başını sallayarak ilave etti:

"Ama burada kapanıp da ne yapsın?.. Belki hava alır da içi açılır... Pek acıyorum kızcağıza..."

Macide merdivenlerden inmeye başladı. Yeşil kareli ve kiremit renginde spor bir etek ve kahverengi yünden bir kazak giymişti. Başında aynı renkte bir bere vardı. Ömer'in gözleri ona çevrildi. Yüzünü gülümsemeye benzer bir şey buruşturdu.

Macide de yüzünde tatlı bir tebessümle geliyordu. Loş sofada gözlerinin kırmızılığı ve yüzünün solgunluğu pek belli olmuyor, sadece biraz süzgün duruyordu.

Ömer onun tebessümünü fevkalade acı buldu. Böyle zamanlarda gülmenin doğru olmadığını düşünerek değil... Macide'nin ne kadar ıstırap içinde olduğunu fark etmemek için kör olmak lazımdı... Fakat bu garip genç kız etrafındakilere kederini bile göstermek istemeyecek kadar kendine güvenen bir mahluktu. Dudaklarındaki oldukça muvaffak tebessüm, ona yaklaşmak isteyenleri itiyor gibiydi. Ömer içinden: "Başıma büyük bir iş sardırmak üzereyim, inşallah sonu iyi olur!.." diye söylendi.

Macide, Ömer'in tam karşısına geçti. Fincanını alarak birkaç yudum içti. Canı hiçbir şey istemiyor, fakat herhangi bir fevkaladelik yapmış olmamak için sıcak çayını bitirmeye çalışıyordu. Bir aralık gözleri Ömer'inkilerle karşılaştı. Kumral saçları beyaz alnına dökülen delikanlının hali ona biraz gülünç, fakat çok samimi geldi. Macide'nin yüzünü de içten gelen sıcak bir hava sardı ve gözkapaklarını hafifçe kapayarak içini çekti.

Bu anda bütün duruşu: "Halimi görüyorsunuz ya!" der gibiydi. Ömer bunu derhal anladı. Karşısındakine sabit gözlerle bakarak derin bir nefes aldı. Bir kompartımanda oturan ve birbirinin dilini bilmeyen iki insan gibi yavaş yavaş ve çekingen tebessümlerle anlaşmaya çalışıyorlardı.

Ömer birkaç kere ağzını açarak ileri doğru eğildi. Bir şey söyleyecek gibi oldu. Sonra vazgeçti. Macide bunu fark etmemiş görünüyordu. Nihayet her ikisi de aynı zamanda ayağa kalktılar. Ömer Fatma'ya:

"Teyzemle enişteme selam söyle! Bak, bekledim, hâlâ kalkmadılar. Kabahat benden gitti" dedi. Sonra gülümseyerek ilave etti: "Semiha'nın da gözlerinden öperim!"

Şapkasını aldı. Macide de notalarını almış ve açık renk pardösüsünü sırtına geçirmişti. Ömer ehemmiyetsiz bir tavırla sordu:

"Siz de çıkıyor musunuz?"

"Evet... görüyorsunuz!"

Ömer: "Bu kızın karşısında hokkabazlık yapılmayacak" diye düşündü.

Pişkin metotlar, mektep arkadaşı olan kızları hayran bırakan hoş küstahlıklar, hatta bazen hayasızlığa kadar varan şuh nükteler ölü cisimler halinde kafasında yatıyordu. Buna mukabil, arzuları eskiden duyduklarıyla kıyas edilemeyecek kadar şiddetliydi. Macide'nin, kapıdan çıkarken eline dokunan parmakları Ömer'i kıpkırmızı etmişti. Uzun ve siyah kirpiklerinin altında o mağrur tebessümü muhafazaya çalışan kederli gözleri delikanlının üstünde dolaştıkça onu büsbütün şaşırtıyor ve manasızca etrafına bakınmaya ve susmaya sevk ediyordu. Ara sıra Ömer'in gözleri de yanındakini süzüyor, onun kahverengi kazağın altında beliren göğsü, önünü iliklemediği pardösüden dışarı fırlamaya çalışırken genç adam dişlerini sıkıyor ve süratle nefes alıyordu.

Tramvay caddesine geldikleri zaman birbirlerine bakıştılar. Ömer hemen sordu:

"Nereye gideceksiniz? Konservatuvara mı? Saat daha sekiz... Benim bir saat daha vaktim var. İsterseniz yürüyelim."

Macide, evet makamında başını sallayarak yoluna devam etti. Beyazıt'a, oradan Bakırcılar'a doğru geldiler. Her ikisinde de aynı sıkıntı devam ediyordu.

Ömer içinden söylenmeye başladı:

"Dut yemiş bülbül gibi dilim tutuldu. Kendimde ilk defa tespit ettiğim bir hal. Mamafih vaziyet de tuhaf. İlk defa tanıştığım ve bir gün evvel babasının ölümünü duymuş matemli bir kıza da hemen ilanıaşk edilmez ya... Ancak teselli verilir... Benim de ömrümde yapmadığım şey. Ne kimse beni teselli etmeli, ne de ben kimseyi... Riyakârlık tesellide son haddini bulur. Bu anda çehrelerin aldığı yalancı teessür ifadesi, o biraz yukarı kalkıp birbirine yaklaşan kaşlar, o hafif hafif ve anlayışlı bir tavırla sallanan baş ve o derinden çıkarılmaya çalışılan matemli ses insanı deli eder. Bu kızın da aynen benim gibi düşündüğüne eminim. Muhakkak böyle şeylerden hoşlanmayacaktır. Hiçbir şey olmamış gibi kalkıp mektebine gidişinden belli... Peki ama, ne halt etmeli? Ağzı süt kokan iki ortamektep talebesi gibi bakışıp süzülmek de pek akıl kârı değil. Bu da bir başka soğukluk... Şimdi elimi uzatıp allahaısmarladık diyerek kaçıversem ne olur?.. Ben bu kadar sıkıntıya gelemem... Fakat neden yapamıyorum?.. Muhakkak beni burada ona bağlayan bir şey var... Yandan görünüşü harikulade... Ne beyaz yüzü var... Biraz sarımtırak... Acaba uykusuzluktan mı, yoksa hep böyle mi? Ben bu kızı muhakkak tanıyorum. Yani ruhunu tanıyorum. Aramızda bir şeyler var... Ah, aptal Nihat!.. Beni bir gün deli edecek... 'Sen onu belki çocukken gördün, zihninde bir hatırası kaldı... onu büyütüyorsun' diyordu. Yalan... Bu öyle bir çocukluk hatırası falan değil... Fakat bir kere işi bu hale soktu. Böyle bir ihtimali ortaya attı. İmkânı yok kendimi kurtaramıyorum. İnsanlar hadiseleri basitleştirmeye, bayağılaştırmaya ne kadar meraklı... Bütün hayallerimi bir aptalca laf berbat ediyor... Nihat'ı zaten bu son günlerde beğenmiyorum. Karanlık işlere girip çıkıyor. Fakat iyi arkadaştır. Benim için ölmeyi bile göze alır... Ama ne malum? Bu da benim zannım, belki de tırnağını bile kesmez. Mamafih, şimdiye kadar olan arkadaşlığımızda fedakârlık yapmak hep ona düşüyordu... Maddi fedakârlık... Bakalım daha ileri gidebilecek mi? Beni eskisi kadar sarmıyor... Bütün etrafındaki herifler de öyle... Yalnız tuhaf bir cazibeleri olduğu da muhakkak. İyi veya kötü, bir sürü dimağların bir şeyler göstermek için hummalı bir makine halinde çalışmaları insanı bağlıyor."

Gözleri tekrar Macide'ye ilişti. Kız da birtakım düşüncelere dalmıştı. Kaşları çatılmış, gözleri ileri dikilmiş, yüzünün bir hattı bile oynamadan yürüyordu. Sağ kolunun altında tuttuğu birkaç cilt nota arkaya doğru kaymıştı. Kısa ökçeli kahverengi iskarpinleri kaldırımlarda maharetle sekiyordu. Ömer onun bir erkek gibi büyük ve serbest adımlar attığına dikkat etti. Birçok kızların minimini adımlarla zıplaya zıplaya yürümeleri onun içinde her zaman garip bir merhamet hissi doğururdu. Onun için Macide'nin kendisine ayak uydurmasını takdire başladı.

Köprü'ye gelmişlerdi. Koşar gibi yürüyen bir kalabalık vardı ve her taraftan uğultu halinde sesler geliyordu. Haliç tarafındaki kaldırıma geçtiler. Arada sırada sarı sulara, irili ufaklı kayık ve mavnalara bakıyorlardı. Dubalardan birinin bir köşesine on yaşlarında kadar bir çocuk oturmuş, yanına koyduğu teneke kutunun içinden aldığı solucanları oltaya takıyor, biraz öteye fırlatıyor, sonra muntazam darbelerle çekiyordu. Bir müddet onu seyrettiler. Çıplak ve kirli ayaklarını dubadan aşağı sallayan ve gözlerini oltasının ipinden ayırmayan çocuğun sebat ve iradesi Ömer'i düşündürdü. Kendisi hiçbir işe bu kadar dikkatle ve bu kadar kendini vererek sarılamayacağını zannediyordu.

Bu sırada Macide'nin notalarından biri yere düştü. Ömer hemen eğilerek aldı, elini uzatarak:

"Verin, ötekileri de ben götüreyim!" dedi.

Macide hiç ses çıkarmadan uzattı. Sadece gözlerinde teşekküre benzeyen bir şey dolaştı.

Onun bu hali Ömer'i büsbütün bağlıyordu. Kendi kendine:

"Ne tuhaf şey!" dedi. "Birçok bayıldığım kızların birçok büyük iltifat ve müsaadeleri beni bu kızın manasını bile iyice anlayamadığım bir bakışı kadar sevindirmiyor. Evet, sadece bir bakış ve belki de biraz merhametle karışık... Fakat bunun hiç olmazsa lakayt bir bakış olmaması beni yerimden sıçratıyor. İçimde müthiş bir hafiflik, bir genişlik duyuyorum. Belki de hakikaten sevmek budur. Belki de ben şimdiye kadar sahiden sevmenin ne olduğunu bilmiyordum. Acaba kendimi kapıp koyuversem mi?.. Ne zaman irademe müracaat edersem büyük bir yorgunluk duyuyorum... Kendimi hadiselerin eline bırakayım mı? Acaba şu anda o ne düşünüyor? Herhalde beni değil... Niçin?.. Onun kafasında bir müddet yaşamak için neleri feda etmem ki?.. Her şeyi.. Bana şimdi bir işaret versin, derhal, bir an düşünmeden şu tramvayın altına atlarım. Acaba atlar mıyım?.."

Macide:

"Ne oluyorsunuz?" diye Ömer'in koluna yapıştı. Genç adam şaşkın şaşkın etrafına bakınıyordu. Macide sordu:

"Karşıda birini mi gördünüz? Fakat tramvayın altında kalacaktınız!"

Ömer bulunduğu yere baktı. Yaya kaldırımında değildi. Demek ki Macide'nin önünden geçerek buraya gelmişti? Kendini toparladı:

"Benzetmişim, kimse değilmiş!" dedi.

Sol kolunda, biraz evvel Macide'nin sımsıkı tuttuğu yerde garip bir ürperme duydu.

"Niçin tutmuyor... Niçin bıraktı?.." diye mırıldandı. Yüzü bir çocuk gibi buruşmuştu. İçinde güçlükle zapt ettiği bir ağlamak ihtiyacı vardı. Nihayet dayanamadı:

"Koluma girsenize!" dedi.

Macide onun kolunu, biraz evvel tuttuğu yerden, fakat bu sefer daha hafif bir şekilde yakaladı. Bu sırada gözleri karşılaştı.

Macide uzun uzun, bir şeyler hatırlamak ister gibi baktı. Onun dün Köprü'de de aynen bu şekilde kendini süzdüğü Ömer'in zihninden süratle geçti. Macide'nin gözleri böyle üzerinde kaldıkça şaşırıyordu. Genç kız bir şeyler görüyor, bunları kafasına yerleştiriyor, sonra yeni şeyler aramaya başlıyor gibiydi.

Ömer başını çevirdi. Tekrar yürümeye başladılar ve Karaköy'den sonra yokuşu hiç konuşmadan çıktılar. Her geçen saniyenin içlerinde bir değişiklik yaptığını, onları birbirlerine daha çok tanıttığını fark ediyorlardı. Her biri kendi kafasındaki bir yolu takip ediyor ve bu yolun, yanındakinin kafasında da, bir muvazisi* bulunduğunu kati olarak biliyordu.

Konservatuvarın önüne geldikleri zaman Macide sessizce elini uzattı.

Ömer şaşırmıştı. Şimdi ondan ayrılmak ve haftalarca görmemek mümkündü. Tabii olan da buydu. Halbuki beş dakika için bile ondan ayrılmayı kafası almıyordu. Düşündüğünü söylemekten korktu, ancak:

"Şimdi nasıl çalışabileceksiniz?" diyebildi.

Macide o anlaşılmaz gülümsemesiyle:

"Ne diye soruyorsunuz?.. Böyle şeyler sorulur mu?" dedi.

Ömer bütün cesaret ve iradesini toplayarak, mırıldandı:

"Size birçok şeyler söyleyecektim!"

"Hiçbir şey söylemediniz!"

Ömer sitemli gözlerle baktı. Macide özür diler gibi bir sesle:

"Daha görüşürüz..." dedi. Karşısındaki derhal atıldı:

"Ne zaman?"

Macide omuzlarını silkti.

"Bu akşam sizi gelip buradan alayım mı? Teyzemlere beraber gideriz!.."

Genç kız düşünür gibi oldu, sonra kararını vererek:

"Nasıl isterseniz!" dedi ve taş merdivenleri çıktı.

* Paraleli, koşutu.

IX

Ömer yokuş aşağı koşar gibi iniyordu. Tüy gibi hafifti. İçinde köpürüp taşan bir saadet vardı. Etrafından geçen insanları kucaklamak, herkese: "Haydi, ne duruyorsunuz! Gülün, sevinin, hayat kadar tatlı şey var mı?" demek istiyordu.

Köprü'ye bir nefeste indi. Kalbi müthiş çarpıntı içindeydi. Saate baktı, ona geliyordu. "Gene geç kaldım!" diye düşündü. Fakat bu da onun neşesini bozmadı. Kendisini postaneye yerleştiren ve orada mühimce bir mevkii olan uzak akrabadan biri vardı: "Gidip bir elini öpeyim... Memnun olur ve bizim dairedekiler de onun odasından çıktığımı görünce çenelerini tutarlar" diye söylendi.

Aydan aya kırk iki lira yetmiş beş kuruş ücret aldığı vazifesinin adını bile bilmiyordu. Muhasebede oturuyor ve hemen hemen hiçbir şey yapmıyordu. Ara sıra veznedar Hafız Hüsamettin Efendi onu yardıma çağırır ve birtakım manasız defterlere manasız rakamlar yazmasını rica ederdi. Bu, ona hiç de sıkıcı gelmiyordu. Kendi kendine usuller icat ediyor, kolaylıklar buluyor, bazen de evvela birinci, sonra ikinci, sonra diğer haneler olmak üzere alt alta yazıyor; on on beş rakam okuduktan sonra kaç tanesini unutmadan yazabildiğini tecrübe ediyor ve kafasına bir nevi spor yaptırıyormuş gibi bunlardan zevk alıyordu.

Çalıştığı odada belki on tane masa vardı. Bunların her birinin arkasında mühim işlere dalmış gibi sessizce çalışan muhtelif yaştaki memurların hiçbiri vazifesine Ömer'den daha çok bağlı değildi. Kimisi maişet* derdini, kimisi randevusunu, kimisi sinema filmlerini düşünüyor ve ekmek parası için katlandığı bu sıkıcı işe hiç durmadan küfrü basıyordu.

Üzeri mürekkep lekeli küçük masaların her tarafı kocaman siyah defterler, çizgili kâğıtlar, birbirine iğnelenmiş evrak ile doluydu. Bundan maada, biraz daha büyükçe masalarda oturan iki memurun arkalarını kaplayan etajerlerde de aynı siyah ve iri defterler duruyordu. Genç bir memur önündeki sumenin ucunu

* Geçim.

kaldırmış, oraya sıkıştırdığı yuvarlak cep aynasına bakarak briyantinli saçlarını, eskimiş suni ipek boyunbağını düzeltiyordu. Yeleğinin kenarları Frenk gömleğinin yaka tarafındaki yırtıkları ve yamaları örtmediği için eli sinirli bir hareketle ikide birde boynuna gidiyordu. Açık renk elbisesinin dizleri kirlenmeye başlayan pantolonu pek keskin ütülüydü, belki üçüncü pençeyi taşımaya çalışan kanarya sarısı iskarpinlerinin burun tarafındaki kıvrımlarda terden hasıl olma lekeler vardı.

Onun yanında orta yaşlı ve saçlarını fırça gibi kestirmiş bir diğer memur masasının sağ tarafındaki çekmeceyi açmış, içine eğilerek eski bir akşam gazetesinin tarihi romanını okuyordu.

Diğer masaların sahipleri de, önlerinde resmi bir iş olduğu halde, kenarda köşede bir delik bulup hususi ve şahsi hayatlarına kavuşmaya çalışıyorlar; hiç olmazsa, iki üç satır yazı yazdıktan veya hesap yaptıktan sonra iskemlelerinin arkalığına dayanıp başlarını geriye atarak uzun düşüncelere dalıyorlardı. Onların bir müddet böyle durduktan sonra biri tarafından dürtülmüş gibi silkinerek masanın üzerine eğilmeleri ve işleriyle meşgul oluyormuş gibi yapmaları Ömer'e dolap beygirlerinin ara sıra durup başlarını havaya kaldırmalarını ve bağlı gözlerinin arkasında bir şeyler sezmeye çalıştıktan sonra tekrar dönmeye koyulmalarını hatırlatıyordu.

Yanı başlarındaki küçük bir odada ve pirinç parmaklıklı bir kafesin arkasında çalışan veznedar Hafız Hüsamettin Efendi dairede belki yegâne iş gören adamdı. Bazen herkes gittikten sonra da odasında kalır; beş altı türlü deftere ayrı ayrı kayıtlar yapar, kasasını üç dört muhtelif anahtarla kilitler ve pek az kimse ile konuşurdu. Ömer buraya ilk geldiği günlerde onunla ahbap olmuştu. Daima sakalları biraz uzamış olarak gezen, henüz 45 yaşında bile olmadığı halde, yarı ağarmış, yarı dökülmüş saçlarıyla altmışlık gibi görünen bu adamın hiç de basit bir insan olmadığını hemen anlamıştı. Kendine mahsus ve yeni nükteler yapıyor, etrafındakilerden bahsederken biraz keskin, fakat isabetli hükümler veriyordu. Büyük odaya pek az uğradığı halde oradaki bütün memurların hususiyetlerini nasıl bildiğine Ömer bir türlü akıl erdirememişti.

Ekseriya keyfi yerindeydi. İnce gümüş kenarlı gözlüklerle

çalışır, birisiyle konuşacağı zaman onları alnına kaldırırdı. Daima gülümsüyormuş gibi duran açık ela gözleri insanı avcunun içine alıyor ve bir daha bırakmıyordu. Bütün hareketleri ve sözleri, hiç endişesi ve hiçbir şeyden korkusu olmayan bir adam gibi açık ve tek manalıydı. Halbuki Ömer, onun hiç de yağ bal içinde yüzmediğini biliyordu. En büyüğü 18 yaşında beş çocuğu ve bir de karısı vardı. Aldığı maaşla aybaşını pek zor bulanlardandı. İlk tanıştığı zamanlarda Ömer ona halinden şikâyete kalkmış, aldığı paranın hiçbir işe yaramadığını, Balıkesir'deki annesinden kırk yılda bir gelen birkaç liranın elbiselik bir kumaş almaya bile yetmediğini, bir kere tahsili bitirse herhalde işlerin başka türlü olacağını, fakat parasızlık yüzünden altı seneden beri fakülteye boşu boşuna devam ettiğini söylemişti. Halbuki derste devamsızlığı ve hâlâ mektebi tamamlayamaması parasızlıktan filan değildi. Okutulanlara ve bilhassa okutanlara karşı içinde yenilmez bir itimatsızlık, sebepsiz bir lakaytlık vardı. Bunun sebeplerini ne kadar dışarıda aramaya çalışsa da asıl illetin kendi acayip kafasında olduğunu biliyor, herkesten evvel kendini kandırmak için önüne gelene böyle masallar uyduruyordu.

Hafız Efendi, onu ciddi bir yüzle dinledikten sonra:

"Oğlum" dedi, "biz senin çağlarını geçirdik. İnsan bir kere öğrenmeye başladı mı, artık peşini bırakmamalı. Araya azıcık soğukluk girdi mi bu ilim dedikleri namert, adamı ürkütür. Hayat ile fazla ünsiyet* muayyen bir yaştan sonra insanları çok şey öğrenmekten, yani usulü dairesinde öğrenmekten uzaklaştırıyor. Bundan sonra boşuna kendini yorma... Hayatına başka bir yol seç, bir bankaya filan girmeye bak, gençsin, muvaffak olursun..."

Hatıralara dalmış gibi bir miktar düşündükten sonra, kendinden bahsetmeye başlamıştı:

"Ben de senin gibi tahsilimi yarım bıraktım, öyle dârülfünundan falan değil, mektebi idadinin** son sınıflarından ayrıldım ve defterdar olan babamın yanında bir memuriyet aldım. Küçük evlendim. Dört beş sene sonra babam, arkasından karım öldü. Birdenbire kendimi kapıp koyuverdim. Pederden

* Tanışıklık.
** Lisenin.

kalan birkaç kuruşu az zamanda ezdim. Sonra tekrar bir memuriyete kapaklandık, yeniden evlendik, çoluk ve çocuğa karıştık, sürüklenip gidiyoruz. Hayat dediğin başka nedir zaten? Ben şuna inanıyorum ki, üç buçuk günlük ömrümüzü kendimize zehir etmemek için ne mazideki hayatımıza ve kaçırdığımız fırsatlara ne de istikbalin olmayacak hülyalarına kulak asmayarak bugünümüze hapsolup yaşamalıyız. Her hadisenin insanı eğlendirecek bir tarafı vardır. Aybaşında bakkal, verdiğimiz paradan memnun olmayıp kapıya dayanınca bizim hanım sinir nöbetlerine tutulur, halbuki ben bunda bile hoş taraflar bulurum. Bakkalın kapı aralığında nasıl hiddetle kasketini çıkarıp tekrar giydiğini, İstanbul şivesine uydurmaya çalıştığı dilinin nasıl dolaşıp anlaşılmaz hale geldiğini seyreder ve düşüncelere dalarım. Hayatta hiçbir şey bizim arzumuza tabi değildir. Gerçi bu bir felaket, lakin hilkat* bize bu felaketi hafifletecek bir vasıta da vermiş: Etrafı çeşmi ibretle temaşa kabiliyeti... Bazen çocuklara kitap parası kalmaz... En büyüğü dayatıyor, gırtlağıma basıyor, ona vermeye mecbur oluyorum, fakat ötekilerin dördü de kız, ellerinden ağlamaktan başka bir şey gelmiyor. Ben onları karşıma oturtur, kitap dedikleri şeyin lüzumsuzluğuna dair vaaz ederim. Dersleri zihninize nakşedin, derim, sonra benim bile ciddi kastetmediğim bu laflara onların nasıl inanarak kulak verdiklerini gördükçe hem gülesim hem ağlayasım gelir. Bu dairede de böyle: Birkaç kurnaz ve işbilirin yanında bir sürü de Allah'ın mübarek koyunları var... Yaşamak ve yeryüzünde üç adımlık bir yer işgal etmekle mühim bir iş yaptıklarını zannederler. Kimisi gençliğine mağrurdur; kimisi ihtiyarlığına ve tecrübesizliğine dayanıp böbürlenir; kimisi eskiden neydim diye övünür; kimisi ilerde neler olacağını ihsas ederek** itibar kazanmak ister. Hepsi birden mahiyetini asla anlamadıkları bu değirmenin içinde yuvarlanıp giderler ve kâinatın mihverinin*** kendilerinden geçtiğini vehmederler. Kimisinin de ihtiyarlıktan çenesi düşmüştür, benim gibi gevezelik edip durur."

Ömer onunla konuşmaktan garip bir zevk alıyordu. Hiçbir

* Yaradılış.
** Sezdirerek.
***Ekseninin.

şeye inanmamak hususunda mutabık gibiydiler. Yalnız Hafız Efendi, belki de yaşadığı senelerin tesiriyle, Ömer'in içini şekilsiz bir surette dolduran ihtiraslardan da kurtulmuştu. Bugünkü halin devamından başka bir şey istemiyordu. Ara sıra, Ömer'i hayrete düşüren bir tabiilikle ve hiç küçülmeden, hiç ezilmeden, genç adamdan bir lira borç ister ve Ömer ondan borç isteyince de, tereddüt bile etmeden cebinde ne varsa çıkarır verirdi. Böyle zamanlarda çok kere Ömer ondan çoluk çocuğunun ekmek parasını almış gibi bir hisle ayrılırdı.

Ömer bugün de masasında beş on dakika oturduktan sonra kalktı. Hafız'ın odasına gitti. İçinde büyük bir sabırsızlık vardı. Havadan sudan konuşacak birini arıyordu. Fakat veznedarın fevkalade meşgul olduğunu gördü. Önüne kocaman bir defter açmış, gözlüğünü indirmiş, içinden çıkamadığı hesaplarla uğraşır gibi alnını buruşturmuştu. Ömer çıkmak için arkasını dönünce başını kaldırarak seslendi:

"Yemeği nerede yiyeceksin? Beklersen beraber çıkalım da bir kebapçıya gidelim. İçim sıkılıyor bugün. İki laf atarız!"

Ömer kendisinin söyleyeceğine benzer lafları ondan duyunca hayret etti. Hafız Efendi'nin "İçim sıkılıyor!" demesi fevkalade bir şeydi.

Tekrar masasına döndü. Yanında okuyacak kitap ve gazete olmadığı için önüne bir defter açtı, çekmecelerden birinden aldığı arkası matbu bir müsvedde kâğıdına yazılar yazmaya, şekiller çizmeye, resimler yapmaya başladı. Sonra başka bir kâğıdı çeşit çeşit imzalar ve alt alta sıraladığı kendi ismiyle doldurdu. Bir aralık gene alt alta "Macide" imzası attı, sonra bu imzaların pek de tesadüfi olmayarak "Ömer"lerin başına gelmiş olduğunu fark etti ve hepsini karaladı.

Öğle paydosunda gidip veznedarı aldı. Hafız Efendi mutadının hilafına* olarak bu sefer sükût ediyordu. Bahçekapı taraflarında basık tavanlı bir kebapçıya giderek ucuz bir yemek yediler. Ömer birkaç kere karşısındakinin yüzüne baktı ve bir şeyler sormak istedi. Hüsamettin Efendi ise ağzının iki yanını aşağı çekerek başını sallamakla iktifa etti. Sonra her ikisinin de paralarını vererek kalktı. Küçük bir kahveye girip birkaç gazete

* Alışkanlığının tersine.

karıştırdılar. Konuşmak niyetiyle çıktıkları halde ikisi de kendi âlemlerine dalmışlardı.

Ömer içindeki sonsuz saadet hissinin ve hafifliğin nihayet hazin bir neticeye varacağını, talihin kendisiyle alay ettiğini sandığı için yanındakinin, sebebini bilmediği durgunluğuna iştirak ederek bir nevi manevi sigorta yapmak istiyordu. Çocukluğundan beri etrafında duyduğu sözler, gördüğü insanlar onda neşe ve saadetten korkmak, bunların şeamet* getirici bir şey olduğuna inanmak itiyadını yaratmıştı. "Çok gülmenin arkası ağlamaktır!" gibi sözler sarsılmaz kanaatler halinde ruhuna yerleşmişti. Herhangi memnun edici bir hadise, ilk sevinç ihtizazları** geçer geçmez, sebepsiz bir korku ve hüzün yaratıyor ve Ömer ancak birtakım gülünç hilelerle bundan kurtulmaya çabalıyordu.

Bu sefer de, farkında olmadan, veznedarın durgunluğuna tamamen iştirak etmiş, düşünceli bir tavır almış, canı sıkılmaya başlamıştı.

Derin bir nefes aldıktan sonra:

"Ne var ne yok Hafız Bey?" dedi.

"Sorma evladım..."

"Ne o? Siz de mi dünyaya aldırış etmeye başladınız?"

"Bu sefer şakaya gelir tarafı yok. Bir biçimsiz işe takıldık ki sonunu Allah hayır eyliye..." dedi; tekrar uzun bir sükûta daldı.

Ömer devam edecek diye karşısındakinin yüzüne bakıyordu. Halbuki o, bir müddet daha sustuktan sonra ağır ağır doğrularak:

"Vakit geldi. Çilehaneye gidelim" dedi.

Ömer'i adamakıllı bir merak sarmıştı. Fakat yanındakinin huyunu bildiği için ısrar etmiyordu. Bütün açıklığına rağmen veznedar, kendisinin bahsetmediği hususi işlerine kimsenin burnunu sokmasını istemezdi.

Dairenin merdivenlerini çıkarken:

"Evladım. Benim nazarımda genç olmakla ihtiyar olmak arasında bir fark yoktur. Belki ihtiyarlık, bu manasız sürüklenmeyi sona yaklaştırmış olmak bakımından, daha da iyidir; fakat bazı şeyler var ki, onları yüklenmek için yaşlı omuzlar kâfi gel-

* Uğursuzluk.
** Dalgaları.

meyeceğe benziyor. Bakalım..." dedi. Sonra birdenbire eski haline dönerek:

"Amma da esrarlı konuşuyorum, değil mi?" dedi. "Bir münasip zamanda sana meseleyi açarım. Bana akıl öğretecek halde olmadığını bilirim, zaten öğrenme akılla düzelecek işlerden değil... Ama insan patlayacak gibi oluyor. Evde karıdan sakla, dairede herkesten sakla, bir gün sapıtıvereceğim."

Başka bir şey söylemeden odasına girdi. Ömer de büyük salona, masasının başına geldi. Fakat duracak halde olmadığını seziyordu. İçinde zapt edilmez bir sabırsızlık vardı. Kendi kendine söyleniyordu:

"İkimiz de aynı şehirdeyiz ve birbirimize varmamız için yarım saatten daha az bir zaman yeter. Buna rağmen o orada, ben buradayım. Neden? Sebep yok... Ben burada ne yapıyorum? Kendimi ve etrafımdakileri sıkmaktan başka ne işim var? Onun da orada pek lüzumlu şeylerle uğraşmadığı muhakkak. Böyle bir günde oturup piyanoya çalışacak değil ya... Dünyada şimdi onunla yan yana bulunmamamız kadar mantıksız ve lüzumsuz ne vardır acaba? Hayat bir tesadüfler silsilesi imiş, âlâ! Fakat tesadüfün de kendine göre bir mantığı olmalı değil mi ya?"

Göze çarpmamak için şapkasını asılı olduğu yerde bıraktı ve yavaşça dışarı çıktı. Merdivenleri atlayarak indi. Ne tarafa gideceğinde biraz tereddüt ediyordu. Vakit daha erkendi. "Kız fazla üstüne düştüğümü zannetmesin!" dedi. Bu fikrin çocukça olduğunu, Macide'nin böyle hilelere kanmayacağını kendisi de biliyordu. Zaten onun karşısında oyun oynanamayacağı düşüncesi Ömer'e hem endişe, hem de sükûn vermekteydi. İçindeki kepaze tarafları saklayamayacağından korkuyor, bir yandan da, söylemeye cesaret edemeyeceği şeyleri onun kendiliğinden anlayacağını düşünerek, müsterih oluyordu.

Zamanı öldürmek için Balıkpazarı tarafına yürüdü. Dar sokaklarda arabalar, hamallar birbirine sürtünerek geçiyordu. Yaz kış çamurlu olan dar yaya kaldırımlarında muvazenesini kaybetmemeye çalışarak yürüyordu. Biraz sonra yağ iskelesine geldi. Demir kanatlı pencereleri yarı açık duran esmer, dümdüz taş binalar insanı aralarında ezecek kadar birbirine yakındı. Her dükkânın önünde sokağın kenarındaki su yoluna doğru uzanan kirli yağ sızıntıları vardı. İnsanın burun deliklerini yapışkan bir koku sarıyor ve yakındaki durgun denizden bu sokaklara pis ve rutubetli bir hava yayılıyordu.

Ömer, Galip amcanın (nedense bu eniştesine küçükten beri amca demeye alışmıştı) küçük dükkânını tanıdı. Karanlık bir bodrumdan ibaret olan bu ticarethanenin içinde kimin bulunduğu görülmüyordu. Yalnız kirli camekânın arkasında birkaç numunelik zeytinyağı şişesi ve kapıya yakın bir yerde üzeri yağla karışan tozlardan vıcık vıcık çamur olmuş, kocaman bir varil vardı.

Ömer düşündü:

"Burada, bu mahzende nasıl olur da koskoca bir ömür hapsedilir? Daha iyi, daha aydınlık bir yere varılacağına inanılmadan nasıl olur da bu yol yürünür? Halbuki Galip amca daha başka şeyler de görmüştür. Onun da çocukluğu ve delikanlılığı güneşli bahçelerde, geniş, alabildiğine geniş topraklarda geçmiştir. Şimdi buraya bir fare gibi tıkılmış bekliyor. Neyi? Ölümü! Bu korkunç şeyi beklemek için bile daha güzel bir yer intihap etmek* elimizde değil..."

Sokağın loşluğu ona vaktin çok geç olduğunu zannettirdi. Geriye dönerek Köprü'ye, oradan Beyoğlu'na doğru yürüdü.

X

Saat henüz dörttü. Konservatuvarın önüne gelince ne yapacağını şaşırdı. Kati olarak ne bir zaman, ne de bir yer tayin etmiş değillerdi. Kapının önünde mi bekleyecekti, içeri girip soracak mıydı? Ne zaman? Dersler bitince mi? Dersler ne zaman bitiyordu?..

"Hep böyle küçük şeyler yüzünden üzülürüm" diyerek kendi kendine söylenmek itiyadını ele aldı: "Bayağı bir randevu alır gibi, falan saatte falan yerde buluşalım, demeye dilim varmadı. Şimdi burada garip garip bekliyor ve içeri girip çıkanlara eğlen-

* Seçmek.

ce oluyorum. Halbuki insan yalnız esas meseleleri halletmek için kafasını yormalı ve teferruat kendiliğinden iyi bir şekilde halledilmelidir. Hayatta mantık olsa böyle olur. Acaba dünyada benim kadar manasız şeyler düşünen var mıdır? Bir de utanmadan akıllı geçiniyoruz!"

İçeri girmeye karar verdi. Merdiveni çıktıktan sonra oldukça geniş bir koridor geliyordu. Kulağına muhtelif aletlerin sesi çarptı. Kadınlı erkekli gruplar, ellerinde keman kutuları ve notalarla çıkıyorlardı. Ömer bunlardan birine yaklaşarak:

"Talebeden Macide Hanım'ı arıyorum. Nerede bulunduğunu kime sorayım?" dedi.

Kızlar birbirlerine anlayışlı bir gülüşle baktılar. "Hangi Macide?" diye sordular ve uzun uzadıya tarif ettirip izahat aldıktan sonra tanımadıklarını söylediler ve uzaklaştılar. Ömer oralarda bir hademe aramaya koyuldu, fakat bu sırada arkasındaki odalardan birinin kapısı açıldı ve o, ensesinden biri çekiyormuş gibi geriye döndü.

Genç kız çabuk adımlarla yanına kadar geldi ve:

"Buralara mı çıktınız? Çok aradınız mı? Sesinizi benzettim; galiba beni soruyordunuz!" dedi.

Ömer onun gözlerinin içine baktı. Nereden bulduğunu bilmediği bir cesaretle ve hiç tereddüt etmeden sordu:

"Beni bekliyordunuz değil mi?"

Genç kız onun bakışına bir müddet mukabele ettikten sonra dalgın bir tavırla başını salladı:

"Evet!.."

Elini Ömer'e uzattı. Bir müddet böyle durdular. İkisinin de avuçları buz gibiydi.

İkisinin ağzından aynı zamanda:

"Gidelim!" kelimesi çıktı.

Merdivene doğru yürüdüler. Macide, Ömer'in kolunu aynen sabahleyin tuttuğu yerden yakalamıştı. Bir basamak geride kaldığı halde onu bırakmıyordu. Sokakta bir müddet konuşmadan yürüdüler. Ömer sabahki manasız sükûtun başlamasından korkarak mırıldandı.

"Size bir şeyler söyleyecektim!"

"Evet!"

Pek de cesaret vermeyen gözlerle Ömer'e baktı. Delikanlının kumral saçları büsbütün alnına dökülerek gözlüğünün kenarlarına dokunuyordu. Bu haliyle küçük bir çocuk kadar şirin ve manalıydı. Gözlüğünün kirli camları arkasında derine kaçmış gibi duran küçük gözleri hiç kımıldamıyordu.

Macide başını çevirerek tekrarladı:

"Evet..."

Ömer bir an tereddüt ettikten sonra:

"Dün sabah ben vapurda sizin yanınıza gelirken teyzemi görmemiştim!.." dedi.

Macide gözlerini buruşturarak ona baktı. Ne demek istediğini anlamamıştı.

Ömer sordu:

"Size hepsini anlatayım mı? Hepsi dediğime bakmayın... Pek uzun değil. Yalnız muhakkak söylemek istiyorum. Hem şimdi... Başka zamana bırakırsam bu cesareti bulamayacağımdan korkuyorum. Niçin bu tereddüdü uzatayım? Siz açık bir insana benziyorsunuz. Benimle oynamayacağınızdan eminim... İçimde beni şu anda anlayacağınıza dair bir his var... Sözlerim ne kadar çocukça, ne kadar alelade olursa olsun, alelade şeyler kastetmediğimi sezeceksiniz..."

Bir türlü bitiremiyordu. Macide onun şişmanca yanaklarına, terli dudaklarına baktı: Genç adamın biraz kalın olan kumral kaşları alnına doğru dağılmış ve saçlarına karışmıştı. İçinde şiddetle ihtizaz eden* birtakım tellerin aksi gözlerine vurmuş gibi hummalı bakışları vardı. Genç kız şu karşısında duran insanın, bu anda içinde olanları ortaya dökmek için nasıl yandığını ve nasıl her türlü yalandan uzak bulunduğunu anlıyordu. İnsanlara karşı ruhunu kaplayan buzun elinde olmayarak çözülmeye başladığını hissetti. Karşımıza her şeyiyle çırılçıplak serilen bir insanın üzerimizde yaptığı mukavemet edilmez tesir onu da yakalamıştı. Maskesini, gizli maksatlarını ve bütün rollerini, bir an için bile olsa, üzerinden atmış olan biri ile yan yana bulunmak ona cesaret ve emniyet veriyordu. Kendi içinde hapsettiği şeyler de dışarı fırlamak, nihayet bir insan kulağına çarpmak için kımıldamaya başlamıştı. Ruhundaki bu yeni hareket onda tatlı bir

* Titreşen.

heyecan ve buna sebep olan insana karşı sarih* bir minnettarlık doğuruyordu. Ömer'in söyleyeceklerini belki teker teker merak etmiyor, fakat onun, kafasında ve ruhunda olan şeyleri, hiçbir maniaya çarpmadan ortaya döküşünü seyretmek için sabırsızlanıyordu.

"Benimle ne kadar açık konuşuyorsunuz!" dedi.

Macide, bu sözle ne kastettiğini anlayamayan Ömer'in bir şey sormasına meydan vermeden devam etti:

"Benimle açık konuşmak isteyen, hatta sadece konuşmak isteyen ilk insan galiba sizsiniz... İçimden öyle geliyor ki, bana fena şeyler söyleyemezsiniz... Neden devam etmiyorsunuz?"

Ömer büyük bir tehlikeden kurtulan bir insan gibi ağzını açarak derin nefesler alıyor ve gülümsüyordu.

"Size fena şeyler söyleyebilir miyim?.. Sizi sevdiğimi, deli gibi, ölecek gibi sevdiğimi söylemek fena bir şey mi? Şaşırmayın... İhtimal kulaklarınız böyle sözlere alışık değil... Fakat yalnız kulaklarınız... Kendinize itiraf etmeseniz bile, ruhunuzun bu sözlerime yabancı olmadığını tasdik edeceksiniz... Bakın, bağırmıyorsunuz... Yanımdan kaçmıyorsunuz... Yüzünüz nefret ifade etmiyor... Beni anlıyorsunuz!.. Sonuna kadar, en küçük noktasına, en gizli köşesine kadar ruhumu görüyorsunuz ve bunlar size yabancı gelmiyor... değil mi? Sizden cevap istediğim yok... Beni sadece dinlemenizi istiyorum. Daha dün gördüğünüz ve toptan iki saat bile konuşmadığınız bir insanı dinlemenizi isterken ne yaptığımın farkındayım... Fakat bir ses bana mütemadiyen doğru yaptığımı fısıldıyor. Hayatımda hiçbir zaman bu kadar açık olmamıştım. Buna cesaret edememiştim. Halbuki şimdi bütün mevcudiyetimi gözlerimi kapatarak size teslim edecek kadar büyük bir emniyet duyuyorum ve alay edeceğinizden, reddedeceğinizden korkmadan konuşuyorum. Bu emniyet, bu kanaat bana sizi ilk gördüğüm andan itibaren geldi. Demin ne demiştim: Vapurda yanınıza gelirken orada teyzemin oturduğunun farkında bile değildim. Sizi görmüş, sonra başka hiçbir şey görmez olmuştum. Sizi tanımıyordum, buna rağmen büyük bir emniyetle o kalabalığın içinde yanınıza kadar geldim. Size hitap etmek üzereydim, teyzem söze karıştı. Bunları anlatmaya bile lüzum yok. Zaten anlatmak iste-

* Belirgin.

diğim bir şey var, bin bir şekle sokup söylemek arzusuyla yandığım bir tek şey: O da sizi sevdiğim. Bunun dünyanın teşekkülünden beri kaç milyar defa tekrar edildiğini unutmuyorum, fakat siz söyleyin, canlılığından bir şey kaybetmiş mi? Kâinatta hiçbir mevcudun olamayacağı kadar taze ve olgun değil mi?.. Bu öyle bir kelime ki, doğuyor ve doğuşuyla beraber kemali de içinde getiriyor. Sizi seviyorum... Başka ne söyleyeyim? Siz de cevap vermeye kalkmayın. Bir insanın bütün varlığı ile, karmakarışık ruhu, esrarı çözülmemiş vücudu, arzuları, itiyatları, ihtirasları, hülasa her şeyi ile size teslim olması, size iltihak etmesi* ne muazzam bir şeydir! Bunu tamamıyla anladığınızı biliyorum. Bunun karşısında lakayt kalamayacağınızı da biliyorum. Hiçbir insan seven bir insanın karşısında alakasız olamaz. Dünyanın bu en harikulade hadisesi karşısında kimse hareket ihtiyarına** malik değildir. Buna hakkı yoktur. Nasıl muhtaç olduğumuz havayı istemem demeye, mekân içinde bir yer işgal etmekten vazgeçmeye kuvvetimiz yoksa, bize verilen bir aşkı almamaya da iktidarımız yoktur. Sizi seviyorum... Hem nasıl seviyorum yarabbi... Şu anda bir tarafımı kesseniz acı duymam. Sizin için herhangi bir şeyi yapmak istediğim zaman beni durduracak kuvvet tasavvur etmiyorum. Ölüm bile buna muktedir değildir. Bakın, etrafımızdan bir sürü insanlar geçiyor, birçoğu dönüp dönüp bize bakıyorlar, daha doğrusu bana bakıyorlar. Hangisini isterseniz yakalar ve öldürürüm. O buna karşı koymak istese bile, bunun bir aşk için lüzumlu olduğunu öğrenince kolları gevşeyecek, mukavemeti kırılacaktır. Bakın, nasıl siz de aynen benim gibi sarsılıyorsunuz. Hayatınızda böyle bir şeyin ilk defa olduğu muhakkak, söyleyin bana, içinizde hiç yabancılık var mı? Bütün bunlar sizin için malum şeyler değil miymiş? Yalnız bu anda kafanızda bir örtü açılıyor ve ruhunuzun en zengin tarafları önünüze seriliyor. Hiç yanılmadan biliyorum ki, siz de benim gibi şu anda bozuk kaldırımlar üzerinde yürümekte değilsiniz. Siz de vücudunuzun elli veya altmış kilo ağırlığından kurtularak ilerliyorsunuz... Bakın, Beyazıt'a gelmişiz... Nasıl? Ne kadar zamanda? Bunları bilmiyoruz. Zamanın olduğu yerde kaldığını ve bizi huşu içinde dinlediğini fark etmiyor musunuz?.. Elinizi bana verin...

* Katılması.
** Davranış özgürlüğüne.

Nabzınız benimki kadar, belki daha hızlı atıyor. Bileğinizin terleri elimi yakıyor. Güzel göğsünüzün altındaki minimini kalbinizi görüyorum. Şu anda yok oluversek herhangi bir teessür duyar mısınız? Hayattan ayrılmayı istemeyiz, çünkü tatmin edilmemiş birçok arzularımız vardır. Fakat şu anda hiçbir istek bizi yere bağlamıyor. Ruhlarımızın dopdolu olduğunu hissetmiyor musunuz?.. Bileğiniz insanı çıldırtan bir teslimiyetle parmaklarımın arasında duruyor. Bütün vücudunuz ince dallardaki yapraklar gibi titriyor. Bana bu anı yaşattığınız için size minnettarım. Hayata, tesadüfe, beni dünyaya getirenlere, herkese, her şeye minnettarım. Artık evinize geldik. Ben girmeyeceğim. Sizi tekrar görünceye kadar bu anları kafamda yaşatmaya çalışacağım. Ne yapacağımı bilmiyorum. Belki şehrin dışına çıkarak sabaha kadar koşar ve şafakla beraber buraya gelirim, belki de burada, duvarın dibinde oturur ve sizden etrafa yayılan havayı yakından koklamak isterim. Bana hiçbir şey söylemeden içeri girin. Sizin yanınızda bulunduğum her dakika beni baş döndürücü bir süratle daha büyük bir saadete doğru götürüyor... Artık korkuyorum. Saadetin bizi korkutacak kadar çok ve kesif olması nedir bilir misiniz? Şimdi şuracığa düşmekten korkuyorum. İçimde biriken hislerin birdenbire patlayarak beni zerreler halinde dağıtacağından korkuyorum. Allahaısmarladık. Yarın sabah sizi tekrar gelip alacağım... Allahaısmarladık..."

Ömer hummalı bir hasta gibi terlemişti. Macide'nin elini yakalayarak ağzına doğru götürdü, fakat öpemeden tekrar aşağı indirdi. Gözleri Macide'nin yüzündeydi, karşısındakini görmüyormuş gibi uzak bir bakışı vardı. Bir an böyle bekledi, sonra birdenbire arkasını dönerek çabuk adımlarla uzaklaştı ve sokağın köşesinde kayboldu.

Macide iki ayak merdiveni yavaşça çıkarak kapıyı çaldı. Fatma'ya yorgun ve karnının tok olduğunu, hemen odasına gidip yatacağını söyledi. Sokak üstündeki küçük odası, ortalık kararmaya başladığı ve pencerenin önündeki lamba henüz yanmadığı için, adamakıllı loştu. Genç kız kolunun altındaki notaları bir iskemlenin üstüne bıraktıktan sonra küçük, beyaz karyolasının kenarına oturdu. Yüzünü ellerinin arasına alarak düşünmeye, daha doğrusu hatırlamaya çalıştı.

Nabzı hâlâ hızlı atıyor, başı hâlâ uğulduyordu. Kendini toparlayarak Ömer'in sözleri üzerinde düşünmek istedi. Aklına bunların bir kelimesi bile gelmiyor, buna mukabil dağınık kumral saçları, gözlüklerinin altında ateş parçaları gibi yanan ve parlayan gözleri, konuşurken fevkalade güzelleşen ağzı ve insanın ruhuna sert fakat tatlı bir rüzgâr halinde yayılan sesi ile hep Ömer'i görüyordu: Çabuk adımlarla yanında gidiyor, elleriyle az, küçük fakat manalı ve mukavemeti kıran hareketler yapıyor ve konuşuyordu. O zamana kadar genç kızın hiç duymadığı bir sesle, hiç aklına getirmediği şeyleri söylüyordu. İşin asıl korkunç tarafı, genç adamın sözlerinin doğru olmasıydı. Şimdiye kadar Macide'nin hiç düşünmediği bu şeyler Ömer tarafından söylendiği andan itibaren artık ona yabancı değildi. Evet, içinde birtakım örtüler kalkıyor ve bunların altından yeni ve insanı sarhoş eden şeyler çıkıyordu. Fakat onun sözleri doğru olmasa, kelimeleri, manasız şekilde yan yana getirilmiş hecelerden ibaret olsa bile gene dayanılmayacak kadar tesirli idi. Bir damarını keserek kanını dışarı akıtan bir adam da ancak bu kadar içini verebilirdi.

Bugün başından geçenlerin üzerinde düşünemeyeceğini, sakin hükümler veremeyeceğini anladı. Şu kadarını muhakkak biliyordu ki, artık hayatının yeni bir devresi başlamıştır. Artık her şey çizilen muayyen yollarda yürümeyecektir.

"Bir şeyler... Bir şeyler olacak... Ne yapabilirim?" diye mırıldandı. Fakat bu olacak "bir şeyler"den çekinmediğini, hatta aksine olarak, ekseriya bir atı çok hızlı koştururken duyduğuna benzeyen, korkuyla karışık müthiş bir heyecan hissettiğini hayretle kendine itiraf etti.

Ne olacağı, nereye varacağı malum olmayan hayatının artık bir mana almaya başladığını görüyordu. Bundan sonra kafası, üzerinde düşünülecek şeyler bulmakta güçlük çekmeyecek; hisleri, koparılmadan kuruyan meyveler gibi, içinde buruşup kalmayacaktı. Sabahları kalktığı zaman "Bugün de her gün gibi. Niçin uyandım?.. Niçin bana kendimi unutturan uykum sürüp gitmedi?" demeyecek, sokaklarda yürürken ayakları isteksiz şekilde kaldırımlarda sürüklenmeyecekti.

Bu Ömer ne biçim bir çocuktu? Buna dair hiçbir şey bilmiyordu. Onu daha dün sabah görmüş, belki biraz süzmüş fakat üzerinde hiç düşünmemiş ve kimseye sormamıştı.

Onun hareketlerini, sözlerini şimdi bir daha gözden geçirerek hükümler vermek isteyince aczini tekrar itirafa mecbur oldu. Ömer üzeri terlemiş dudaklarıyla ona tekrar yakıcı sözler söylemeye başladı ve kâh titreyen kâh hükmeden sesiyle onu teslim olmaya mecbur etti.

Yatağının üzerine elbiseleriyle uzandı, gözlerini tahta oymalı tavana dikti ve bir müddet sonra uyuyakaldı.

XI

Sabahleyin erkenden kalktı ve hazırlandı. Hemen sokağa çıkmak istiyordu. İçinde garip bir üzüntü vardı. Akşamki hislerinden ancak büyük bir korku kalmıştı. Yeni girdiği bu karışık, bu hareketli ve sürükleyici hayatın nasıl devam edeceğini bilmiyor ve şimdiye kadar her işinde onu sevk eden iradesi başını kaldırarak tekrar hükmünü yürütmeye çalışıyordu. Buna rağmen evden erken çıkmak ve Ömer'e rastlamadan mektebe gitmek tasavvurunu tatbik edemedi. Odada aşağı yukarı dolaştı; ara sıra pencereden sokağa hırsızlama bakışlar attı; aşağıya inerek birkaç lokma bir şey yemeye çalıştı; tekrar odasına çıktı ve nihayet dün evi beraberce terk ettikleri zamana kadar bekledikten sonra sokağa fırladı.

Ömer oralarda yoktu. Genç kız iki tarafına süratle baktı ve tramvay caddesine doğru yürüdü. Bunu, yani Ömer'in gelmemesini beklediği ve istediği halde şimdi büyük bir teessüre kapıldığını gördü. Kaşları çatıldı, içinde birbirini çaprazlayan bir sürü hisler vardı. Kendi kendine söylendi:

"Daha iyi... Onu görmekten korkuyorum. Çünkü hiçbir sözüne itiraz edecek, hatta cevap verecek kuvveti kendimde bulamıyorum. Ne kadar çok... ve güzel konuşuyor... Ama tehlikeli... Mesela dünkü sözlerini herhalde dinlememeliydim. Birdenbire ne olduğumu anlayamadım... Sözlerini kabul ettiğim için değil, şaşırdığım için ters cevap veremedim. Halbuki susmasını söyleyebilirdim. O zaman da kızar ve bırakıp giderdi... Öyle ya... Onda öyle bir hal var... İnsana azıcık darılsa hemen yanından kaçacak gibi bir hal... Ben bunu da istemem. Yanımda yürüyen birisi ne diye bana darılıp kaçsın... Hem fena bir şey söylemedi ki... Daha fena da ne söyleyebilirdi... Beni sevdiğini söyledi..."

Macide bir müddet düşündü ve sonra olduğu yerde kalarak gözlerini yarı kapadı. Kafasına dolan birtakım fikirlerle pençeleşiyor gibiydi, tekrar mırıldandı:

"Beni sevdiğini söyledi... Bir insan tarafından sevilmek bu kadar fena mı? Beni şimdiye kadar kim sevdi? Annem, babam... Belki... Ama bu ne biçim bir sevgiydi? Zavallı babacığım... Demek öleli iki ay olmuş... Teyzem herhalde beni düşündüğü için bunu sakladı. Kim bilir, belki de evde tatsızlık olmasın diye böyle yapmıştır... Acaba annem ne halde?.. Ablam herhalde onu yanına almıştır. Belki de bu haberi tatile kadar benden saklamalarını o yazdı... Zavallı anneciğim... Kim bilir nasıl dövünmüştür... İyi ki ben Balıkesir'de değildim... Orada olup babacığımı son defa öpmem, annemi teselli etmem daha doğru olmaz mıydı? Elbette... Halbuki ben iyi ki yoktum diyorum. Acaba ben fena huylu bir kız mıyım?.. Hele dün o lafları da dinledim... Ama ne kadar güzel söylüyordu... Ne güzel dudakları vardı..."

Macide kıpkırmızı oldu. Düşüncelerinin ortasında tekrar yürümeye başlamış ve caddede bir hayli ilerleyerek Beyazıt'a yaklaşmıştı. Kolundaki saate baktı; dokuza geliyordu.

"Tramvaya bineyim!" dedi.

Notalarını evde unuttuğu aklına geldi. Geriye dönüp alsam mı, yoksa böyle gideyim mi, diye düşündü. Sonra garip bir gülüşle, sanki bir şey çalışacakmışım gibi, dedi. Bu sırada başını kaldırıp etrafına bakındı ve dün yolda olduğu gibi her tarafı titremeye başladı. Tutunacak bir şey aradı. Dişlerini sıktı. Başını, kaçmak ister gibi, sağa sola döndürdü ve sonra, arkasından uzun zamandan beri geldiğini derhal anladığı Ömer'e iki elini birden uzattı.

Derin bir oh demiş gibi içi tekrar yatışmaya başlamıştı. Yalnız olduğu zamanki bütün mücadelesi ani olarak durmuş, iç ve dış hayatına ait her şey, yanında sessizce yürümeye başlayan delikanlının hükmü altına girmişti. Analarının kanatları altına saklanan civcivlerin duyduğu emniyet ve gönül rahatına çok benzeyen bu kendini teslim etme hissi, Macide'nin hiç de gururunu hırpalamıyordu. Bir kimseye bu kadar kolaylıkla hatta böyle kısmen de istemeyerek tabi olmanın kendine niçin ağır gelmediğini bir aralık düşünmeye kalktı. Fakat kafasında derhal şu sual kendini gösterdi:

"Acaba istemeyerek mi? Sahiden istemiyor muyum?"

Sanki bu suale derhal cevap veriyormuş gibi Ömer'in kolunu yakaladı. Onun, kısa ve teşekkür eden bir bakıştan sonra bir şey söylemeden yoluna devam edişi Macide'yi adeta sersemletti...

"Niçin istemiyormuşum!" diye, birine cevap veriyormuş gibi, isyanla düşündü... "Niçin istemiyormuşum!.. Bu çocuğun yanımda yürümesinden, bana dokunmasından ve bana doğruluğundan bir an bile şüphe etmediğim sözler söylemesinden memnun olmadığımı nasıl iddia ederim?.. Niçin kendimi aldatmaya çalışıyorum? İstiyorum işte... Hatta onun tekrar konuşmaya başlamasını, ağzından alev gibi dökülen sözlerinin beni tekrar sarmasını ve başka her şeye karşı kör ve sağır etmesini istiyorum. Gene adımlarımın altında kaldırımları duymamak, gene o dünkü sıtmaya tutulmak istiyorum."

O söylediği sıtmanın yavaş yavaş geldiğini hissetti. Böyle anlarda hiç sebepsiz ağlamak ister gibi oluyor ve çenesi titriyordu. Kendini toplamak için sordu:

"Bu gece ne yaptınız?"

"Size birçok şeyler anlatacağım... Fakat nereye gidiyoruz?"

Macide tereddütle:

"Bilmem!" dedi, sonra, kendini de hayrete, hatta biraz korkuya düşüren bir cesaret ve bir arzu ile ilave etti:

"Ben notalarımı almamışım, bugün mektebe gitmesem de olur..."

Ömer sol kolunu Macide'nin elinden yavaşça çekti, öbür tarafa geçerek onun koluna girdi. Birkaç adım sonra bu ona fevkalade soğuk ve çocukça göründü. Her iki elini süratle ceplerine sokarak yoluna devam etti.

Beyazıt Meydanı'nı geçince biraz durakladı.

"Haydi, deniz kenarına bir yere gidip dolaşalım... Bugün

canım insan yüzü görmek istemiyor; geniş, uçsuz bucaksız bir şeye... ve sana bakmak istiyorum!" dedi. Sonra: "Dün akşam böyle soğuk değildim... Böyle yaveler yapmıyordum, ne oldu bana!.." diye düşündü. Birdenbire yanındakine dönerek:

"Birbirimize ne zaman sen diyeceğiz?.." dedi.

"Ne zaman isterseniz!"

Ömer bir kahkaha attı:

"Bakın, diliniz varmıyor! Peki, bunun kendiliğinden gelmesini bekleyelim, yalnız ara sıra, demin olduğu gibi, dilimden kaçarsa kusura bakmayın. Baksanız da ehemmiyeti yok. Bana öyle geliyor ki, sizin gülmenizle kızmanız, iltifat etmenizle azarlamanız arasında hiçbir fark yoktur... Size ait hiçbir şey çirkin olamaz sanıyorum."

Divanyolu'na amut sokaklardan rasgele birine daldılar, dik yokuştan inip ahşap evlerin arasından, demiryolunun altından ve yangın yerlerinden geçtiler, nihayet yıkık duvarların üzerinde fışkıran otlara ve biraz ötedeki denize geldiler.

Etrafta kimseler yoktu. Az dalgalı deniz sahildeki iri ve yosunlu taşları örtüp açıyor, epeyce yükselmiş olan güneşin altında hakiki rengini göstermeden kımıldıyordu. Uzaklardan birkaç irili ufaklı vapur ve daha ilerlerde şişirilmiş tulumlar gibi yatan adalar vardı. Ömer:

"Burası da, görüyorsun ki, uçsuz bucaksız bir yer değil!.. Burada da gözümüze bir hudut çiziliyor. Okyanuslarda bile başka türlü olmasa gerek... Acaba bu kâinatta yerle göğün birbirine kavuşmadığı bir taraf yok mu? Alabildiğine sonsuzluğa doğru giden bir taraf..."

Bu sefer dünkü gibi dilsiz kalmamaya niyet etmiş olan Macide gözlerini hayretle açarak mırıldandı:

"Ne kadar büyük arzularınız var!.."

Ömer aklını başına toplamaya çalıştı. Şimdiye kadar olduğu gibi başıboş konuşmanın bu kız üzerinde iyi tesir yapmayacağını düşündü. Kendi kendine söylendi:

"Dün onun üzerinde adamakıllı müessir olmuştum! Neden? Çünkü samimiydim. Halbuki şimdi zihnimden türlü münasebetsiz şeyler geçiyor. Buraya başka zamanlarda, başka kimselerle beraber de gelmiştim. Allah göstermesin... Galiba son defa da bir Ermeni kızı ile beraber... Ne kadar iri memeleri vardı. Hiç de çirkin değildi... Halbuki Macide'nin hiç göğsü yok gibi... Belki de elbiseden... Öyle ya, dün kazak giyince bir şeyler kendini gösteriyordu. Acaba kafamı bir çalı süpürgesiyle temizlemek mümkün müdür?.. Yalnız temiz şeyler kalsın... Fakat süpürge çöplerinden başka bir şey kalmamasından korkarım... Dün akşam ne yaptınız diye sordu... Ne diyeyim? Çünkü ne kırlara gidip koştum, ne de penceresinin altında sabahladım. Hava adamakıllı ayazdı. Kirli battaniyeme sarıldım ve horul horul uyudum."

Dağınık bekâr odası, pansiyon sahibesi madam, sokakta sabaha kadar arkası kesilmeyen gürültüler aklına gelince derhal keyfi kaçtı. Teyzesinin besmeleli ve gramofonlu küçük odası ona daha sıcak ve daha yakın göründü. Macide'nin bu odaya bitişik yattığını hatırladı ve sordu:

"Siz bu gece ne yaptınız?"

"Hiç... Uyudum!"

"Ben de!"

Gülüştüler.

Ömer laf olsun diye ağır ağır başladı:

"Sizi eve bıraktıktan sonra tekrar caddeye çıktım. Caddedeki kalabalık beni sahiden sıktı. Ben ikide birde böyle oluyorum, bazen bütün insanları boyunlarına sarılıp öpecek kadar seviyorum, bazen de hiçbirinin yüzünü görmek istemiyorum. Bu nefret filan değil... İnsanlardan nefret etmeyi düşünmedim bile... Sadece bir yalnızlık ihtiyacı. Öyle günlerim oluyor ki, etrafımda küçük bir hareket, en hafif bir ses bile istemiyorum. Taşıp dökülecek kadar kendi kendimi doyurduğumu hissediyorum. Kafamda, hiçbir şeyle değişilmesi mümkün olmayan muazzam hayaller, bana her şeylerden daha kuvvetli görünen fikirler birbirini kovalıyor... Fakat sonra birdenbire etrafımda bana yakın birini arıyorum. Bütün bu beynimde geçen şeyleri teker teker, uzun uzun anlatacak birini. O zaman ne kadar hazin bir hal aldığımı tasavvur edemezsiniz. Kış günü sokağa atılmış üç günlük bir kedi yavrusu gibi kendimi zavallı hissediyorum. Odamdaki duvarlar birdenbire büyüyüveriyor. Pencerelerin dışındaki şehir ve hayat bir anda, insanı içinde boğacak kadar kudretli ve geniş oluyor... Zannediyorum ki, tasavvuru bile baş döndüren bir süratle hiç durmadan koşup giden bu hayat ve bir avuç toprağının bile doğru dürüst esrarına varamadığımız bu karmakarışık dünya beni bir buğday tanesi, bir karınca gibi ezip geçiverecek... Böyle acz içindeyken odamda her şey bana küçüklüğümü ve zavallılığımı haykırıyor. Sokağa fırlıyorum. Bir tek yakın çehre görsem de yanında yürüsem, hiç ses çıkarmadan yürüsem diyorum. Halbuki ara sıra karşılaştığım ahbapları görmemezliğe geliyorum. Hiçbiri bana bu anda yardıma çağrılacak kadar yakın görünmüyor. Bilmem beni anlıyor musunuz?.. Dün size bir sürü şeyler söyledim. Onların manasına bakmayınız... İçimde senelerin biriktirdiğini boşaltmak istemiştim. Siz bana şimdi bahsettiğim bu yakın çehre gibi göründünüz... Vapurda sizi görür görmez: İşte, dört tarafa koşup aradığın, yanına sokulup sessizce yürümek istediğin, işte, hayatın müddetince istediğin insan! dedim. Katiyen yanılmadım. Yanılmış olsam şimdi yanımda bulunmazdınız... Sizin rast gelen delikanlıyla deniz kenarında gezmeye gidecek bir insan olmadığınızı anlamak için zeki olmaya lüzum yok... Buna rağmen, bakınız, yan yana oturuyoruz..."

Biraz durdu. Sonra başını genç kıza çevirerek sordu:

"Bundan memnun musunuz?"

Macide güzel, kahverengi gözlerini genç adamın üzerinde tuttu. Onun böyle hüküm beklermiş gibi kımıldamadan duruşu o kadar hoşuna gitti ki, farkında olmadan elini Ömer'in eline dokundurdu ve:

"Memnunum!" dedi.

Bir müddet daha orada, rutubetli taşların üstünde oturdular. Sonra kalktılar ve Sarayburnu istikametinde yürümeye başladılar. Bazen gittikleri yol birdenbire tıkanıveriyordu. O zaman geriye dönerek başka bir tarafa sapıyorlar ve tekrar aynı istikameti tutturuyorlardı. Yolda rastladıkları bir simitçiden iki simit aldılar. Ayakları taşlar arasından yeni fışkırmaya başlayan otların arasında kaybolarak ve bazen teneke kutulara çarpıp gürültü ederek bir hayli ilerlediler. Artık ikisi de konuşuyordu. Macide bir müddet Balıkesir'den, Ömer'in annesinden, akrabalarından, tanıdıklarından bahsetti.

Kendi evinden ve babasının ölümünden hiçbir şey açmıyor ve Ömer'in de bu mevzuya dokunmamasından büyük bir minnet duyuyordu.

Vakit hayli ilerlemiş, güneş arkalarındaki minarelerin hizasına gelmişti. Onlar ara sıra yer değiştirerek hâlâ dolaşıyorlardı. Nihayet yıkılmış bir sur parçasının üstüne tırmandılar. Taşların arasından fırlayan birkaç yabanî incir fidanı tomurcuklanmaya çalışıyordu. Elleriyle yapıştıkları taşlar parmaklarında beyaz ve kumlu harç parçaları bırakıyordu.

Burada ta ortalık kararıncaya kadar kaldılar. Sonra başka sokaklardan ve birkaç kere yollarını kaybedip dolaştıktan sonra eve döndüler. Ömer onu gene kapıda bıraktı. Bu sefer sakin ve müsterihtiler. İkisi de gülümsüyordu.

* * *

Sabahları Ömer'in erkenden Macide'yi karşılaması, onu mektebine bıraktıktan sonra akşamüzeri tekrar alarak eve getirmesi, ara sıra geç vakitlere kadar dolaşıp bazen sakin ve şundan bundan, bazen hummalı konuşmaları günlerce ve hiç aksamadan devam etti.

Ev halkının halinde bir başkalık olduğu Macide'nin gözünden kaçmıyordu. Onlarla fazla temas etmemesine içerledikleri için böyle yaptıklarını farz etmek istedi. Fakat Galip amca gibi ağzını pek nadir açan bir adamın bile bir akşam yemeğinde:

"E, kızım, ne yapmayı düşünüyorsun?" diye sorması onu şaşırttı. Ne yapacağını hiç düşünmemişti. Annesinin herhalde ablalarına taşındığını ve kendisini Balıkesir'e çağırtmak için bir sebep olmadığını zannediyordu. Tatile kadar burada kalacak, sonra Balıkesir'e gidecek ve gelecek sene için belki bir pansiyon, yahut başka bir çare aramaya çalışacaktı.

"Bilmem... Dün anneme mektup yazdım. Cevap bekliyorum!" dedi.

Galip amca canı sıkılmış bir tavırla:

"Daha çok beklersin!" diye cevap verdi. "Biz de bir buçuk aydan beri mektup bekliyoruz ama bir şey çıktığı yok... Annenin ne biçim insan olduğunu bilmez misin?.. Ablanla eniştene ise aldırış edecek soydan değildir... Şimdiki zamanda herkes derdi üstünden atmaya bakıyor."

Macide ablasının da, annesinin de ne biçim insanlar olduğunu bilirdi. Büyükçe bir manifatura tüccarı olan eniştesi ise Macide'nin en sevmediği insanlardandı. Ve Macide bu muhabbetin karşılıklı olduğunun farkındaydı. Buna rağmen ailesi hakkında Galip amcanın bu şekilde sözler sarf etmesi, belki hiç alışmadığı için, belki böyle bir münasebetle söylendiği için, onu fena halde müteessir etti. Kendisine hâkim olmasa sofrayı bırakıp kalkacaktı. Fakat böyle yaparsa ufak tefek dargınlıklar çıkarıp yemekten yarım kalkmayı âdet eden şımarık teyzezadesi Semiha'ya benzeyeceğini düşündü ve dudaklarını ısırarak oturdu. O gece hiçbir şey konuşmadan odasına çekildi ve annesine kısa bir mektup daha yazdı.

Bunu takip eden birkaç günde Macide Ömer'le beraber dolaşmanın sarhoşluğu ile ev halkının ve bilhassa Semiha'nın tavırlarının ayıltıcı soğukluğu arasında mektebe gidip geldi. Kendisine karşı müşfik muameleyi elden bırakmamaya çalışan Emine teyze bile değişmişti. Akşamları "Nereden teşrif küçükhanım?" diye imalı sualler soruyor, karşısındakinin sükûtu üzerine: "Eskiden gezip dolaşmaktan hiç hoşlanmadığını söylerdin... Bugünlerde İstanbul seni sardı galiba... Öyle ya, baharda insanın kanı kaynarmış!" diyordu.

Macide kıpkırmızı kesiliyor ve alaycı gözlerle kendisine bakarak: "Nasılsın kardeşim?" diye laf atan Semiha'ya yalancı bir tebessümle: "İyiyim kardeşim!" dedikten sonra hemen ortalıktan kayboluyordu.

Adamakıllı yaz havasını hatırlatan bir günün sonunda gene Ömer'le buluştular. Genç adam dalgınlıktan iki gündür tıraş bile olmamıştı. Bir hafta içinde adamakıllı değişmiş ve zayıflamış görünüyordu. Macide onun "uyuyorum!" demesine rağmen geceleri çok kere yatmadığını tahmin etti ve bu ihtimal onu, Ömer'e karşı duyduğu bütün alakaya rağmen, belki de doğrudan doğruya bu alaka dolayısıyla, memnun etti.

Köprü'ye indikten sonra Ömer:

"Haydi, bir kayık tutup gezelim. Bu gece mehtap var!" dedi. Birkaç hafta evvel bir kıza böyle bir teklifte bulunmak ona dayanılmaz derecede soğuk gelirdi. Şimdi ise bunu gayet tabii buldu.

"Mehtapta gezmekten hep hoşlanırız. Bu sırada yanımızda biri bulunmasını da müthiş surette isteriz, fakat iki aptal herif, romanlarında mehtaplı aşk sahnelerinden bahsettikleri için bu muazzam zevki, bu şiddetli ihtiyacı gülünç buluruz. Görülüyor ki hamakat* sade ahmaklara değil, akıllı olduklarını sananlara da hükmediyor!" diye düşündü.

Fındıklı taraflarına yürüdüler. Ortalık kararmıştı. Kayık kiralanan bir yer bulmak için bir hayli dolaştılar. Ara sıra denize doğru sapan dar sokaklardan birine dalıp sahile çıkıyorlar, sandala benzer bir şey göremeyerek tekrar dönüyorlardı. Bir hayli yürüdükten sonra yol birdenbire deniz kenarını takibe başladı. Buralarda büyükçe ve havuz gibi yerler ve bunların içinde küçük, biçimsiz tekneler gördüler. Ömer ceketini kayıkçıya rehin bırakarak saati on beş kuruştan bir sandal kiraladı. Hemen açıldılar.

Deniz sakindi. Vakit henüz erken olduğu için yanlarından ikide birde ışıklar içinde şirket vapurları geçiyor ve küçük tekneyi hoplatıyordu. Ömründe ilk defa kayığa binen Macide adamakıllı korkuyor, bunu göstermemek için bütün kuvvetiyle dişlerini sıkıyordu. Ömer'in yüzüne ara sıra sahilin ışıkları vurmakta, bazen de her ikisi birden oralarda demirlemiş iri bir vapurun gölgesine girerek zifiri denecek bir karanlığa gömülmekteydi.

Şehirden ve gelip geçen vasıtalardan dökülen sarı, fersiz ışıklar etrafı adamakıllı görmeye mâni oluyor ve suları kirli ve ürkütücü bir renge boyuyordu. Macide elini sandalın kenarından uzatacak oldu fakat yapışkan ve pis bir şeye dokunmuş gibi derhal geri çekti.

Biraz daha açıldıktan sonra Köprü'yü ve iki taraftaki sırtlara tırmanan şehri tamamen gördüler.

Manzaranın ihtişamı her ikisini de yerlerinden kımıldamaya ve gözlerini kırpıştırmaya mecbur etti. Anadolu yakasının nispeten fakir ışıklarına karşı Beyoğlu ve İstanbul taraflarında soluk kırmızı noktalar hemen hemen hiç boş yer bırakmamışlardı. Bu noktalardan gökyüzüne doğru adeta aydınlık bir sis yükseliyordu. Asıl rengini belli etmeyen denizi üç dört taraftan saran ve ko-

* Ahmaklık.

caman bir ateşböceği yığınına benzeyen şehir sanki gündüzkinin iki misli büyümüştü. Kulakları, muazzam bir fabrikanın uzaktan gelen gürültüsüne benzeyen uğultular dolduruyordu. Haliç'e doğru uzanan denizi ikiye bölen Köprü, bir zencinin koluna takılmış pırlantalı bir bilezik gibiydi. Her şey usta bir ressam tarafından çizilmiş gibi muntazam ve yerli yerindeydi. Denizin sathını bembeyaz diliyle yalayıp geçen vapur projektörleriyle küçük kayıkların zavallı soluk fenerleri arasında bile bir ahenk vardı. Karanlık her şeyi birbirine uydurmuş, birbirinin içinde eritmişti.

Anadolu sahillerinin üzerinde birdenbire yükseliveren ay, bu manzaraya daha esrarlı bir çehre verdi. Bütün ışıkların parıltısı derhal azaldı, fakat güzelliklerinden hiçbir şey kaybetmediler, hatta üzerlerine açık mavi bir tül atılmış gibi daha tatlı, daha mahrem bir hüviyet aldılar.

Kayıktakilerin ikisi de susuyordu. Böyle bir gecenin ancak gençken ve ancak bir defa yaşanabileceğini ikisi de sezmiş gibiydiler.

Bir müddet daha kararsızca çalkalandılar. Yavaş yavaş vapurlar seyrekleşmiş ve ay daha yükseklere çıkmıştı. Şehrin fabrikayı andıran uğultusu da azalıyordu. Ömer ara sıra kayığa istikamet vermek için küreklere dokunuyor, sonra başını kaldırıp etrafına ve daha çok gökyüzüne bakmaya devam ediyordu.

Macide bir aralık gözlerini ona çevirdi. Ömer'in sakallı yüzü ay ışığında gümüş bir heykel gibi parlıyor, her zamanki gibi alnına dökülen saçları olduğundan daha açık görünüyor ve denizin esrarlı kımıldamaları gözlüğünün camlarında aksediyordu.

Ömer kürekleri bırakarak duyulur duyulmaz bir sesle konuşmaya başladı:

"Böyle bir geceyi bütün varlığımızla içemeyişimizin sebebi, kafamızı birçok saçma şeylerin doldurmuş olmasıdır. On bin, yirmi bin sene evvelki insanlar gibi olabilsek, tabiatı onların gözüyle görsek, muhakkak ki şimdi burada böyle sükûnetle oturamazdık. Onlar güneşi, ayı, falanca büyük tepeyi veya filan bulutu ve yıldırımı babalarının hayrına mı Allah yaptılar? Onlar tabiatta saklı duran ruhu bizden iyi anlamışlardır. Halbuki bizim bunu yapmamıza imkân yok. Minimini kafalarımızı ukalaca kitaplar, birbirinden çürük bilgiler, neticesi olmayan hesaplar ve

Allah kahretsin, karmakarışık menfaat düşünceleri dolduruyor... Söyle, hangi ilim, hangi şiir, hangi aşk, hangi devlet bu manzaradan daha güzel, daha muhteşemdir? Buna rağmen burnumuzu kaldırmadan bozuk kaldırımlarda yürüyüp gitmekte devam ediyoruz. Dünyadaki insanların acaba kaç binde biri şu anda başını aya çevirmiştir? Halbuki o her şeyi, herkesi görüyor ve gafletimizin üstüne o tatlı, o iyi tebessümünü serpiyor. Dikkatle baksam onun parlak çehresi üzerinde birçok şeyler göreceğimi zannediyorum. Şu dakikada sarı nehir üzerindeki kayıklarında uyuyan yorgun kulileri, iri hindistancevizi ağaçlarının dalları arasında tüneyen papağanları, başlarını Nil'in kırmızı sahillerine yaslayarak dinlenen timsahları ve herhangi büyük bir şehrin herhangi bir eğlence bahçesindeki sevgilisini belinden kavrayan sarhoş kibarzadeleri aydınlatan hep aynı ışıktır. Halbuki ne kadar masum bir yüzü var; harp meydanlarında bağırsaklarını avuçlayarak ölenleri, apartman kapılarının önüne bırakılan çöp tenekelerini karıştırıp gıda arayanları, aynı gecede ikinci âşıkını pencereden içeri almaya çalışanları gördüğü halde güzelliğini ve saffetini muhafaza edebiliyor. Bizler, her gördüğümüz fenalığın ve rezaletin bir parçasını ruhumuzda ebediyen beraber taşımaya mahkûm insanlar, onun yanında ne kadar zavallı ve küçük şeyleriz... Bak, karşıdan dağınık bulutlar geliyor. Çiçek açmış bir erik dalı gibi minimini ve birbirine sokulmuş bulut parçacıkları... Biraz sonra daha çok yaklaşarak ayla çapkınca bir oyuna girişecekler... Bu bulutları üstümüze doğru sürükleyen rüzgârı gözünüzle görmüyor musunuz? Ben görüyorum, bize doğru geldiğini, bizi de şimdi yerimizden alarak uçurmaya başlayacağını sanıyorum. Aynen sizinle ilk konuştuğumuz akşamdaki gibi hafifim... Her şey bana başka türlü görünüyor; size öyle değil mi? Her şey bizim ruhumuza tabi... Demin korkunç görünen sulara bakın, nasıl insanı çeken bir yüz almışlar. Ürkmek şöyle dursun, derhal bunlara gömülmek istiyorum. Suların dibine doğru yapılacak bir seyahatin bana, çocukluğumdan beri muhayyilemi dolduran harikalı dünyalardan birini göstereceğini zannediyorum. Aşağıya doğru tatlı bir süzülüşle kayarken tesadüf edeceğim şekilsiz ve yumuşak mahlukları, yeni doğmuş bir kuzuya dokunur gibi, ihtimamla okşayacağımı, irili ufaklı balıklarla göz göze gelip gülüşeceğimizi ve dipteki yosunları kadın saçları, taş ve kumları mücevher taneleri gibi avuçlarımda tutacağımı biliyorum. Niçin bu sözlerime gülmüyorsunuz? Benden hiç korkmuyor musunuz? Halbuki omuzları üzerinde benimki kadar hummalı bir baş taşıyan insanlardan korkulmalıdır... Onlar dünyanın en fena ve en iyi mahluklarıdır. Fakat niçin insanlardan ve kafalarından, ah, kafalarından bahse başladım. Bunları bırakalım ve etrafımıza bakalım. Her şey nasıl birbiri içinde erimiş gibi. Şu anda şu kayığı denizden ayırmak mümkün müdür? Parmakların ele bitiştiği gibi bu yumuşak sulara yapışmamış mı? İnsan nasıl olur da şu karşımızdaki ışıkların küçük bir hareketle söndürülebileceğine inanır? Bulundukları yere ebediyen mıhlanmış gibi durmuyorlar mı?.. Ve biz... Kendimizi bu geceden ayırmaya muktedir miyiz? Fakat ne garip, şimdi küreklere sarılarak sahile dönmeye ve insan kokan sokaklardan geçerek evlerimize gitmeye mecburuz. Hatta bunu hemen yapmamız lazım. Çünkü vakit geçti. Sevgili teyzelerimiz, amcalarımız var..." Burada ağlar ve haykırır gibi bir sesle devam etti: "Dostlarımız, âmirlerimiz, işlerimiz, derslerimiz var... Allah kahredesi hayatımız var!.." Yerinden fırladı. Küçük sandal birdenbire çalkalandı ve Ömer tekrar oturarak iki yanına tutundu. Sonra yavaş bir sesle, başını ileri doğru uzatarak:

"Ne yapıyorsunuz? Niçin ağlıyorsunuz?" diye sordu. "Görmüyor musunuz, bu geceden ve bu tabiattan ayrılmak sizi ağlatıyor. Sakın elinizi gözlerinize götürmeyiniz... Ay altında ağlayan gözlere dokunmaya hiç kimsenin, hatta sizin bile hakkınız yoktur. Bu gecenin bu kadar harikulade bir sonu olacağını ben bile tahmin edememiştim. Yanınıza gelip sizi yakından görmek istiyorum."

Tekrar ayağa kalktı. Kürek çektiği yerin üzerinden ayağını aşırarak Macide'nin önüne oturdu, genç kızın yüzü, evvelce de birkaç kere gördüğü gibi, tamamen hareketsizdi. Gözleri dümdüz ileri bakıyor ve kirpiklerinden soluk yanaklarına muntazam fasılalarla yaşlar süzülüyordu.

Ömer onun ellerini yakalayarak baktı. Beyaz, dar ve oldukça zayıftı. Bu el birçok güzel kadınlarda gördüğü yumuşacık, pembe fakat şişirilmiş bir eldiven gibi şekilsiz ve kemiksiz ellerden değildi. Parmakların ele bitiştiği yerde çukurlar değil, hafif kabartılar vardı. Bilekten parmaklara doğru adaleler, incecik damarlar uzanıyor ve biraz dokununca kemikler hissediliyordu. Kesik tırnakları ne bir söğüt yaprağı kadar uzun, ne de bir gelincik yaprağı kadar genişti. Uçlarına doğru incelen parmakların nihayetine gayet tabii şekilde yerleşmişlerdi. Ömer hiçbir şey söylemeden Macide'nin iki elini birden ağzına götürdü ve parmaklarının ucunu yavaşça, dudaklarını değdirmekten korkar gibi öptü. Macide elinin birini usulca çekti, delikanlının yumuşak ve kumral saçlarında uzun müddet gezdirdi.

Sahile döndükleri zaman sandalcıyı telaşla kendilerini bekler buldular. Ömer kaç saat bindiklerini filan sormadan elli kuruş verdi ve kayıkçı ses çıkarmadan Ömer'in ceketini iade etti.

Yavaş yavaş yürümeye başladılar. Sokaklar tenhaydı. Bütün dükkânlar kapandığına göre saat dokuzu geçmiş olacaktı. Caddenin iki tarafındaki birkaç kahvede esnaf kılıklı adamlar, ameleler, tayfalar oturuyorlar, baş başa verip konuşmak, yahut kâğıt oynamakla vakit geçiriyorlardı. Ara sıra gecenin sessizliğini parçalayan müthiş gürültüler yaparak yanı başlarından geçen tramvaylarda tek tük yolcular vardı. Karaköy'e yaklaştıkları sırada yan sokaklardan gramofon sesleri ve pek kuvvetli olmayan münakaşalar duyuldu. Her ikisi de önlerine bakarak yürüyorlardı. Sokak lambalarının ışığı altında yan yana uzanan ve ince su yolları gibi parlayan tramvay raylarına ve sayısız ayak ve tekerleğin aşındırdığı esmer parkelere gözlerini dikmişlerdi. Kaldırımların yeknesak manzarasını bazen kapağı açık yatan boş bir cıgara paketi, bazen de herhangi bir yerde herhangi bir sebeple açılmış bir çukur bozuyordu. Köprü'yü ve Yenicami kemerini geçtikten sonra sokaklar daha tenhalaştı. Güzel vitrinli karanlık dükkânlar pis tahta kepenklerin arkasına saklanmışlardı. Macide'yle Ömer'in ayak sesleri birbirine karışıyor ve iki taraflarındaki duvarlara sürtünerek etrafa yayılıyordu. Beyazıt Meydanı'na gelince bir an durdular ve havuzda zavallı bir halde yatan mehtaba baktılar. Biraz evvelki muhteşem ahbaplarının bu hazin hali onları şaşırttı. Hatta Ömer bile söyleyecek söz bulamıyordu. Oralara dizilmiş kanepelerin üzerinde birkaç serseri ve birkaç "gece kızı" uyuşmaya çalışıyorlardı. Mırıltı halindeki sesleri, yerlerinden kımıldadıkça ayaklarının altında ezilen fıstık kabuklarının çıtırtılarına karışıyordu. Saçı sakalı dağınık, sefil bir ihtiyar havuzun kenarına oturmuş, göğsünü açmış, elektrik lambasıyla mehtabın müşterek ziyası altında bitleniyordu. İki sıska çocuk büyük bir ağacın dibinde ve birbirlerinin kucağında uyumuşlardı. Biraz aşağıdaki kahvelerde, hâlâ münakaşa eden ve sarhoşluklarından ayılmaya uğraşan avare münevverler görünüyordu.

Macide, Ömer'in koluna asılmış gidiyordu. Kafasında hiçbir şey yoktu. Daha doğrusu, bir şey düşünmüyor, sadece muhayyilesinde birbirini kovalayan levhaları seyrediyordu. Maddi hayatla bir tek alakası vardı: Şu anda Ömer'in kolunda olduğunu ve bu kolu sımsıkı tuttuğunu biliyordu. Gözleri yarı kapalıydı. İçinde hâlâ deminki ağlamanın verdiği hafiflik ve onu takip eden bir saadet hissi devam ediyordu. Böyle konuşmadan yürümenin de uzun sözler kadar birbirlerine ruhlarını açmaya yardımı olduğu muhakkaktı.

Şehzadebaşı'na geldikleri zaman sağdaki yollardan birine saptılar. İleride görünen eski ve kocaman su kemerlerinin dibine, yıkılacak gibi duran, esmer ve küçük evler yaslanmıştı. Bunların yosunlu kiremitlerinde boğulan ay, pencerelerin minimini camlarında tekrar canlanmaya çalışıyor ve kemerlerin üzerinde çıkan bir sürü irili ufaklı nebatı, gökyüzüne yapıştırılmış kabartmalar haline getiriyordu.

İki katlı ahşap evin önüne gelince bir müddet durdular. Her ikisinde de garip bir sıkıntı vardı. Konuşmak istiyorlar, fakat söyleyecek söz bulamıyorlardı. Sanki akşamdan beri gördükleri ve hissettikleri şeyler omuzlarına çökmüş onları eziyordu.

Ömer, Macide'nin elini yakaladı. Onunla oynamak, onu okşamak ve bu esnada aklına geleceğine emin olduğu ayrılık cümlelerini fısıldamak arzusundaydı. Fakat Macide onun bu hareketini, belki de bile bile, yanlış anladı ve Ömer'in elini kuvvetle sıkarak:

"Peki, allahaısmarladık..." dedi.

Ömer hiç sesini çıkarmadan genç kızın yüzüne baktı. Bir şeyler düşündüğü ve söylemek istediği belliydi. Sonra vazgeçmiş gibi gülümsedi ve:

"Allahaısmarladık" diyerek elini çekti.

* * *

Macide'ye kapıyı açan Fatma:

"Aman, küçükhanım, nerede kaldınız?.. Sizi bekliyorlar... Enişteniz pek hiddetli!" dedi.

Macide omuzlarını silkti. Eniştemin hiddetinden bana ne, demek istiyordu. Fakat Fatma sözüne devam etti:

"Yukarı kat sofasında oturuyorlar. Galiba bugün annenizden mektup gelmiş... Aralarında okudular, konuştular, bir daha okudular... Küçükhanım bile uyanık..."

Macide merak etmeye başlamıştı. Yeni ve fena bir haber mi acaba, diye düşündü. Merdivenleri süratle çıkarak yukarı kat sofasına geldi.

Alçak bir sedirde Emine teyze ile Galip amca oturmuşlar, lakayt görünmeye çalışan bir tavırla bekliyorlardı. Ortadaki küçük masanın başında, elindeki romana dalmış gibi duran Semiha vardı. Emine teyze Macide'yi bir müddet keskin gözlerle süzdükten sonra:

"Kızım, bana baksana!" dedi. "Bu vakitte nereden geliyorsun? Vakit gece yarısını geçti..."

Macide şaşkın şaşkın etrafına baktı. Semiha romanına daha çok dalmış, Galip amca gözlerini döşemenin pek ehemmiyetli bir çivisine dikmişti. Emine teyze devam etti:

"Kaç zamandır sesimi çıkarmıyorum. Bir sonu gelecek herhalde diyorum, ama, maşallah bizim uslu, ciddi kızımız gün günden beter oldu. Sanki evimizde pişen yemekler kendine layık değilmiş gibi dışarlarda karın doyurmalar, gece yarısı kimselere görünmeden gelip sabahleyin kimselere görünmeden sıvışmalar. Komşular gelip gelip seni anlatmaya başladılar; kimisi Beyoğlu'nda bir delikanlı ile gördüğünü, kimisi yaşlı bir beyle saza gittiğini söylüyor. Ne yalan söyleyeyim, evvela inanasım gelmedi. Soyun sopun malum. Ailemizden elhamdülillah şimdiye kadar dile gelmiş kimse yoktur. Velakin bütün Müslümanlar yalancı değil ya... Yemin kasem ederek anlattılar... Bir değil, beş değil... Sen aklını başına toplayasın diye bekledik... Ama daha fazlasına müsaademiz yok. Allah rahmet eylesin, merhum babanın iki eli yakamdadır. Namusunu bize emanet etti. Ben ne bileyim! Hiç böyle olacağa benzemezdin..."

Emine teyze sözünün sonunu getiremiyordu. Galip amcaya

"hadi, sen söyle!" der gibi birkaç kere baktı. Yaşlı adam yerinde biraz kımıldayıp düşündü.

Bu sırada sofada derin bir sükût hüküm sürüyordu. Macide ayakta durarak bekliyor, ara sıra etrafına bakıyor ve boyuna dudaklarını ısırıyordu.

Galip amcanın bir türlü ağzını açamadığını gören Emine Hanım tekrar söze başladı:

"Bak kızım, baban merhum öldü. Allah gani gani rahmet eylesin. Artık eski günler geçti... Bugün annenden mektup aldık. Dertli kadın, ne yazdığını bilmiyor..."

Galip Efendi mırıldandı:

"Evet, bizim yazdıklarımıza bir cevap yok. Aman kızım üzülmesin, bir şeyler duyurmayın deyip duruyor..."

Emine teyze insafsız bir alayla:

"Aman, merak etmesin, kızının üzüldüğü filan yok..." dedi. Macide bu sırada Semiha'nın hafif hafif fıkırdadığını duydu. Biraz evvelden beri içini dolduran tiksinme hissi son haddini buldu. Bu münakaşanın, ne şekilde olursa olsun, ne pahasına olursa olsun bir an evvel bitmesini istiyordu.

Sakin olmaya çalışan bir sesle:

"Mektubu görebilir miyim?" dedi.

Emine Hanım Galip Efendi ile sözleştikten sonra:

"Görüp ne yapacaksın?.. Bize yazılmış... Birbirini tutmaz sözler."

Macide sinirlendi:

"Fakat görmem lazım değil mi?"

"Pek merak ediyorsan gider uzun uzun konuşursun!"

Galip amca hemen atıldı:

"Öyle ya... Öyle ya... Hemen Balıkesir'e döner, her şeyi öğrenirsin!"

Macide kafasına doğru bir şeylerin yükseldiğini hissetti. Boğulacak gibi oldu. Verecek cevap bulamıyor, odasına kaçıp sükûnetle düşünmek istiyordu. Fakat bir taraftan da bu işin şu anda bir neticeye bağlanması lazımdı. Bunların ağızlarının altındaki baklayı çıkarmalarını beklemeliydi. Bu gece böyle karşılanmasının sebebi herhalde sadece geç gelmesi değildi. İtidalini toplamaya çalışarak sordu:

"Annem Balıkesir'e dönmemi yazıyor mu?"

Emine Hanım boş bulunarak:

"Hayır!" dedi, sonra tashihe çalıştı...

"Şey, yani bir şeyler yazıyor... Ama sonu ona varıyor..."

Galip amca gene homurdandı:

"Tabii, sonu ona varıyor. İnsan İstanbul'da hava ile yaşamaz ki... Valide hanımın bunlardan bahsettiği yok. İki aydır..."

Emine teyze keskin bir göz atarak kocasını susturdu ve kendisi söze devam etti:

"Mesele burada değil... Böyle şeylerin lafı mı olur?.. Evimizde iki lokma yemeğimiz var Allah'a şükür... Sen bize yük olacak değilsin ya... Allah göstermesin, aklına sakın böyle şeyler gelmesin..."

Galip amca tasdik etti:

"Tabii, tabii... Bir boğazın ne ehemmiyeti var ki... Zaten annen de yazıyor. Babanın hesapları tasfiye edilince her şeyi düzeltiriz, diyor..." Sonra kendi kendine mırıldandı: "Merhumun hesapları da pek tasfiye edilecek soydan değildi ya... Hem bu tasfiyeden sonra bakalım ortada bir şey kalacak mı?"

Emine Hanım'ın yeni ve daha keskin bir işaretiyle sustu ve içini çekti.

Macide gözlerini teyzesine dikmişti. İptidai zekâsıyla karşısındakini kandırmaya, asıl maksadını saklamaya çalışan ve bunda pek az muvaffak olan ihtiyar kadın Macide'ye bu âna kadar hiç böyle iğrenç görünmemişti. Düşündüklerini saklamayarak dışarı vuruveren zavallı Galip amca, karısına nazaran çok daha dürüsttü.

Emine teyze aynı yapmacık hassasiyetle tekrar söze başladı:

"Dedim ya, mesele böyle şeylerde değil... Fakat ortada ailemizin şerefi var... Doğrusunu istersen, ben annene yazacağım ve kızının yaptıklarından haberin olsun, gönlün razı ise burada bırak, değilse çaresine bak, diyeceğim..."

Macide bir müddet daha ayakta durdu. Evvela önüne, sonra oradakilerin yüzüne baktı. Halinde kararlı bir sükûnet vardı. Semiha kitabını masanın üzerine bırakmış, saklamaya lüzum görmediği bir memnuniyet ve tebessümle teyzezadesini seyrediyordu.

Galip amca çenesini gere gere esnedi. Macide hiçbir şey söylemeden döndü ve odasına girdi.

Dışardaki ayak tıpırtılarından sofadakilerin de hemen kalkıp odalarına gittiklerini anladı. Pencere kenarına oturdu. Ay adamakıllı yükselmişti. Macide başını cama yaklaştırarak ona baktı. Soluk ve lakayt ışığını rasgele her tarafa dağıtan ve yeryüzünün en korkunç hadiseleri karşısında bile alaycı sükûtunu muhafaza eden bu parlak cisim, biraz evvel denizde Ömer'le beraber seyrettikleri ve insanı kendinden geçecek kadar sarhoş eden o güzel ve manalı ay mıydı?

Yavaşça yerinden kalktı. Evin her tarafını derin bir sessizlik kaplamıştı. Ayaklarının ucuna basarak yatağının yanına geldi, diz çöktü ve karyolanın altından küçük, siyah meşin bavulunu aldı. Birkaç parçadan ibaret eşyasını onun içine gayet muntazam şekilde yerleştirdi. Sırtındaki entariyi de çıkararak oraya koydu ve kahverengi kazağı ile kareli eteğini giydi. Halinde hiç heyecan ve telaş yoktu. Pardösüsünü sırtına geçirdikten sonra bir müddet daha odada kalıp etrafına bakındı. Yatağının ayakucunda duran notaları alarak, tekrar açtığı bavula koydu. Bir daha buraya ayak basmak istemediği için lüzumlu bir şeyi unutmaktan korkuyor ve sokaktaki lamba ile ayın pek az aydınlattığı odada her tarafı gözleriyle araştırıyordu. Hiçbir şey bırakmadığına emin olduktan sonra tekrar pencerenin yanına gidip oturdu ve çantasındaki paraları saydı. Yirmi lirası ve bir miktar ufaklığı vardı.

Kalktı, oldukça ağırlaşan bavulunu yakalayarak dışarı çıktı. Kimseyi uyandırmaktan korkmuyordu. Hatta bunu biraz da istiyordu. Şimdiye kadar hiçbir yerde, hiç kimseden görmediği bu muamelenin hasıl ettiği şaşkınlık ve sersemlik geçmiş, yerini dişlerini sıkan bir iradeye bırakmıştı. Ev halkını düşündükçe derin bir istihfaf duyuyor ve dudaklarının arasından sadece:

"Terbiyesizler!" kelimesi çıkıyordu. Biraz evvelki lafları hatırlamaktan bile tiksiniyordu.

Merdivenleri yavaş yavaş, elektriği açmadan indi. Alt kat sofasında yatan Fatma karanlıkta başını kaldırarak:

"Siz misiniz küçükhanım?.. Gidiyor musunuz?" diye sordu.

Macide kısaca:

"Evet!.." dedi ve sokak kapısına inen merdivene yürüdü. Fatma gömleğiyle kalkmış, arkasından geliyor ve mırıldanıyordu:

"Vah vah küçükhanım!.. Bu vakitte nereye gidilir ki!.. Ama doğru... O laflardan sonra insan taş olsa yerinde duramaz... Allah yardımcınız olsun..."

Macide kapıyı açtı. İçeri sokak lambasının ışığı vurdu ve Fatma'nın iri, çatlak ayaklarını aydınlattı.

Macide elini uzatarak:

"Allahaısmarladık Fatma!.." dedi.

Yaşlı hizmetçi kız onun elini acemice sıktıktan sonra başını yakalayarak yanaklarından öptü.

"Allah selamet versin küçükhanım, Allah selamet versin!" dedi. Macide kapıyı arkasından çekti.

XII

Kapıdan sokağa inen merdivenlerde bir müddet durup bekledi. Ne yapacağını, nereye gideceğini bilmiyordu. Cebindeki para onun bir iki gün otelde kalmasına ve sonra... Balıkesir'e gitmesine yeterdi.

Birdenbire durakladı. Ne hazırlanırken, ne de evden çıkarken Balıkesir'e dönmeyi aklına bile getirmemiş olduğunu fark etti... Yalnız gitmek, bu evden kaçıp gitmek istemişti... Nereye?.. Bunu hâlâ bilmiyordu. Balıkesir aklına gelince tüyleri ürperdi. Orası daha mı iyiydi?.. Ne münasebet! Artık kendi evleri yoktu ki... Eniştesinin yanına gidecekti... Annesiyle beraber orada kalacaktı.. Demek babasının işleri tasfiye halindeydi. Herhalde Galip amca, tasfiyeden sonra ortada bir şey kalacak mı, derken boş laf etmiyordu.

Genç kızın kafası, biraz evvel yukarıda teyzesinin laflarını dinlerken olduğu gibi, sislenmeye, zonklamaya başladı. Yorgun bir şekilde kapadığı gözlerinin önünden birçok levhalar geçiyordu. Yılışık ve sonradan görme tavırlarıyla manifaturacı eniştesini, herkesi, hatta anasını ve kardeşini bile kıskanan ablasını ve bir aralık da denizi gördü... Akşam kayıktayken kendisine evvela korkunç gelen, sonra, mehtabın ve Ömer'in sözlerinin tesiriyle daha tatlı bir yüze bürünen ve derinlerini merak ettiren denizi...

Kesik ve sık nefesler alıyordu. Dizleri dermansızlaşmıştı. Oraya, basamakların üstüne oturmak üzereydi. Birdenbire garip bir ürpermeyle gözkapaklarını kaldırdı. Sesi boğazına takılarak, fakat sebebini anlayamadığı bir sevinç ve hafiflikle:

"Siz burada mıydınız?.. Ne yapıyordunuz? Nereden geldiniz?" dedi.

Ömer bir şey söylemeden bakıyordu. Dudaklarının kenarında o zamana kadar Macide'nin hiç görmediği hazin bir gülümseme vardı... Kolunu uzattı. Macide elini verdi ve merdivenleri indi. Yüzleri, birbirlerinin nefesini hissedecek kadar birbirine yakındı. Göz gözeydiler. Bu esnada, saatlerce konuşmanın başaramayacağı kadar çok şeyler üzerinde anlaştılar.

Macide gözlerini yere çevirerek tekrar sordu:

"Beni mi bekliyordunuz?"

"Evet..."

Ömer bir müddet sustu. Sonra:

"Bu akşam sizin tekrar geleceğinizi biliyordum" dedi. Yürüdüler. Ömer ancak tramvay yoluna geldikleri zaman:

"Ben ne sersem mahlukum yarabbi!" diyerek Macide'nin elinden ağır bavulu almayı akıl etti. Bir müddet konuşmadan ilerlediler. Sokaklar, biraz evvel geçtiklerinden daha tenha ve daha sessizdi. Artık son tramvaylar da yerlerine çekilmişler ve parkelerin arasında bıçakla açılmış dört yarık gibi parlayan raylarını birkaç saatlik bir istirahate terk etmişlerdi.

Ömer bavulu yanına bırakarak durdu:

"Nasıl olduğunu kendime bile izah edemiyorum" dedi. "Fakat bir his bana bu gece civarınızdan ayrılmamamı söyledi. Birkaç kere köşeye kadar gittiğim halde tekrar dönüp geldim. Her akşam, sizi evinize, daha doğrusu o eve bıraktıktan sonra içimde hoş olmayan bir his belirirdi. Emine teyzelerin evinde, hele sizin gibi bir insanın uzun müddet kalamayacağını, bu kalışın bir akşam çirkin bir sona varacağını seziyordum. Şimdi ev halkı uyanıksa acaba Macide'ye nasıl gözlerle bakarlar, diye düşünüyor ve sizin yerinizdeymiş gibi ürperiyordum. Sizi bırakıp dönerken içimi hep bu his doldururdu, fakat hiç bu geceki kadar kuvvetli ve böyle kanaat halinde olmamıştı..."

Bavulu alarak tekrar yürümeye başladı... Gözleri ilerde, konuşmasına devam etti:

"Bir türlü ayrılıp gidemedim. Ya bana muhtaç olursa, dedim! En küçük bir hadisenin bile, ne zaman olursa olsun, size hemen evi terk ettireceğini biliyordum. Hayret etmeyin... Ben sizi kendim kadar tanıyorum. Belki de daha iyi..."

Bavulu bir elinden öbür eline aldı ve başını Macide'ye çevirerek güldü:

"İşte görüyorsunuz ki, hislerim beni aldatmamış" dedi. "Ruhlarımızın birbirine ne kadar bağlı olduğunu anlıyor musunuz!.."

Macide sadece:

"Hayret ediyorum!" dedi.

Ömer sebepsiz kızararak:

"Ben de" diye mırıldandı.

Ve derhal düşünmeye başladı:

"Ne halt ediyorum?.. Niçin böyle aptalca sözler söylüyorum? Evet, bu gece onu bekledim. Evet... Bu sefer hakikaten bir şey bana buralardan ayrılmamamı söyledi. Bu kadarı iyi.. doğru... Fakat bundan istifadeye kalkmak, bütün sükûnetine rağmen bu anda muhakkak ki dimağında fırtınalar geçen kızı, böyle en zayıf anında en cahili olduğu taraflarından avlamaya çalışmak... Ne bayağılık... Sizi kendim kadar tanıyorum... Bundan daha büyük bir zırva olur mu? Kendimi ne kadar tanıyorum ki?.. Ne basit hilelere başvurdum: Bu gece bana muhtaç olacağınız içime doğdu... Yani bana malum oldu... Aman yarabbi... Demek ki içime doğdu... Şu halde ruhlarımız birbirine ne kadar bağlıymış görünüz... Eğer ruhların bağlılığı böyle ispat ediliyorsa vay o ruhlara... Ne lüzumu vardı... Bu hilelere muhtaç mıydım? Bak yanımda ne kadar sükûnetle ve itimatla geliyor... Böyle bir insanı ahmakça kafese koymaya çalışmak neden? O, bu kadar kolay inananlardan değil ki... Nitekim 'Hayret ediyorum!' dedi. Neden? Bu tesadüfe mi hayret etti acaba? Yoksa... benim böyle sözlere müracaat edişime mi?.. Bu daha akla yakın... Bu 'Hayret ediyorum!' sözünde bana yüzde yüz itimat yoktu... Manevi hayatımızda, bizim pek de haberimiz olmadan, birtakım hadiseler cereyan ediyor... Bu doğru... İnsan ruhları arasında, şuurun pek de karışmadığı bazı münasebetler var... Bu da doğru... Buna benzer daha birtakım şeyler var ki, hadi onlara da doğru diyelim... Fakat bunları arzularımızın hizmetkârı olarak kullanmaya kalkmak, tam hâkimi olmadığımız şeyleri hilelerimize alet etmeye çalışmak... Onların mahiyeti hakkında en küçük bir fikrimiz olmadığına delil değil midir?"

Kaşlarını çatmış, düşündüklerini tasdik eder gibi başını sallayarak yürüyor ve kafasının her tarafını araştırarak hücum edilecek noktalar bulmaya ve nefsini ithama devam etmeye çalışıyordu:

"Daha ileriden başlayalım... Bu akşam Macide'nin bana muhtaç olabileceği düşüncesi nereden geldi? Her akşam ayrılırken içimde böyle endişeli fikirlerin dolaştığını söyledim... Yalan değil... Ben Emine teyzemi bilirim. Bu kızcağızın birkaç kere eve geç gelmesi onlara iğneli laflar söylemek fırsatını verebilir... Babasının ölümü üzerine gayet tabii olarak alınganlığı artan Macide'nin, küçük bir sözü büyütüp neticesi ağır kararlar vermesi pek muhtemeldir... Verdiği kararı yapmakta hiç tereddüt etmeyecek bir insan olduğu da belli... Fakat bu akşam nasıl oldu?.. Her zamanki gibi ayrıldık. Ağır ağır geri döndüm ve tramvay caddesine çıktım... Burada birdenbire o fikir kafama geldi... Daha doğrusu o korku: Ya bu gece bir şeyler olursa ve Macide yalnız kalırsa... Fakat nereden geldi? Her zamanki gibi geri dönüp yürüdüm... Hiçbir başkalık yok muydu?.. Evet, hiçbir fevkaladelik yok muydu?.. Ah yarabbi, nasıl yoktu... İşte..."

Yüzü güldü. Bu, memnuniyetten ziyade kendini istihfaf* eden bir gülüştü.

"Her akşam ne yapardım? Evin önünden tramvay caddesine kadar olan kırk elli metreyi ağır ağır yürür, arada sırada durur, şimdi merdivende... şimdi odasının kapısında, şimdi odasında, diye tahminlerde bulunurdum... Ben onu muhayyilemde odasına soktuğum anda ekseriya garip bir tesadüfle Macide'nin elektriği de yanardı... Bu akşam gene aynı şeyi yaptım... Fakat 'Şimdi odasında!' dediğim zaman dönüp bakınca elektrik yanmadı. Biraz bekledim, gene yanmadı. Ben kendi kendime: Herhalde vakit

* Küçümseme.

geç olduğu için karanlıkta soyunup yattı, dedim. Fakat genç kız odasına girmeden evvel herhangi biri tarafından alıkondu ise o zaman da ışık yanmayabilirdi... Ben bunu düşünmedim... Fakat ne malum, belki de düşündüm. Muhakkak olan taraf, içimdeki telaşın bu andan itibaren başlamış olmasıdır. Her akşam yanan ışığın bu akşam yanmaması bir fevkaladelik miydi? Tabii... Şu halde kafam benim haberim olmadan bunun üzerinde durdu, bu fevkaladeliğin sebeplerinin belki başka şeyler olacağını düşündü ve beni o nereden geldiğini anlayamadığım telaşa, korkuya düşürdü... Bunun harikuladelik neresinde?.. Bunun ruhların yakınlığı ile münasebeti ne? Acaba Nihat haklı mı? Ben sahiden topraktan uzak mı düşünüyorum? Fakat zannetmem... Herkes aşağı yukarı böyle... Kusurlarımı başkalarında da görmekle ne değişecek sanki..."

Bavulu tekrar bir elinden öbürüne aldı ve bu sırada: "Acaba nereye gidiyoruz?" diye düşündü. "Herhalde bize... Pek tabii olarak bize... Başka ne yapabiliriz? Hayatlarımızın birleşmesi mukadderdi. Böyle beklenmedik bir şekilde birleşmesi daha iyi oldu. Ah yarabbi... Onu ne kadar seviyorum... İşte benim yanımda... Elleri bana dokunuyor, adımlarında en küçük bir tereddüt bile olmadan bana geliyor, benim evime, benim yatağıma geliyor... Bundan daha harikulade ne olabilir? Nasıl sabrediyorum, nasıl oluyor da hemen boynuna sarılıp yüzünü, gözünü ağlayarak, teşekkür ederek öpmüyorum? Hayatımın bundan sonraki kısmını düşünmek bile beni korkutuyor... Şu saadet karşısında duyduğum korku... Onu bir an evvel kollarımın arasında tutmak... Yahut sadece yüzüne bakmak, uzun uzun ellerini okşamak ve artık beraber, her zaman için beraber olduğumuzu bilerek karşı karşıya oturmak... Bu artık bir hakikattir, halbuki ben şimdiye kadar bunu tahayyül etmekten bile çekiniyordum. Fakat şimdi de fazla ileri gitmek doğru olmaz. Meselenin çirkin ve adi olmaya istidat gösteren bir tarafı var. Babası ölen ve akrabasının evinden aşağı yukarı pek arzusu ile çıkmamış olan bir kızı himayeme almış sayılırım... Bu lütuftan dolayı ondan bir şeyler istemeye hakkım olduğunu düşünürsem, yahut ona böyle bir şeyler düşündüğüm hissini verirsem çok feci olur... Vay, vay, vay... Ne kadar düşünüyorum... Kafamdan neler, ne sefil şeyler geçiyor. Bu kız benim içimi bütün çirkinliğiyle beraber görürse, bir gün bile oturmaz..." Birdenbire Macide'ye dönerek:

"Yoruldunuz mu? Benim evim epey uzak... Daha gideceğiz... Ta Beyoğlu'nda, Taksim'e yakın!" dedi.

Benim evim derken gözünün önünde beliren manzara onu iğrendirdi. Madam, son zamanlarda onun minimini odasını düzeltmeye bile tenezzül etmiyordu. İçinde bir kişinin zor dolaştığı bu perişan, bu sefil, bu karanlık odaya ne cesaretle bir başka insanı da alıp götürebiliyordu?

"Ben çılgınım... Ben ne halt ettiğimi bilmiyorum... Bir insanın mukadderatını kendime bağlarken bunun sonunun nereye varacağını bir an bile düşünmüyorum... Yarın o benim karım olacak... Yanımda otuz beş kuruşum var... Otuz beş kuruş... Bir kişiye bir öğle yemeği zor yedirir... Yarından itibaren ev besleyeceğim... Bir karım olacak ve ben ona bakacağım... Hem nasıl bir karım?.. Şimdi, bir küçük işaretiyle derhal ölebileceğimi yüzde yüz bildiğim bir karım olacak... Halbuki ben ona, canımı falan vermeyi bırakalım, doğru dürüst bir sabah kahvaltısı bile temin edemeyeceğim... Buna rağmen aldım, hiçbir şeyden haberi olmayan bu güzel, bu zavallı mahluku yanımda sürükleyip götürüyorum... Benim evim epey uzak, dedim... Hiç ses çıkarmadı... Demek bize gittiğini biliyor ve bunu kabul ediyor... Bu kadar kolay kabul etmesi de pek hoş değil... Acaba mukadderatın kendisine oynadığı oyunlara kızdı da talihinden bir nevi intikam almak için kendini kurban mı ediyor? Onun zihninden böyle bir şey geçtiğini bilsem derhal yanımdan iter ve başımı alıp kaçarım... Ben sadaka istemem... Beraber gelmesinde beni sevmesinden, her şeyi unutacak kadar beni sevmesinden başka en küçük bir sebep daha varsa her şey bitti demektir. Hemen bunu soracağım."

Başını genç kıza çevirdi ve heyecandan sesi kısılarak sordu:

"Niçin benimle beraber geliyorsunuz? Bana hemen söyleyin, bir tek kelimeyle... Deli olacağım!"

Macide hazin bir gülümsemeyle:

"Ne yapabilirim?" dedi, sonra ilave etti: "İstemiyor musunuz?"

Bu "İstemiyor musunuz?" kelimesinde, genç kızın nefsine hâkimiyetinde, bütün gururuna rağmen öyle hazin ve çaresiz bir eda vardı ki, Ömer biraz evvel düşündüklerinin hepsini unutarak haykırdı:

"İstemiyor muyum?.. Bunu nasıl söylüyorsunuz? Ben hayatta sizden başka hiçbir şey istiyor muyum?.. Sizden başka ne var ki ne isteyeyim?.. Böyle söylemeyin... Münasebetlerimizde, emin olun ki, siz daima veren ve ben daima borçlu olan tarafız... Hiçbir zaman, hiçbir suretle aklınıza böyle şeyler getirmeyin... Sizin için ölsem bile, bana uğrunuzda ölmek müsaadesi verdiğiniz için yine size minnettar olmalıyım... Fakat söyleyin... Niçin benimle beraber geldiğinizi bir kere daha söyleyin!"

Ömer bavulu bırakarak ellerini ona uzatmıştı. Macide delikanlının ellerini yakaladı, onu kendine doğru çekti, ona sokuldu ve kulağına fısıldar gibi:

"Sizden başka hiç kimseye inanamıyorum... ve... sizi seviyorum!" dedi.

Bu sözlerden sonra yüzünü göstermekten utanır gibi başını Ömer'in omzuna sakladı. Ömer ilk defa olarak onun ellerinden başka bir yerini, saçlarını ve biraz da şakaklarının saçlara bitiştiği yerleri öptü.

Bir müddet bavulun üzerine yan yana oturarak dinlendiler. İçlerinde çalkalanan denizin durulmasını bekliyor gibiydiler. Ömer ara sıra bir kolunu genç kızın omuzlarına uzatıyor, boynundan dolaştırdığı eliyle çenesinden tutarak yüzünü kendine çeviriyor ve sokağın yarı karanlığında mat bir renk alan bu güzel ve ince çehreye bakıyordu. Her ikisi de gülümsüyorlardı. Bu tebessümlerinde, şu anda duydukları nihayetsiz saadet hissinden başka hiçbir şey yoktu. Macide Ömer'le beraber yürüdükleri ilk akşamı hatırladı. O zaman genç adamı dinlerken vücudunu kaplayan, çenesini kilitleyen sıtmayı yine hissetmeye başlamıştı. Her tarafı titriyor, damarları kızgın teller halinde etlerinin arasına yayılıyor ve delikanlıya karşı müthiş bir arzu duyuyordu. Her şeyi, dünyayı, insanları, kendini unutarak bir tek hisse, bu bir tek arzuya teslim olmak istiyordu. Böyle anlarda gözlerini kapasa bile, Ömer'in konuşurken insanı çıldırtacak bir şekil alan dudaklarını kafasından uzaklaştırmaya muktedir olamıyordu. Akşamki düşünceleri, hayata karşı bıkkınlığı ve çaresizliği uçup gitmişti. Şimdi kendine güveniyor, iradesinin hayatına istediği şekilde istikamet verecek kudrette olduğunu görüyor ve olgun bir insan, bir kadın gibi düşünüyordu.

"Her şeyi düzeltebilirim, onu da, kendimi de kurtarabilirim. Neden olmasın? Ben hayata bağlanmak için ona muhtacım, o idare edilmek için bana muhtaç... Ben onu görmeden evvel hayatın manasını bilmiyordum, bulamamıştım. Şimdi görüyorum ki, o da bensiz yaşayamayacak... Söyledikleri doğru, en az doğru görünenleri bile doğru... Birbirimize rastlamadan evvelki hayatımız sahiden birbirimizi aramaktan başka bir şey değilmiş... Ne aradığımızı bilmeden aramak... Şimdi içim rahat, aradığını bulan ve başka bir şey istemeyen biri gibi sükûnet içindeyim... Dünyada bundan büyük bir saadet olur mu? Böyle en felaketli günümde beni en mesut insan olduğuma inandıran bu hislere fena, çirkin şeyler diyebilir miyim? Herkes ne diyecek?.. Fakat bu ana kadar herkesten ne gördüm ki... Bana en yakın olanlar dahil olmak üzere, bu herkes dedikleri şey beni üzmekten, hayatımı manasız bir hale sokmaktan başka ne yaptı? Bu yaşıma kadar en iyi zamanlarım tam manasıyla yalnız kalabildiğim günler olmuştu. Ömer yakınlığıyla beni memnun eden, bana saadet veren ilk insan... Herkes kim? Emine teyzeler mi? Ahlaksız eniştem mi? Hiçbir şeyden haberi olmayan zavallı anneciğim mi?.. Bunların uğrunda bugüne kadar çok şeylere katlandım, şimdiden sonra beni rahat bırakabilirler... Ben de onları rahat bırakırım... Beni öldü farz etsinler..." Burada güldü ve Ömer'in ellerini sıktı: "Tam yaşamaya başladığım bu andan itibaren beni öldü saysınlar..."

Tenha sokaklara, sabahın yaklaştığını haber veren bir serinlik çökmüştü. Macide, sırtında paltosu filan olmayan Ömer'in ürpermeye başladığını hissederek, doğruldu:

"Haydi, kalkalım" dedi. "Üşüyeceksin!"

Macide ona ilk defa olarak "Sen" diye hitap ediyordu. Bu söz, hiç kimse tarafından ve hiçbir zaman bu kadar yerinde kullanılamazdı. Ömer yerinden sıçradı, küçük bir çocuk gibi yüzünden ve gözlerinden neşe taşarak Macide'nin rutubetten donmuş yanaklarını öptü.

Bavulu yakalayarak tekrar yola düzüldüler. Biraz sonra dar ve dik merdivenli bir evin önünde durdular. Ömer cebinden çıkardığı anahtarla üst tarafı parmaklıklı ve buzlu camlı demir kapıyı açtı ve içeri girince arkalarından kapadı.

Macide'nin gözleri karanlığa alışmadığı için iki eliyle Ömer'in koluna yapışmış duruyordu. Ömer mırıldandı:

"Merdivenlerde elektrik yanmıyor, ev sahibi altı aydan beri: 'Ufak bir bozukluk var, yaptıracağım!' diyor, fakat ben artık ümidi kestim. Mamafih böylesi daha iyi. Bu pis merdivenleri insan gözlerinden saklamak için her şey yapılmalıdır. Hatta gündüzleri kapının üst tarafındaki kirli camdan sızan hafif ışığı bile bir çaresini bulup kapatmalı... Bizim madam uyumuştur. Zaten dört odadan ibaret bir ev, birinde kendi oturuyor, üçünü kiraya veriyor. Benden başka iki Rum terzi kızı var... Beraber oturuyorlar... Ara sıra odalarında yemek pişirirler ve kokusu dünyayı kaplar... Odaların bir tanesi bugünlerde boşaldı ve henüz tutulmadı... Size bunları niçin mi anlatıyorum? Sebebi var!.. Bir türlü yukarı çıkıp perişan odama sizinle beraber girmeye cesaretim yok... Orayı gördükten sonra benden tiksineceksiniz sanıyorum..."

Macide Ömer'in kolunu daha çok sıktı ve sadece:

"Hadi, çıkalım!" dedi.

Temizlik veya kirlilik düşünecek halde değildi. Bir an evvel gidecekleri yere varmak istiyordu.

Dar merdiveni birbirlerine tutunarak çıkmaya başladılar. Basamakları örttüğü anlaşılan yumuşak bir halı Macide'nin içini gıcıklıyor ve yırtık yerleriyle kızın ayağına takılarak ikide birde sendelemesine sebep oluyordu. Senelerden beri güneş görmeyen yerlere mahsus garip bir küf kokusu, eski ve kirli eşya kokularına karışarak hafif bir baş dönmesi veriyordu. Ömer'in ayakkabıları her adımda biraz gıcırdıyor ve ara sıra duvara veya basamaklara çarpan bavul boğuk bir ses çıkarıyordu. Bir aralık Ömer:

"Geldik!" dedi.

Gene karanlıkta birkaç adım attıktan sonra el yordamıyla bir kapı tokmağı bularak açtı. Kapının kilitli olmayışı Macide'yi hayrete düşürdü.

Ömer genç kızın elini bırakmış, elektriği açmıştı. İlk göze çarpan şeyler hiç de iyi intiba bırakacak soydan değildi. Ortada bir masa ve üzerinde rengini kaybetmiş kalın bir örtü vardı. Yıkanmamış bir tıraş takımı, üzerinde kurumuş sabunlarla, hâlâ orada duruyordu. Sönük bir ampul, kirli pembe ipekten bir abajurun altında, ancak masayı ve civarını aydınlatıyor, odanın diğer taraflarını loş bırakıyordu. Hemen kapının arkasına gelen bir karyola, üzerinde tepinilmiş gibi darmadağınıktı. Ayak tarafında duran yorganla beyaz bir pikenin uçları yere kadar sarkıyordu. Macide korka korka bir adım daha ilerledi. Ömer elindeki bavulu bir kenara bırakarak kumaş kaplı tahta bir iskemleyi genç kıza göstermiş ve hemen ortalığı toplamaya koyulmuştu. Acele hareketlerle tıraş takımını, bunların yanında duran bir kelebek boyunbağıyla bir elbise fırçasını karyolanın altına sürdü. Yatağa koştu. Yastıkların altından birtakım kirli mendiller, bir pijama pantolonu çıkardı ve bunları genç kızdan saklamaya çalışarak karşı taraftaki eski ve dışardan aynalı bir elbise dolabının alt gözüne yerleştirdi. Dolap, karyola ve masa odayı tamamen doldurduğu için her gelip geçişinde Macide'ye sürtünüyor, onun iskemlesini yerinden oynatıyor ve göz göze geldikçe mahcup bir tebessümle özür dilemeye çalışıyordu.

Macide bu sırada hem etrafı tetkike devam ediyor, hem de türlü şeyler düşünüyordu. Odanın, ne tarafa baktığını bir türlü kestiremediği penceresinde kalın, tüylü ve kahverengi ile gri arası perdeler ve bunların insan boyu kadar yüksek olan yerlerinde elle tutulmaktan tüyleri dökülmüş ve yağlanmış kısımlar vardı. Yerin muşambasını kısmen örten eski ve keçeleşmiş bir halı, aynen biraz evvel merdivende görmeden tiksindiği şey gibi, ayaklarını gıcıklıyordu. Bu esnada kendi kendine: "Hiç kimse tarafından görülmeden buraya kadar geldik. Acaba her zaman böyle yanına birini alarak mı gelirdi? Belki de... Olsun... Bir zamanki Ömer'le bugünkü Ömer'i birbirine karıştırmak doğru değil... Sanki ben eski Macide miyim? Ne gezer... Artık onunla hiç münasebetim yok... Kendimi kendim bile tanıyamıyorum... Ömer'in de hiç olmazsa bu kadar değiştiği muhakkak... Şu halde eski şeyleri düşünmek manasız..."

Ömer yatağın çarşafını tersyüz etmiş, yastığın üzerine dolaptan aldığı temiz ve beyaz bir örtüyü sermişti. Yorganın kenarlarını dikkatle muayene ettikten sonra çaresizlikle başını salladı.

Sonra gidip aynı dolaptan bir kat da temiz pijama çıkardı, yastığın üzerine koydu.

Macide tekrar ve bu sefer kalbi şiddetle çarparak düşündü:

"Eyvah!.. Şimdi yatacağız ha!.. Beraber mi? Tabii beraber... Sanki buraya gelirken bunu bilmiyor muydum? Bilerek ve isteyerek geldim. Neden korkuyorum?.. Senelerden beri hiçbir insanla birlikte yatmamıştım. Fakat bu başka... Beni kollarının arasına alacak ha? Sonra güzel dudaklarını yakından, ta yanı başından göreceğim.... Hatta öpebileceğim... Evet... Hem nasıl öpeceğim... Aman yarabbi, ne kadar utanmazca şeyler düşünüyorum... Neden utanmazca olsun... Ben artık bir kadın sayılırım... Bir kadın böyle şeylerden utanır mı? Onun halinde bir heyecan görmüyorum. Acaba aynı şeyleri düşünmüyor mu? Belki de odasının hali onu mahcup etti ve şaşırttı. Fakat bu dağınıklığın ne ehemmiyeti var? Ben her şeyi bilerek geldim. Yarın her şeyi düzeltirim. Ben onun temiz ve tertipli karısı olacağım... Ne demek? Karısıyım. Fakat nikâh olmadık ki... Ah, bu yaptığım hiç doğru değil... Herkesin nasıl ağzında dolaşacağım?.. Fakat herkesten bana ne demiştim!.. Öyle ya, bana ne!.. Sonra nikâh da oluruz... Olacağız tabii. Fakat bu anda bu nasıl söylenir? Aklına neler gelir?.. Bunu sonra düşünürüz... Saçları gene gözlerine düşmüş, bunları her sabah ıslatıp taramalı... Fakat böyle daha güzel değil mi?"

Ömer bu sırada ceketini ve ayakkabılarını çıkarmış, terliklerini giyip dolaptan aldığı küçük ve temizce bir havluyu omzuna atarak yavaşça dışarı çıkmıştı. Macide düşüncelerini keserek yerinden fırladı. Bavulunu acele acele karıştırdı ve bir gecelik çıkardı; derhal soyunmaya başladı. Sadece gömleğiyle kaldığı zaman yüreği müthiş bir korkuyla çarpıyordu. Ömer bu anda içeri giriverse Macide avaz avaz bağıracak ve kaçacak yer arayacaktı. Buna rağmen geceliğini giymeden kendini bir kere dolabın tozlu aynasında görmek arzusunu yenemedi. Dizlerinden yukarıda kalan beyaz gömleği ince ve düzgün bacaklarını meydanda bırakıyordu. Macide'nin gözleri aynadaki hayali üzerinde süratle dolaştıktan sonra saçlarına takılıp kaldı. Eliyle onları düzeltti. Hayaliyle göz göze gelince dudaklarının kenarında hafif bir tebessüm belirdi. Aynı zamanda biraz da veda ifadesi taşıyan bu tebessüm, Macide geceliğini giyip yatağa atlayıncaya kadar devam etti. Hatta yatağın bir kenarına büzülüp yorganı üstüne doğru çektikten ve heyecandan dermansızlaşarak, kapalı gözlerle Ömer'i beklemeye başladıktan sonra bile yüzünde bu çocukluğa veda gülümsemesini muhafaza ediyordu.

XIII

Ömer gözlerini açtığı zaman Macide'nin çoktan uyanmış, hatta yataktan kalkıp giyinmiş olduğunu gördü. Genç kız dün akşam çıkardığı elbiseleriyle masanın yanındaki iskemlede oturuyor ve dalgın bir halde önüne bakıyordu. Ömer bir müddet onu seyretti. Taranıp kulaklarının arkasına doğru atılan saçlarının altında parlayan ince boynunun ne kadar güzel olduğunu şimdi fark ediyordu. "Onu niçin kalkarken ve giyinirken göremedim?" diye bir an içi yandı. Sonra vaktin ne kadar geç olduğunu düşündü. "Gene daireyi asacağız galiba. Biz de pek aşırı gidiyoruz. Tam bugünlerde kapı dışarı ederlerse yandık!" diye söylendi. "Ne olursa olsun, bugün muhakkak uğramalıyım. Bizim mühim akrabayı görüp konuşmak lazım. Vaziyeti anlatırım, evlendim, yahut daha iyisi evlenmek üzereyim derim. Belki münasip bir iş bulur. Kırk iki lira ile ev idare olmaz. Fakat ben asıl bugünü düşünmeliyim. Galiba cebimde otuz beş kuruş kadar bir şey vardı. Bununla ne yapılır? Ona bunları nasıl söyleyeyim?"

Azıcık kımıldadı ve karyolanın çıkardığı ses Macide'nin başını o tarafa çevirtti. Genç kız onun uyanmış oduğunu görünce gülümsedi. Bu, onun beyaz ve şimdi biraz zayıflamış gibi duran yüzüne dayanılmaz bir cazibe veriyordu. Hiçbir sözün ifade edemeyeceği kadar kuvvet ve samimiyetle: "Sana teşekkür ederim. Seni seviyorum. Beni saadete götürdün!" diyen bu tebessüm delikanlının içine bir çiçek kokusu gibi yayılıyor ve onu derin derin nefes almaya sevk ediyordu.

Yerinden fırladı. Kirli halıya yalınayak basarak Macide'yi kucakladı ve yüzünü onun yüzünde dakikalarca tuttu. Biraz evvel güzelliğini tespit ettiği boynunu okşuyor ve parmaklarını ensesindeki kıvırcık saçların arasına sokarak genç kızın başını kendine doğru çekiyordu.

Birbirlerinden ayrıldıktan sonra Ömer acele giyindi. Tabii olmaya çalışan bir sesle:

"Ben hemen daireye gidip para bulmaya çalışayım!" dedi.

Macide tekrar gülümsedi:

"Benim yanımda biraz bir şey var... Aybaşına kadar idare ederiz... Zaten çok da kalmadı!"

Ömer dışarı çıktı. Bir müddet sonra madamla beraber gelerek:

"İşte karım!.. Bizim ev sahibi madam!" diye takdim etti.

Kırk beş elli yaşlarında görünen madam siyah elbiseli, kır saçlarını başının arkasında topuz yapmış asık suratlı bir kadındı. Hiçbir şey söylemeden Macide'yi uzun uzun süzdükten sonra bir kere de Ömer'e baktı ve bozuk bir Türkçe ile:

"Pek memnun oldum!" dedi, Macide'ye dönerek ilave etti: "Size yanınızdaki boş odayı vereyim. Biraz daha geniştir. Şimdi temizler, süpürürüz, hemen bugün geçersiniz!"

Ömer Macide'yle beraber küçük bir lokantada yemek yedi ve tramvaya atlayarak postaneye gitti. Genç kız ise odayı değiştirmek üzere madamın yanına döndü.

Ömer taş merdivenleri atlayarak çıkıp daireye geldiği zaman ortalıkta kimselerin bulunmadığını gördü. Herkes yemeğe gitmiş ve daha dönmemişti. Masasına geçip oturdu, önünde duran beş on kâğıdı defterlere kaydetti, birçoğunun neye ait olduğunu unuttuğu diğer defterleri karıştırarak yapılacak iş aradı. İçinde bundan sonra vazifesine dört elle sarılması ve aldığı parayı hak etmesi lazım geldiğini söyleyen bir his vardı. Hayatta tabanlarını sıkı olarak basabileceği bir yeri olmalıydı. O zamana kadar duymadığı bu ihtiyaç onu evvela sevindirdi, sonra düşündürdü. Bu kadar çabuk değişmeye mi başlıyorum, dedi. Bu sırada tek tük gelmeye başlayan memurlar devamlılığı ile şöhret bulmuş olmayan Ömer'i odada görünce hayret ediyorlar, kısaca selam verdikten sonra yerlerine gidiyorlardı.

Ömer kalkıp onlara teker teker: "Evlendim... Bugün evlendim. Artık aile sahibiyim... Birçoklarınız gibi artık ben de ekmek parası düşüncesiyle buraya gelip gideceğim ve âmirlerimi kızdırmaktan kaçacağım!" demek istedi. Sonra: "Ne evlenmesi? Ortada ne nikâh var, hatta ne de bir nişan yüzüğü... Bana gülerler. Hem ne diye söyleyeyim? Dünyada insanlar kendilerinden başkasının işiyle alakadar olurlar mı? Belki dedikodu için ara sıra..." dedi.

Fakat veznedara meseleyi açmadan duramayacaktı. Hem ondan birkaç lira da borç isteyebilirdi. Macide'nin aybaşına yetecek kadar parası olsa bile, tramvay parasını da ondan alacak değildi ya.

Kalktı ve Hüsamettin Efendi'nin odasına gitti. Kapıdan girer girmez bir an şaşaladı. Belki bir haftadan beri görmediği veznedar adamakıllı değişmişti. Tıraşı her zamankinden fazla uzamış, gözleri çukura kaçmış ve yüzünün ifadesi harap, hatta biraz da vahşi bir mana almıştı. Ömer ilk söz olarak:

"Ne o Hafız Bey? Seni iyi görmedim?" dedi.

Veznedar gözlüğünü alnına kaldırarak genç adamı birkaç dakika süzdü. Fakat Ömer onun bakışlarının kendi üzerinde olmadığını, sadece aklını toparlamak için gözerini rasgele bir yere çevirdiğini fark etti.

Tekrar sordu:

"Bir haftadır görüşemedik... Size mühim havadislerim var."

Hafız Efendi:

"Otur, anlat bakalım!" dedi.

Fakat bunu laf olsun diye söylediği, zihninin bu işlerle meşgul olmayıp başka yerlerde dolaştığı belliydi.

"Daha evvel sen anlat... Bir şeye canınız sıkılıyor galiba?"

"Haydi, beni sorma da, lafına bak... Ne var?"

Ömer içinden: "Allah, Allah!.. Bizim Hafız'a ne oluyor?.. Geçen gün de bir acayipti. Fakat bugün büsbütün tuhaf. Neyse, nasıl olsa dayanamaz, söyler..." dedi ve Hafız'a döndü:

"Ben evlendim. Biliyor musun?"

Hüsamettin Efendi biraz canlandı, merakla sordu:

"Ne zaman? Kiminle? Nerede? Hiç haberimiz yok yahu?"

Ömer güldü:

"Haberiniz olacak gibi değildi. Ben bile nasıl olduğunun hâlâ farkında değilim, hakikat olan bir şey varsa, bugün evimde bir karım bulunduğu ve benim elime baktığıdır!"

Hüsamettin Efendi onu merhamet ifade eden gözlerle süzdü:

"Allah bahtiyar etsin... Sonunuz hayırlı olsun. Ben seni aklı başında bir çocuk bilirim..."

Ömer onun "bilirdim" demek üzereyken kendini topladığını fark etti. Güldü.

"Fena mı yaptım?"

"Yok canım, herhalde iyidir."

Ömer birkaç kelimeyle başından geçenleri anlatmaya çalıştı. Birçok yerleri değiştirerek söylüyor ve kendisine bunu: "Kızı fena vaziyete düşürmek doğru değil, gıyabında da olsa hiç kimse onun hakkında münasebetsiz şeyler düşünmemelidir" diye izaha çalışıyordu.

Hikâyesinin sonlarında Hafız Hüsamettin'in tekrar düşüncelere daldığını, hiçbir şey dinlemediğini gördü. Canı sıkılarak kalktı, odasına döndü ve akşama kadar masasında gayret ve çalışkanlık hisleriyle dolu olarak boş oturdu. Birkaç kere kalem âmirine giderek defterler hakkında birtakım izahat istedi. Muhatabı bu malumatı: "Adam mı kandırıyorsun iki gözüm? Senin ne mal olduğunu ve burada kime dayanarak durduğunu pekâlâ biliriz!" diyen bir gülümseme ile veriyordu.

Etraftaki memurların çekmecelerini açıp kapayarak gidiş hazırlığına başlamalarından akşam paydosunun yaklaştığı anladı. Eve dönmek aklına gelince içinden bir sevinç ürpermesi geçti. Macide onu bekliyordu. Rum madamın pansiyonunu hatırlamak bu sefer ilk defa olarak onun yüzünü buruşturmadı. Vazifeperverliğini bir yana bırakıverdi. Hemen çıkmak ve koşa koşa eve gitmek istiyordu. Odanın kapısında veznedarla karşılaştı. Ondan borç istemek niyetinde olduğu aklına geldi.

"Size geliyordum!" diye yalan söyledi.

"Ben de seni alacaktım. Haydi beraber çıkalım!"

Veznedar sokağa çıkıncaya kadar ağzını açmadı. Sirkeci tarafına yürüdüler, birkaç adım attıktan sonra Hafız:

"Bana baksana oğlum!" dedi. "Bugün anlattıkların ciddi miydi?"

Ömer gülmekle mukabele etti:

"Sen şimdi bunu ciddi mi söylüyorsun?"

"Ne bileyim?.. Pek çabuk iş gören cinsindenmişsin!" Birkaç adım daha attıktan sonra:

"Yeni güveyleri ayartmak iyi değildir ama, haydi şeytana uy da benimle beraber gel, şurda iki kadeh atalım. Sana söyleyecek sözlerim var. Bu sefer ciddi. Ne kadar kötü vaziyette olduğumu şundan anla! Sana bile akıl danışacak hale düştüm!"

Ömer'in hiç değilse bu akşam, böyle bir davete razı olmaya niyeti yoktu. Fakat veznedarın görünüşü insanı telaşa düşürecek gibiydi. Zaten Ömer, bütün patavatsızlığına rağmen, kendisinden bir şey isteyen bir insana ret cevabı vermeyi hemen hemen asla beceremeyen kimselerdendi. Çok kere acele bir iş için yolda giderken herhangi geveze bir arkadaşı onu lafa tutabilir ve yarım saat saçma sapan konuştuğu halde Ömer onu bozmaya ve "yeter, işim var!" demeye muktedir olamazdı. Şimdi Hüsamettin Efendi'nin söyleyeceklerini merak da ediyordu. Kararını verdi:

"Haydi, gidelim ama, ben içmem!" dedi.

Tramvay yolunda küçük bir meyhaneye girdiler. Solda yüksek bir tezgâh, sağda arka arkaya dizilmiş üç küçük masa vardı. Bunların bir tanesinde çolak ve bir gözü sakat bir adam oturmuş, tek eliyle yakaladığı kadehleri birbiri arkasına yuvarlıyor ve her yudumdan sonra bütün yüzünü harekete getirerek garip işaretler yapıyordu.

Veznedar birkaç yudum rakıyı acele acele içtikten ve ilk kararına rağmen bir kadeh getirten Ömer'in de bir yudum almasını bekledikten sonra, mukaddeme filan yapmadan:

"Bu iş yeni değil, iki gözüm!" diye başladı: "İki aydan beri bocalıyorum. Sen benim ufak tefek şeylere metelik verir soydan olmadığımı bilirsin... Dünyayı bir pula satmaya her zaman amadeyim. Fakat bu yaşıma kadar yapmadığım, belki tesadüfen, fakat ne olursa olsun yapmadığım bazı şeylerin, istemeyerek faili olmak beni sarstı. İtidalimi kaybetmekten korkuyorum. Bu takdirde işin içinden sıyrılmak için binde bir ihtimal varsa onu da kaybedeceğim. Kimseden akıl danışmak âdetim değildir. Ama senin genç aklın belki bir cevher yumurtlar. Neyse, uzatmakta mana yok. Sana baştan itibaren bir hülasa yapayım: Bilmem şimdiye kadar hiç bahsettim mi? Benim bir kayınbiraderim vardır. Buralarda, Sirkeci taraflarında emlak komisyonculuğu yapar. İsmi emlak komisyoncusu... Burnunu sokmadığı iş yoktur. Arsa alıp satımından tut da, evlere hizmetçi, barlara artist, kumpanyalara aktris bulmaya kadar her şey elinden gelir. Bir gün zengin olur, bize otomobille misafir gelir, bir gün iki sivil polisin arasında karakola giderken görülür... Benimle arası pek iyi değildir. Fakat akraba... İki tane de nur topu gibi kızı var hınzırın, kendi çocuklarım gibi severim. Babaları herhangi işte top atıp meteliksizlik, açlık devresi başladı mı anneleriyle beraber bize göçerler, üç beş ay sonra İsmail Bey kardeşimiz, yani kayınbirader, ekseriya ben evde yokken yine otomobille gelir, hepsini alır götürür. On beş seneden beri bu böyle sürüp gidiyordu. Bu defa uzun zamandan beri haberini almamıştım. İki ay kadar evvel daireye garip bir adam geldi. Dava vekiliyim, kayınbiraderiniz mevkuftur, sizi görmek istiyor, dedi. Allah Allah dedim, izin alıp tevkifhaneye gittim. Kayınbirader uzun uzun bir şeyler anlattı: Birisine hizmetçi bulmuş, herif bekârmış, kızın yaşı ufakmış, bir şeyler olmuş, uzun lafın kısası, fuhşa teşvik cürmünden yaşlıca bir kadınla beraber bizim asilzade İsmail Bey'i içeri atmışlar. 'Aman enişteciğim, bana yardım et. Benim bu işte bir alakam yok. Kâtibem bana haber vermeden birtakım işler çevirmiş. Ben nasıl olsa kurtulacağım!' dedi. Kerata palavrayı pek severdi. Kâtibem, vekilim, acentam demeden konuşmazdı. Böylece kendine mühim bir işadamı süsü vermeye çalışıyordu. Neyse, derdini anladık... İki yüz lira kefalet istiyorlarmış... O zaman tahliye edilecekmiş: 'Seksen yerde alacağım var, bankada param var, fakat mevkuf olduğum için alamıyorum. Bu rezaleti de kimseye duyurmak istemiyorum. Ne yapacağımı şaşırdım. Allah rızası için sen bir çaresine bak, çıktığım gün tabii mesele yoktur, derhal getiririm!' diyordu. Evvela aklım ermedi. Fakat edepsiz herif diller döktü, kâh darıldı, kâh ağlar gibi müteessir oldu, kâh bu kadar ehemmiyetsiz bir para için mırın kırın edişimi garip bulur göründü. Nihayet 'Bir araştıralım bakalım!' dedim. 'Aman, araştırmaya vakit yok. Bugün yarın çıkamazsam her işim mahvoldu. Taahhütlerim var, randevularım var, binlerce lira ziyan edeceğim!' dedi. Gaflet bu, inandım. Daireye gelip düşündüm, kimseden on para almaya imkân yoktu. İki yüz lira az bir şey değil ki... Lanet olsun, bir aralık çocukları gözümün önüne geldi, içim acıdı. Parayı çıktığı gün getireceğini söylemişti. Üstü başı düzgünce olduğu için: 'Herhalde bugünlerde tutuyor!' dedim. Kasadan iki yüz lira alıp adliyeye yatırdım. Ondan sonra facia başladı. İsmail Efendi çıkar çıkmaz eski halini aldı, şu dalavereci, atlatıcı halini... Tevkifhaneden ayrılırken hemen: 'Birader, derhal gidelim de, nereden bulacaksan bul, parayı ver, kasaya koyalım!' dedim. 'Vakit geç oldu, yarın çaresine bakarız!' diye cevap verdi. Bu kadarı benim gözümü açmaya yetti... Bu onun eski ve malumum olan konuşma tarzıydı. Artık sonunun neye varacağını pek iyi sezdiğim bir mücadele başladı. Dedim ya, ümidim yoktu. Çünkü yazıhane dediği odasına gittiğim zaman vaziyetini gördüm. Seksen yerdeki alacaklar, bankadaki paralar hep atmasyondu! Piyasayı sabahtan akşama kadar dolaşsa on lira bulması imkânsızdı. Satacak, savacak bir şeyi olmadığı da muhakkaktı. Bu sefer boş yere ben ona yalvarmaya koyuldum. Düşün, benim gibi dünyada kimseye minnet etmemeye çalışan bir adam o aşağılık herife diller döktü: Çocuklarımdan, karımdan, yirmi senelik temiz memuriyet hayatımdan bahsettim. Herif insan değil ki... İnsan olsa da ne yapabilir? Şimdi beni atlatmakta mazurdu. Bunu imkânsızlıktan yapıyordu. O asıl namussuzluğu mevkuf iken beni kandırmak suretiyle yapmıştı. Bunlar tabii ve elinde olmayan neticelerdi. Ben ağlayacak hale gelip ısrar ettikçe: 'Ne yapayım, kardeşim? Halimi sen görüyorsun!.. İşler ters gidiverdi. Sen başka bir yerden çaresine bak, bizim muhakeme bitince, tabii kefaleti iade ederler, mesele yoluna girer!' diyordu. Edepsiz, bir türlü benim başka yerden para tedarik etmeme imkân olmadığına inanmıyordu. Muhakemenin de biteceği yoktu. Hele öyle on on beş günde karara bağlanacak soydan değildi. Halbuki ben aybaşından evvel parayı kasaya yatırmalıydım. Bu aralıkta bir müfettiş gelse yine mahvolduk demekti ama, aybaşında rezaletin ortaya çıkması muhakkaktı. Nihayet o gün geldi. Artık ikide birde daireden ayrılmam da göze batmaya başlamıştı. Çaresizlik içinde kaldım. Büsbütün ümidimi kesmiş olsam müdüre gidip meseleyi açacaktım. Fakat Allah kahredesi bir ümit, muhakemenin kısa bir zamanda bitip paranın bana iadesi ümidi beni başka bir çareye başvurmaya sevk etti. Hesapları ve kasa mevcudunu devrettirirken defterlerde birkaç küçük yanlış, daha doğrusu, şunu ismiyle söyleyeyim: tahrif yaptım. İki yüz lirayı yatırırken düzeltirim, defterde silinti olsa bile, hesaplar doğru çıktıktan sonra ehemmiyeti yoktur, bir iki laf işitiriz, o kadar, dedim. İki aydır bu böyle devam edip gidiyor. Meydana çıkmaması için yeni yeni tahrifler yapmaya mecbur oluyorum. Her gün biraz daha batağa saplandığımın farkındayım, fakat ne yapayım?"

Ömer burada sordu:

"Muhakeme ne âlemde?"

"Muhakeme mi? Daha dün adliyeye çıkıp soruşturdum. Hayrabolu'dan bir şahit ve Bartın'dan bir şahit ifadesi bekleniyormuş. Görünüşe nazaran İsmail Efendi mahkûm olacak, bunun için boyuna işi uzatıyor, halbuki benim kurtulmam için, lehte, aleyhte, her halde muhakemenin bitmesi lazım."

Bir müddet düşündü. Sonra:

"Her şeyi itiraf etmek ve bu azaplı günlere bir nihayet vermek aklımdan geçiyor. Lakin çoluk çocuğu ne yapacağız, azizim? Hiçbiri ekmeğine sahip değil... Altı nüfus... Sonra en aşağı beş sene ceza yemek var... Bu yatılır mı? Ne dersin?"

Ömer bir an kaşlarını çatıp durdu, sonra:

"Sahiden fena vaziyet... Demek hiçbir yerden bir şey bulmaya imkân yok? O halde mümkün olduğu kadar bekleyip muhakeme bitince parayı almaktan başka çare kalmıyor..."

Hüsamettin Efendi "Bunu ben de biliyorum!" makamında başını salladı. Kadehini dikerek ayağa kalktı. Dışarı çıktılar. Yolda tekrar söze başladı:

"Bana bir akıl öğretesin diye anlatmadım bunları... Biraz içimi dökmek istedim. Belki açılırım dedim. Fakat aksine oldu. Sana izah edeyim derken meselenin ne kadar feci olduğunu kendi gözümün önüne de sermiş bulundum. Demek ki bu ana kadar bundan kaçmışım... Ümitsizliğim büsbütün arttı. Vaziyetin düzelir tarafı olmadığını daha iyi görüyorum!" Sonra birdenbire sözü değiştirerek:

"Sen de galiba bana bir şey söyleyecektin! Nedir?" dedi.

Ömer böyle bir arzusu olduğunu hatırlamayarak cevap verdi:

"Ne zaman? Haberim yok!.."

"Canım, daireden çıkarken beni görünce, ben de sana geliyordum, demiştin ya!.. Para mı isteyecektin?"

Ancak bu sözden sonra Ömer hatırladı ve cevap vermeyerek önüne baktı. Hafız sordu:

"Ne kadar?"

"Bir iki lira... Fakat nasıl olur?"

Öteki acı bir gülüşle:

"Merak etme..." dedi. "Maaştan kalma paradır, haram değil... Hem senin böyle şeylere kulak asmadığını da bilirim... Al!"

Cüzdanını çıkardı. Dört kâğıt lirası vardı. Üçünü ona verdi. Ayrıldılar.

XIV

Ömer iki kadehten fazla içmemişti, fakat başı dönüyordu. Gece olmuştu. Sokaklar kalabalıktı. Vitrinlerden dışarı vuran ışıklar gelip geçenlerin yüzünde kımıldanıyor ve birinden ötekine sıçrıyordu. Herkes mühim işlerini bitirmiş, mühim alışverişlerini yapmış, mühim evlerine, mühim sofralarına ve mühim uykularına koşuyordu. Ortalık karınca yuvalarının önü gibi kaynaşıyordu. Yalnız biraz daha intizamsız ve çok daha manasızdı.

Bir müddet ağır ağır ve gelen geçene çarparak yürüdükten sonra:

"Yahu, ben ne halt ediyorum? Eve geç kaldım!" dedi ve koşar gibi ilerlemeye başladı.

"Ben ne biçim bir insanım? Bugün evlendim ve bugün evli olduğumu unutarak şunun bunun peşine takıldım. Gerçi Hafız'ın derdi mühim... Fakat nasıl oldu da beni bekleyen biri olduğunu düşünmedim? Nasıl oldu da rakı içmeyi kabul ettim? Bunların ehemmiyeti yok... Yok ama, niçin? Ben Hafız'a, karar vererek tabi olsam yüreğim yanmazdı. O zaman yanlış bir iş yapmış sayılmazdım. Fakat ben onunla kalmayı münasip bulduğum için değil, herkesin teklifine razı olmayı itiyat edindiğim için o meyhaneye girdim. Beni istenilen yere çekip götürmek ne kadar kolay? İrademi bu hususta kullanmaya hiç alışmamışım. Sonra bu unutmak... Ah, bu manasız dalgınlık! Birdenbire dünya ile alakam kesiliveriyor ve ben boşluklarda uçmaya başlıyorum... Hepsini bir düzene koymak lazım. Bunu herhalde Macide yapacak. Ona bütün zayıf taraflarımı söyleyeceğim... Hem aldatmış olmamak, hem de tedavisine girmek için... Harikulade bir kız... Ne kadar olduğu gibi... Hiçbir sözü, hiçbir hareketi yok ki, kendisinin, Macide'nin malı olmasın!.."

Eve yaklaştıkça sabırsızlığı artıyordu. Merdivenleri çıktığı zaman koşmaktan nefesi kesilecek hale gelmişti. Yarı karanlık salonda hemen odasının kapısını buldu ve açtı, fakat tam bu sırada arkasından Nihat'ın sesini duyarak döndü.

Nihat:

"Yahu, neredesin? Bir saattir seni bekliyoruz!" diyordu. "Kaç zamandır ortadan kayboldun. Nihayet biz arayalım dedik. Madam evde olmadığını söyledi ve nedense bizi senin odaya koymadı. Biz de böyle zulmet* içinde yolunu bekledik!"

Ömer sesin geldiği tarafa yürüdü. Elektriği açtıktan sonra Nihat'ın yalnız olmadığını fark etti:

"O, hoş geldiniz, Hikmet Bey... Ne şeref!.." diye kanepelerden birinin içinde kaybolmuş gibi oturan ufak tefek bir zatın elini sıktı. Dârülfününunda Şark dillerinden birini okutan bu Hikmet Bey, muhitinde, insanı korkutacak kadar mükemmel olan çirkinliği, ve yüzü ile tezat teşkil ettiği rivayet edilen iyi huyları ile meşhurdu. Minimini bir suratın yarısını kaplayan iri ve biraz sola mail burnu, bir cilt hastalığını yeni atlatmış gibi pul pul derisi ve hele o küt parmaklarının ucundaki yarım santimden daha kısa, etlere gömülmüş ve kubbelenmiş tırnaklarıyla karşısındakine ilk verdiği his, gözleri kapamak arzusu olurdu. Fakat tabiatın onun ruhunu bu kadar insafsızca yoğurmadığı söyleniyordu. Maraşlı idi; etrafında daima birkaç hemşerisiyle beraber gezer, onlara iş bulur, yardım eder, bir kısmını evinde yatırır ve tanıdıklarından herhangi birine bir yardımda, hiç olmazsa bir yardım teklifinde bulunabilmek için fırsat arardı. Boyu kısacıktı, başını ileri eğip kemik saplı bastonunu taşlara vura vura gezer ve kirpiksiz gözkapaklarını büzerek karşısındakileri dinlerdi. Gece yarılarına kadar Beyazıt kahvelerinde talebeden ve münevverlerden mürekkep gruplarla oturup münakaşalar, müba-

* Karanlık.

haseler* yapar, yanındakilere Şark edebiyatı, tasavvuf, hamaset** destanları hakkında izahat verir, kimsenin anlayıp anlamadığına, dinleyip dinlemediğine kulak asmadan, çipil gözlerini kapayarak, Taberî'den*** sayfalarca metni ezbere okurdu. Sesini bazen alçaltıp bazen de, mesela cenk tasvirlerinde, birdenbire yükseltivermesi, birbirine zincirlenmiş gibi arka arkaya sıralanan hoş ahenkli kelimeleri ağzına muhtelif şekiller vererek telaffuz edişi, muhitinde her zaman bir takdir ve hürmet kımıldaması yaratırdı. Herkes: "Görüyor musun ne bilgi, ne hafıza!" demek ister gibi birbirine bakar, bazen de coşuverip "Bravo üstat!" diye bağırırdı.

Ömer bir iskemle çekerek oraya oturdu:

"Nasılsınız?" diye misafirlerine sordu.

Nihat:

"Nerelerdeydin?" dedi.

Ömer birdenbire hatırlamış gibi yerinden sıçradı:

"Yahu haberiniz yok mu? Ben evlendim! Âşık oldum ve sonra evlendim!"

Ötekiler bir şey anlamayarak baktılar. Ömer devam etti:

"Ne şaşıyorsunuz? Hepsi bir hafta, on gün içinde oldu. Harikulade bir şey... Karımı görseniz beni tebrik edersiniz!"

Profesör Hikmet:

"Görmeden de mübarek olsun!" dedi.

Nihat hâlâ inanamıyordu. Sordu:

"Kim bu yahu? Ne zaman evlendin?"

"Dün akşam!"

"Fakat sen sarhoşsun!" Sonra profesöre dönerek:

"Atıyor canım... Çekmiş kafayı, zırvalıyor. Otur bakalım, biz seninle ciddi konuşacağız."

Ömer:

"Durun karımı getireyim..." diye odasına doğru birkaç adım attı. Olduğu yerde birdenbire durdu. Biraz evvel açık bıraktığı kapının aralığından Macide'nin ince vücudu görünüyordu. İçerde ışık yandığı için saçları aydınlanıyor ve yüzü gölgede kalıyordu. Buna rağmen Ömer onun her zamanki gibi gülümsemediği-

* Söyleşiler.
** Kahramanlık.
***Bir Arap tarihçisi.

ni, ciddi ve düşünceli gözlerini kendisine dikmiş olduğunu fark etti, iyi bir şey yapmış olmadığını bilen her mahluk gibi çekingen bir tavırla yaklaştı. Laf olsun diye:

"Burada mısın?" dedi.

Macide, "Nerede olacaktım?" der gibi ona baktı.

Ömer tevil etmeye* çalıştı:

"Hani başka odaya taşınacaktık? Madam öyle söylemişti?"

Macide onun bu süratli buluşunu takdir etti:

"Taşındık. Burada birkaç şey kaldı, onları götüreceğim. Sonra ampul yok... Senin gelmeni bekliyordum!"

Ömer, misafirlerini unutmuştu:

"Hemen gidip alayım!" dedi ve Macide'ye sokuldu. Genç kız odaya girip çantasını arayarak:

"Bir ampul kaç paradır?.." diye sordu.

Ömer:

"Bende para var!" dedi. Kafasından derhal başka bir fikir geçti: "Ne demek? Bir ampul kaç paradır, ne demek? Bana ampul parasını tam verecek de fazla bir şey vermeyecek mi? Bütün para vermekten korkuyor mu? Garip!.." Sonra kendinden utanır gibi "Ayıp... Benim böyle şeyleri düşünmem ayıp! Kızcağız gayet tabii bir alışkanlıkla bunu sordu" dedi. Bu anda Macide elindeki beş liralığı ona uzatarak, yavaş bir sesle:

"Sen otuz beş kuruşum var, diyordun! Belki yetmez... Bunu al!" dedi.

Ömer ağlayacak gibi oldu. Macide'yi içeriye iterek kendisi de arkasından girdi. Kapıyı ayağıyla kaparken iki kolunu birden genç kızın boynuna sardı:

" Macide... Karıcığım... Ben çok fena bir mahlukum... Beni sen adam edeceksin!" diye mırıldanıyordu. Macide hayretle sordu:

"Neden? Neyin var?"

Ömer biraz evvel zihninden geçenleri söylemeye cesaret edemedi. Bir yalan attı:

"Geç kaldım da onun için!.."

Macide:

"Bunun için mi?" dedi ve bir an düşündükten sonra: "Niçin böyle yapıyorsun? Ne lüzumu var?" diye ilave etti.

* Sözü değiştirmeye.

Ömer bu sözlerin neyi kastettiğini derhal anlamıştı. Macide onun izahına ve geç kalmak bahanesine inanmıyordu. Böyle müşkül zamanlarda, ne yapacağını bilmediği ve düşünmek kendisine güç geldiği anlarda müracaat ettiği bir çare vardı: Kaçmak... Genç kızın verdiği parayı pantolonunun cebine sokarak:

"Ben gidip ampulü alayım; hemen öteki odaya geçelim!" dedi.

Kapıyı açar açmaz gözü karşısında oturanlara ilişti.

"A, Macide, bak unutuyordum. Seni arkadaşlarımla tanıştırayım" diyerek karısını elinden tuttu ve dışarı çıkardı.

Nihat'la Profesör Hikmet oturdukları yerden fırlamışlar, yüzlerinde nazik bir tebessümle bekliyorlardı. Ömer:

"Karım... Profesör Hikmet... Arkadaşım Nihat!.." diye takdim etti. Macide'ye dönerek:

"Bir dakika burada otur, ben şimdi ampulü alır gelirim!" dedi ve merdivenlere koştu.

Macide bir müddet onun arkasından baktı. Sonra başını misafirlere çevirerek gülümsedi.

Nihat bir an tereddüt ettikten sonra:

"Sizi ilk defa Ömer'le beraber vapurda görmüştüm!" dedi.

Macide kıpkırmızı olarak önüne baktı. Hangi vapurda olduğunu derhal anlamıştı. Aradan geçen zamanın kısalığı onu korkuttu. Daha iki hafta bile olmamıştı. Halbuki ne kadar çok şeyler değişmiş bulunuyordu! Bu on iki gün zarfında yaşadıklarını teker teker gözünün önünden geçirmek için birkaç senenin bile az geleceğini zannetti.

Başını biraz kaldırınca, gözlerini kendisine dikmiş olan Profesör'ü gördü. Yaşını tahmin etmeye imkân olmayan bu adamın bakışları onu şiddetle rahatsız etti ve demin sıktığı elin daima terliymiş hissini veren soğuk ıslaklığı aklına geldi.

Her üçünü de garip bir sessizlik sarmıştı. Hiçbirisi söyleyecek bir şey bulamıyor ve diğeriyle göz göze gelince iğreti bir gülümsemeye müracaat ederek müşkül vaziyetten kurtulmaya çalışıyordu. Nihayet Profesör Hikmet:

"Siz nerelisiniz bakayım, kızım?" diye sükûtu bozdu.

"Balıkesirliyim!.."

Karşısındaki memnuniyetle başını sallayarak:

"Yani Anadolulusun!.. Çok iyi... Ömer de oralı galiba?" dedi.

"Evet..."

"Ömer iyi çocuktur!"

Nihat lafa karıştı:

"İyi arkadaştır. Yalnız, bir dalda durmaz. Onu idare etmek lazım!.. Biraz zıpırdır!"

Macide bu sözlere kızdı. Ömer'in ne olduğunu kendisi de biliyordu, başkalarının onun hakkında böyle şeyler düşünebileceğini de tahmin ederdi. Fakat bu sözleri kendisinin yanında söylemelerini münasebetsiz buldu.

Profesör Hikmet:

"Aynı zamanda zekidir!" dedi ve Macide'nin yüzüne baktı.

Nihat aynı patavatsızlıkla sözü aldı:

"Fakat zekâsını kullanmıyor... Bir işe sarf etmiyor... Bir gaye uğrunda çalıştırmıyor..."

Bu sırada merdivende Ömer'in ayak sesleri duyuldu. Üçü de başlarını çevirip o tarafa baktılar. Genç adam terli saçları yüzüne dökülmüş bir halde ve elinde ampulle göründü. Macide'ye doğru ilerleyerek:

"Al!" dedi.

Genç kız hemen yeni taşındıkları odaya döndü. Kapıyı açık bırakarak sofadan vuran ışığın yardımıyla lambayı yerine taktı, sonra ufak tefek eşyayı yerleştirmeye başladı.

Bu sırada Ömer koltuklardan birisine oturmuş, yorgun bir halde düşüncelere dalmıştı.

Nihat sordu:

"Neyin var? Dalgın duruyorsun!"

"Bugün bir tanıdık can sıkacak şeyler anlattı... Ona üzülüyorum!"

Karşısındakilerin ısrarına hacet bırakmadan veznedarın hikâyesini anlattı. Profesör pek can kulağıyla dinlemiyor, gözlerini ara sıra karşı odada sağa sola gidip gelen Macide'ye kaydırıyor, fakat Ömer'i merakla takip ediyormuş gibi kaşlarını çatıyor ve başını sallıyordu. Nihat da ilk anlarda kendi düşünceleriyle meşguldü, fakat hikâyenin sonlarında birdenbire alakalandı. Yerinde doğrularak başını Ömer'e doğru uzattı ve bütün dikkatiyle dinlemeye başladı. Hatta birkaç yerde onun sözünü keserek izah ettirdi.

Ömer, Hafız Hüsamettin Efendi'nin macerasını anlattıktan sonra:

"Yazık zavallı adama!.. Ne kadar iyi bir insandır, bilseniz!" dedi.

Profesör Hikmet:

"Yazık olur mu? Devlet parasına ne bahanesiyle olursa olsun el uzatanlara insaf etmemeli..."

"Fakat isteyerek yapmış değil ki!"

"Olsun... Bu bir mazeret değildir. Ben senin yerinde olsam derhal ihbar ederdim!"

Ömer şaşırdı. Profesör Hikmet gibi iyiliği ve herkese yardım hevesiyle tanınmış bir insanın bu insafsızlığına akıl erdiremedi:

"Çoluk çocuk sahibi adam... Bu yaşa kadar temiz kalmış..." diye beylik sözlere başladı. Profesör onun lafını kesti:

"Böyle alçak herifleri müdafaa etme!.. Kafalarını ezmeli onların!"

Ömer içinden:

"Bütün iyiliğine rağmen ne kadar anlayışsız..." dedi. Sonra yüksek sesle ilave etti "Müşkül vaziyette kalan bir insan için böyle hükümler verilir mi? Asıl iyilik tanımadıklarımıza yaptığımız iyiliktir; halbuki biz bütün hüsnüniyetimizi dostlarımıza saklayıp bunların dışında kalanları bir çırpıda ve kısa bir hükümle fena addediyoruz!.."

Profesör Hikmet'in gözleri gene karşı odadaydı. Ömer Nihat'a bakınca onun birtakım düşüncelere dalmış olduğunu gördü ve sordu:

"Ne düşünüyorsun?"

"Bu veznedarın meselesi daha meydana çıkmadı mı?"

"Hayır... Neden sordun? İhbar mı edeceksin?"

"Yok canım... Sordum..."

Bir müddet bekledikten sonra tekrar başladı:

"Sizin kasada çok para bulunur mu?"

"Bazen bulunur... Dört beş bin liraya kadar... Belki de daha fazla... Bunları ne yapacaksın?"

"Merak ettim yahu! Demek herif daha fazla da çalsa kimsenin haberi olmayacak!.."

Ömer hiddetlenmişti:

"Çalmak ne demek? Ne garip kelimeler kullanıyorsun. İnsanları anlamakta hâlâ pek gerisin... Zannediyorsun ki, hepimiz birer makineyiz ve evvelden kurulduğumuz gibi işleriz. Bir yerde bir bozukluk oldu mu, derhal orayı söküp atmak lazım!.. En kuvvetli insanın bile bazen ne kadar zayıf anları, istediğinin tam aksini yapmaya mecbur olduğu dakikaları bulunduğunu nasıl inkâr edebiliriz? Böyle hadiseler hiç kimseyi olduğundan daha fena, yahut daha iyi yapamaz!"

Nihat eliyle onu susturmak için bir işaret yaptı:

"Bırak bunları. Nerdeyse içimizdeki şeytan hikâyesine başlayacaksın! Benim kimseyi fena gördüğüm falan yok... Vaziyeti anlamak istiyorum. Yalnız şu kadarını söyleyeyim ki, insanların zaaflarını mazur görmeye taraftar değilim. Kuvvetli olmak her şeyin fevkindedir. Kuvvet her hareketi mazur gösterebilir. Âcizlere acımak ise sersemliktir."

Ömer cevap vermedi. Nihat'ın ekseriya böyle ateşlendiği ve atıp tuttuğu olurdu. Zaten aslında gayet iyi bir arkadaş, makul bir insan olduğu halde, ara sıra, bilhassa o mahut mecmua ve gazetelere yazdığı makalelerde, ufak tefek vücudundan beklenmeyen bir hırs, pek sıhhatli olmayan bir sinirlilik gösteriyordu. Serbest ve tabii konuştuğu zamanlarda oldukça zeki, alaycı bir çocuktu. Böyle bir insanın nasıl olup da en kör bir taassubun ifadesi olan yazılar yazdığı, birtakım saf ve kendilerini bir şey zanneden cahil talebelerden başka kimseyi kandıramayacağı besbelli olan mantık oyunları ile taraftar toplamaya çalıştığı Ömer'i hayrete düşürüyordu. Bir gün bu fikirlerini ona açtığı zaman, Nihat:

"Ne malum? Belki ben asıl o saf ve cahil adamlarla iş yapmak niyetindeyim!" demişti.

Ömer, bu sözü o zaman ciddi telakki etmemiş ve gülmüştü. Fakat yavaş yavaş buna inanmak lazım geldiğini anlıyordu.

Çünkü Nihat'ın son zamanlarda hep bu kuşbeyinli kabadayılarla beraber olduğunu ve hiç sıkılmadan onlara uzun uzun nutuklar verdiğini görüyordu.

Misafirlerin ikisi birden ayağa kalktılar. Nihat:

"Neyse, şimdilik allahaısmarladık. Ara sıra bizim taraflara uğra... Mamafih ben yakında gelip seni yine ararım. Uzun uzun konuşuruz. Bugün yeni güveyi rahat bırakmak lazım!" dedi.

Profesör Hikmet genç adamı omzundan tutup kendine doğru çekerek mahrem bir tavırla:

"Söyle bakayım, vaziyetin nasıl?" diye sordu. "Paraya ihtiyacın var mı? Bir isteğin olursa derhal bana söyle, arkadaşlara yardım vazifemiz... Şimdi birkaç lira bırakayım istersen?"

Ömer'in boynu bükük sükûtunu görünce elini cüzdanına atarak:

"Ne kadar lazım?" dedi. "Bu kadar yeter mi?" Ve bir on liralık gösterdi.

Ömer, aynı teslimiyet ile sükût etti ve elini tereddütle uzatarak parayı aldı. Misafirler kapısı aralık duran odaya doğru birkaç adım attılar ve dışarı çıkan Macide'nin elini sıkarak ayrıldılar.

Odada karşı karşıya birer iskemleye oturan ve etrafta gezdirdikleri gözleriyle yeni meskenlerinin vasıflarını bellemeye çalışıyormuş gibi görünen bu yeni karı koca birbirlerine bir türlü açamadıkları birtakım şeyler düşünüyorlardı.

Ömer kendi kendine mırıldanıyordu:

"Heriften ne diye bu parayı aldım? Pek fazla ihtiyacım yoktu. Macide'nin parası, evi ve benim Hafız'dan aldığım birkaç lira beni idare ederdi. Buna rağmen dayanamadım, reddedemedim... Ne münasebet, hatta envai türlü roller yaparak halime acındırdım ve aldım. Herifin istediği şey!.. Beş on lirası gitsin, ne ehemmiyeti var? Kendisine bir minnettar daha kazanacak... Etrafında daha çok iyiliğinden bahsolunacak, onun da zevki bu!.. Seyyar fazilet abidesi halinde gezmek istiyor... Fakat bu fena bir şey mi? Keşke herkeste aynı illet olsa... Sonra ne malum? Belki de adam hakikaten iyilik etmek ihtiyacını duyan ve bunu hasbi* olarak yapan biridir!.. Kendimiz iyi olamıyoruz ve başkalarının iyiliğini küçük görmek için onlara reklamcı, hayır dua avcısı, hatta riyakâr diyoruz."

Bu sırada Macide düşünüyordu:

"Acaba Ömer'e söylemek doğru olur mu? Ben onun bu ahbaplarından hoşlanmadım. Bir tanesi pek çirkindi... Bu onun kendi kabahati değil ama, ne yapalım, benim kabahatim de değil... Sonra insana ne kadar yapışkan gözlerle bakıyor... Öteki de öyle, onun bakışlarını da beğenmedim. İnsanı satın alacak

* Karşılıksız, çıkar gözetmeden.

gibi seyrediyorlar... Sonra ne münasebetsizlik! Ömer'in zıpırlığından benim yanımda bahsetmek ne demek? Fakat kaç dakika konuştuk ki? Ne olduklarını daha adamakıllı bilmediğim insanlar hakkında hükümler vererek Ömer'e onlardan şikâyet etmek doğru olmaz. Ne de olsa arkadaşları. Onlarda birtakım meziyetler bulunmasa arkadaşlık etmezdi. Hiçbir şey söylemeyeyim. Bu muhitlere alışmam lazım... Belki de yabancı olduğum için bazı şeyler beni ürkütüyor."

Düşüncelerinin bu noktasında birbirlerine bakıştılar ve her şeyi unutarak yalnız bir şeyin farkına vardılar: Yeni ve oldukça tertipli bir odada karşı karşıyaydılar... Birbirlerinden başka hiçbir şey düşünmeyebilirlerdi... Bu fırsattan istifade etmek istediler.

Buna rağmen, birbirlerini tanıdıklarından beri ilk defa olarak düşündüklerini söylememeyi tercih ettikleri için, zihinlerinde hafif bir bulanıklık vardı. Bunun mevcut olduğunu kabul etmek istemeseler bile, vardı.

XV

Hayatları birkaç gün mühim bir değişiklik göstermeden geçti. Ömer işine gidip geliyor, eve geç dönmemeye çalışıyor ve son haddine kadar mesut olduğunu her gün kendi kendine tekrarlıyordu. Macide konservatuvara devama başlamıştı. Yalnız akşamları daha erken çıkıyor, birkaç dükkâna uğrayarak peynir, çay gibi kahvaltılık öteberi alıyor ve evde sofrayı hazırlayarak kocasını bekliyordu.

Ellerindeki parayı ne kadar tasarruf etmek isteseler, birtakım zaruri masraflardan kaçınamıyorlardı. Boyuna lokantada yemek başa çıkmayacağı için öğle yemeklerini dairede ve mektepte, bazen ucuz bir kebapçıda idare ediyorlar, akşamları da madamın mutfağında hazırladıkları çay ve kahvaltı ile geçiniyorlardı. Bunun için birkaç tabak, fincan, kaşık, bir tepsi ve daha bir sürü ehemmiyetsiz, ucuz fakat hep birden oldukça büyük bir yekûn teşkil eden eşya almak icap etmişti. Aybaşına on gün kadar olduğu halde ellerinde ancak altı liraları vardı.

Daha iyi bir işe geçmek, yahut maaşını arttırmak için Ömer postanedeki akrabasını gördü, "Münasip bir şekil olursa seni düşünürüm!" yolunda bir vaat aldı. Bu zatın vaziyetinden, kendisi hakkında pek de hoş olmayan malumata sahip bulunduğunu sezdi ve "Bizim alçak müdür şikâyet etmiştir!" diye söylendi. "Halbuki bugünlerde ne kadar gayretimi arttırmıştım. Bizde hüsnüniyet hiçbir işe yaramıyor!"

Bir seneden beri mektup yazmaya bile üşendiği Balıkesir'den para istemek imkânsız gibiydi. Belki de anası, oğlunun bu vefasızlığını, ancak onun kendisinden para filan istemediğini düşünerek mazur görüyordu.

Para bulmak lazımdı... Ömer eskiden beri bu lüzumu hissederdi, fakat hiçbir zaman kafası bu işle bu kadar çok uğraşmamıştı. Bütün sıkıntıları, şimdi hatırlamakta güçlük çektiği, birtakım tesadüflerle zail olur,* yahut devam etse bile, senelerin verdiği bir alışkanlık sayesinde, ona kısmen tabii görünürdü. Bir veya iki gün sıcak yemek bulamamak, bir ay ev kirasını atlatarak madamla hırlaşmak bugüne kadar ona büyük birer facia gibi görünmemişti. Halbuki şimdi daha küçük meseleler içini müthiş surette sıkıyor, onu çaresizliğe ve yeise düşürüyordu. Evvelce: "Bir gün sonra ne yapacağım!" düşüncesine tamamen yabancı olduğu halde şimdi: "Daha beş altı gün idare edebiliriz ama, aybaşını nasıl bulacağız? Aman yarabbi deli olacağım!" diye çırpınıyordu. Bir zamanlar herhangi bir arkadaşından yirmi beş elli kuruş borç istemek gündelik işlerdendi. Bugün bunu da evli bir adamın haysiyetine uygun bulmuyor, hummalı kafasında bin bir türlü olmayacak tasavvurlar gezdirerek dolaşıyordu. Beyoğlu'ndaki dükkânların önünden geçerken gördüğü her şey içini sızlatıyor ve hırsını arttırıyordu. Gece böyle bir dükkânın camekânını kırıp yağma etmeyi, bazı mizah gazetelerinde, yahut zabıta hikâyelerinde okuduğu ustalıklı dolandırıcılık ve hırsızlık vak'alarını tatbik etmenin mümkün olup olmadığını düşünüyor ve bu tasavvurlarında pek de gayri ciddi bulunmuyordu.

Bir gün bir tütüncü ona bir liranın üstünü vereceği yerde, yanlışlıkla dört lira ve bir sürü ufaklık verdi. Evvela Ömer de

* Ortadan kalkar.

işin farkına varmadı, fakat birkaç adım ayrılır ayrılmaz avcunda tutup henüz cebine koymadığı paralara bakmaya başladı. Kafası muhtemel bir tehlikeyi kovmak ister gibi derhal işlemeye ve onun kulağına:

"Deli misin? Herifin kaybı ile kendi kazancını mukayese et!.. O belki farkına bile varmayacak, fakat sen rahat bir nefes alacaksın.. Aptallık etme... O kim bilir günde kaç zavallıyı kafese koyuyor..." diye fısıldamaya başlamıştı. Ömer, "Canım, bu sebepler olmasa da geri verecek değilim!" demek isteyen bir baş sallamasıyla yoluna devam etti.

Bundan sonra uzun müddet her alışveriş ettiği yerden kendisine fazla para verilmesini bekledi. Fakat tesadüf bir lütufta daha bulunmakta nedense geç kalıyordu. Evvelce eski elbise veya ayakkabılarını satmak suretiyle de beş on kuruş bulabilirdi, şimdi ise, Macide'nin yanında böyle bir şeyi bahis mevzuu etmekten utanıyordu. Zaten bu birkaç gün içinde Macide'ye karşı birdenbire kapanmıştı. Kafasındaki münasebetsiz tasavvurları ona göstermekten, hatta bir parçasını olsun sezdirmekten adamakıllı korkuyordu.

Macide bir şey görecek halde değildi. Hem mektep, hem ev işleri ona göz açtırmıyordu. Dinlenmek için kendisine kalan kısa zamanları bile odanın şurasını burasını düzeltmek, Ömer'in çamaşırlarıyla meşgul olmak, ufak tefek şeyler yıkamak suretiyle dolduruyordu. Biraz da etrafına bakınmak imkânını sabahleyin mektebe giderken ve akşam dönüşte dükkânlara uğrarken bulabiliyordu.

Çok kere cadde üstündeki kibarca bir pastaneye girerek akşam çayı için beş on kuruşluk bisküvi alırdı. Satıcı kızlar paket yapıncaya kadar bir iskemlede oturuyor ve etrafındaki kalabalığı seyrediyordu.

Bu pastane iki kısımdı. Bir tarafı masalar ve koltuklarla geniş bir pasta salonu, öteki tarafı satış yeriydi. Ortadaki uzun ve tezgâh kılıklı bir masanın kenarına bir sürü insan toplanıyor ve gülüşerek ayakta öteberi yiyor ve içiyordu.

Macide altı yedi aydan beri İstanbul'da olduğu ve hemen hemen her gün Beyoğlu'na çıktığı halde bu tip insanları bu kadar yakından ve bu kadar toplu bir halde görmüş değildi.

Ağzı yarı açık bir halde kenarda bir iskemlenin üzerinde oturuyor ve satıcılar eline paketini verdikten sonra bile uzun zaman orada kalıyordu.

Buraya gelenlerin çoğu on dörtle yirmi beş yaş arasında genç insanlardı. Bir balodan yeni fırlamış gibi bin bir çeşit elbise içinde ve gizli bir el tarafından daima gıdıklanıyormuş gibi kıvrılıp fıkırdayarak dondurmalarını yalayan genç kızlar ve suratlarının kaba, küstah ve aptal ifadelerinden sporcu oldukları anlaşılan delikanlılar, vâkıf gözlerle birbirlerini ölçüyorlardı. Erkekler mühim miktarını terzilere borçlu oldukları geniş omuzlarından kâh birini, kâh ötekini ileri sürüp mutlak surette bir hiçlik ve zavallılık ifade eden, fakat süzgün olmaya da ayrıca çalışan bakışlarla bu çocuk denecek yaşta boyanmaya ve nefsini arz etmeye başlayan kızlara sokuluyor ve bağıra bağıra konuşuyorlardı. Söyledikleri şeylerin ne olduğunu Macide tamamıyla işitemiyor, fakat her kelimeden sonra ortalığı saygısızca dolduran kahkahaları fevkalade boş ve ürpertici buluyordu.

Bilhassa kızlara, o zamana kadar görmediği garip mahluklar gibi bakıyordu. Suni boyalı ve suni kıvırcık saçlarını bir taraftan bir tarafa fırlatmak için başlarını suni şekilde ve hızla çeviren, suni kırmızı dudaklarını büzerek enteresan olmak ve üçüncü sınıf film yıldızlarına benzemek isteyen, buna rağmen ne kadar biçare oldukları, tesadüfen rol yapmadıkları her anda derhal görünüveren bu kızcağızlara karşı içinde samimi bir tecessüs duyuyordu. Bir insanın nasıl olup da kendini bu kadar inkâr edebileceğini anlamıyordu. Mesela hemen her gün orada görülen ve arkadaşları arasında mühimce mevkii olduğu anlaşılan Peri isminde bir kız vardı. İsmi sahiden Peri miydi, Perihan'dan mı çevrilmişti, yoksa büsbütün başka bir şey miydi? Macide bunları bilmiyordu. Yalnız, pek de aptal olmadığı görülen kızın periliğinden veya insanlığından ortada bir şey kalmamış gibiydi. Cebinden çantayı çıkarışı kendi hareketi değildi, pastayı ağzına götürüşü, bir erkeğe lakayt olmak isteyerek el uzatışı, gülmek isteyişi, ciddi olmak isteyişi hep kendine yabancı hareketler, uzun zamandır çalışıldığı halde bir türlü benimsenememiş iğreti tavırlardı.

Ekseriya çiklet çiğneyen ve bunu dilleriyle bir avurtlarından öbürüne naklederken ağızlarına korkunç şekiller vermeyi pek cazip bulan delikanlılar daha az merak vericiydiler... Vücutlarının iriliğine göre kendi aralarında itibarları azalıyor veya çoğalıyor ve ekseriya küçük olanlar irilere, yaşa filan bakmayarak "ağabey" diye hitap ediyordu. Bu iriler genç kızları hâkim ve bön bir bakışla hemen cezbetmeyi muvafık bulduklarını halde, sıskalar avaz avaz bağırarak konuşmayı ve el şakaları yaparak kahkahalar savurmayı daha alaka verici bir hareket sayıyorlardı.

Macide ortamektepteyken de arkadaşlarını pek beğenmezdi. Konservatuvarda tesadüf ettiği ve pek az konuştuğu kızlar hakkında ise henüz fikri yoktu. Yalnız muhakkak olan bir şey, buradakilerin, şimdiye kadar gördüklerine asla benzemedikleri ve daha acayip olduklarıydı.

Konservatuvardaki kızlar, ne olursa olsun, bir işle uğraşıyorlardı; yalan yanlış, severek veya laf olsun diye kendilerini bir sanata bağlamışlardı. Ortamektepteki arkadaşları ise sadece hiçti... Fakat burada gördükleri... Bunlar hiçten daha ileri, daha müthiş, daha fazlaydılar. Bunların her tavrı Macide'nin sinirlerine bir kamçı darbesi gibi tesir ediyordu. Kendi kendine:

"Böyle mahlukların arasında yaşanır mı?" diyordu. "Acaba bütün insanlar böyle mi? Yoksa daha beter mi? Belki de beter... Çünkü yeni gördüğüm her muhit eskisinden bir derece daha fena oluyor... Mesela ortamektepte.. Her şeye, bütün dedikodulara, manasızlıklara rağmen bir parça arkadaşlık bulmak mümkündü. Müdür bey bile, bütün fesatlığına rağmen, tamamıyla fena bir insana benzemezdi... Kocaman ve boş evimizin, ne olursa olsun, bana hoş gelen tarafları vardı... Halbuki buraya geldim... Emine teyzeler benim Balıkesir'deki muhitimden daha mı iyiydiler? Ne gezer! Belki beş on misli daha fena... Galip amcamdan Semiha'ya kadar hepsine bir özentilik çökmüş... Komşuları da kendileri gibi... Dedikoducu, düşüncesiz insanlar... Oradan bu tarafa geldim... Halbuki burada gördüklerim hepsinden beter... Ne Balıkesir'de, ne Şehzadebaşı'nda bu kadar saçma insanlar yoktur... Hiç olmazsa bu kadar toplu halde yoktur... Asla bunların arasında yaşanmaz... Ömer olmasa bir dakika durulmaz... Ona da söylemeli, vaziyetimiz müsait olunca hemen başka bir tarafa gitmeliyiz... Daha tehna bir yere..."

Bir müddet durup gözleri daldıktan sonra düşüncelerine şöyle devam ediyordu:

"Fakat nereye?.. Dünyada yalnız yaşanır mı?.. Ama insan ahbap bulur!.. Kimi?.. Ben nereden ahbap bulurum? İşte Ömer'in arkadaşlarından da hoşlanmadım... O... Hiç hoşlanmadım... Acaba ben kendim mi tuhaf bir insanım?.. Belki beni de etrafımdakiler manasız bulurlar... Hatta sıkıcı.. Ama Ömer böyle bulmuyor... Ya günün birinde o da benden sıkılmaya başlarsa?.. Eyvah..."

Sol elini çaresizlik ifade eden bir hareketle ağzına götürüyor ve kendi kendine: "Sus! Sus!" der gibi avcunun içiyle dudaklarını bastırıyordu.

Ömer ise, Macide'den sıkılmak şöyle dursun, diğer taraflarda bunaldıkça ona gidip derdini dökmeyi, ona yanaklarını okşatmayı düşünerek kuvvet bulmaya, birçok şeylere tahammüle çalışıyordu.

Dairedeki vaziyetinde hâlâ bir değişiklik yoktu. Aybaşına bir şey kalmamıştı. Nüfuzlu akrabasını bir kere daha görmüş, fakat evlendiğini cesaret edip söyleyememişti. Onun, "Çalış; âmirlerinin takdirini, muhabbetini celp et, seni daha iyi bir yere inha etsinler,* o zaman ben meşgul olurum!" yolundaki müspet vaadi Ömer'in bu cihetten ümidini kırmıştı. Senelerden beri bir türlü edinemediği ve artık tamamen vazgeçtiği dârülfünun şahadetnamesi elinde olsa belki daha kolay bir yere kapılanabilirdi... Fakat bu düşünce de ona pek kuvvetli görünmedi. Bir felsefe mezununa herhangi bir Anadolu şehrinde altmış yetmiş liralık muallimlikten başka ne istikbal vaat ediliyordu ki? Ömer İstanbul'dan ayrılmayı aklına bile getirmek istemiyordu. Buraya bütün azasıyla, bütün hüceyreleriyle** bağlı bulunduğunu hissediyor ve bunu kendisine karşı şöyle izah etmeye çalışıyordu:

"Bir fikir adamı, kafası adamakıllı teşekkül etmeden, İstanbul'dan ayrılamaz... Kültür merkezimiz, maalesef, şimdilik bir tane... Ve o da İstanbul... Dışarda dimağların inkişafının nasıl yavaşlayıp durduğunu görüyoruz... Tatillerde gelen arkadaşlara bir bakmak kâfi..."

* Önersinler.

** Hücrecikleriyle.

Lakin, nefsine karşı daha samimi olduğu anlarda bu kültür merkezinin ehemmiyetini lüzumundan fazla büyüttüğünü itiraf etmeye mecbur oluyordu:

"Haydi canım" diye bazen kendisinden daha çok İstanbul âşığı olan arkadaşlarıyla münakaşa ederdi:

"İstanbul'dan ayrılmak istemiyoruz, fakat senede kaç defa kütüphaneye gideriz? Üç beş cadde ile bir o kadar kahveden başka ne biliriz? Fikir hayatı, fikir hayatı diyoruz... En kabadayımız bile gevezelikten başka ne konuşuyor? Kahve münakaşalarıyla zihnimizi inkişaf ettirdiğimizi sanmakla pek akıllıca bir iş yaptığımıza kâni değilim... Bizi buraya asıl bağlayan bir alışkanlıktır... Biz burada maksatsız yaşamayı ve boş beyinle dolaşmayı tatlı bir meşgale haline getirmek yolunu keşfetmişiz... Hepimizi İstanbul'a bağlayan sadece bu... Burada insan, kafasını zerre kadar işletmeden, mütefekkir* bir kimse olduğuna inanmak ve buna başkalarını da inandırmak imkânına malik... Bu şehrin ve buradaki muhitlerin dayanılmaz cazibesi işte bundan ibaret!.."

Bütün bu doğru düşüncelerine rağmen Ömer de kendini bir türlü bu muhitlerden ayıramıyordu. Evlenmeden evvel bile, birkaç arkadaşıyla basık tavanlı bir meyhanede içki içerken, düşünmeye başlar ve anason kokulu ağızlardan mühim bir eda ile çıkan nükteleri ve hikmetleri yersiz, gayesiz ve lüzumsuz bulurdu. Arkadaşlarını hiçbir zaman son haddine kadar sevmemiş, hele asla takdir etmemişti. Buna rağmen birçok günler bu meyhane âlemlerini, bu saçma sapan konuşmaları tahassürle** hatırlıyor, tekrar toplanıp oturmak için adeta uzvi bir ihtiyaç duyuyordu.

Macide'yle birleştiklerinin haftasından itibaren bu istek, içinde yeniden belirmeye başlamıştı. Dairede memurlara, müdüre, nüfuzlu akrabasına, saçma sapan kayıt muamelelerine veya veznedarın haline içerlediği zaman, karısının yanına gidip dert yanmak arzusunun yanında bir de bu "üç beş arkadaş toplanıp içimizi döksek" temennisi kendini gösteriyordu. Ciddi meselelerden bahse kalkışanların derhal alakasızlık, hatta alayla karşılaşarak susmaya mecbur oldukları bu içki toplantılarında hiç kimsenin dert dökmesine imkân olmadığını biliyordu. Herkesin

* Düşünen.
** Özlemle.

iyi ve samimi bir niyetle başladığı muhakkaktı. Fakat kafaların doğru dürüst işlemeye alışmamasından doğan bir şaşkınlık ve bir fikir itimatsızlığı her münakaşayı, her mükâlemeyi derhal soysuzlaştırıyordu. Bir şeyler düşünmek ve düşündüklerini birbirlerine söylemek arzusunu muhakkak ki samimi olarak ve şiddetle hisseden bu gençler, her şeye rağmen ümitlerini kaybetmiyorlar ve: "Bu akşam şöyle bir oturup konuşalım!" derken, bu konuşmanın mütekabil* bir hırlaşma ve küçük düşürmeden başka bir şey olmayacağını bilmez görünüyorlardı.

Ömer'in böyle toplantıları özlemesinin bir sebebi daha vardı: Dairede eskisi gibi lakayt duramadığını; kafasını, başkalarında görüp de gülünç bulduğu ekmek parası düşüncelerinin doldurduğunu, birçok hürriyetlerini tahdit etmeye mecbur kaldığını hissettikçe iptidai bir isyan duyuyor ve: "Hayır, ben keyfimin istediğini yapmakta daima serbestim!" diye kendini kandırabilmek için vesileler arıyordu.

Bir akşamüstü iki üç arkadaşının oturduğunu görüp tesadüfen uğradığı bir birahanede geç vakte kadar kalmasının sebebi, o kalkmak istedikçe çocuklardan birkaçının birden:

"Israr etmeyin!.. Gitsin, karıdan dayak yer sonra!" diye soğuk şakalar yapmaları olmuştu.

Ömer bu nevi sözlerin salakça olduğunu bilse bile, tahlil edemediği birtakım hislerin tesiriyle, onlara ehemmiyet veriyor, hatta çok kere hareketlerini bunlara göre tayin etmeye mecbur kalıyordu.

XVI

Parasızlık asıl en korkunç çehresiyle aybaşında kendini gösterdi. Daireden aldığı maaş, ev kirasıyla Macide'nin muhakkak lazımdır dediği bir iki takım yatak ve yorgan çarşafının bedeli çıkınca, bir hafta bile dayanmayacak derecede azalmış, emsalsiz bir tasarrufla on gün kadar idare ettikten sonra uçup gitmişti...

* Karşılıklı.

Ömer yolda tesadüf ettiği insanlara, dairedeki masa komşularına, tanıdık tanımadık her insana: "İçinizde benim halimi anlayıp yardım edebilecek yok mu?" demek isteyen gözlerle bakıyordu. İmkânsızlık ve sıkıntı arttıkça daha vahşi çalışmaya başlayan kafası en olmayacak planlar kurmak, en manasız arzularla tutuşmak hususunda emsalsiz bir kabiliyet gösteriyordu. Önünde giden şişman ve iyi giyinmiş birini yakasından tutarak: "Yanınızda ne kadar paranız varsa bana verin!.. Ben hırsız ve haydut değilim... Fakat paraya muhtacım... Zorla değil, halime acıyarak verin!" demek istiyor, sonra bunun ilk defa gözüne göründüğü gibi yeni ve hoş bir şey olmayıp sadece dilencilik olduğunu, yegâne yeniliğin herifi yakasından yakalamaktan ibaret bulunduğunu ve bunun da asla muvaffakıyete yardım edecek bir hususiyet göstermediğini itiraf ediyordu.

Her camekânda gördüğü, yüzlerce defa gördüğü ve asla sahip olmak istemediği türlü türlü münasebetsiz eşya gözlerinin önünde bir hayat ihtiyacı kadar ehemmiyet alıyor ve genç adamın avuçlarını yeis ve ihtirasla sıkmasına sebep oluyordu.

Bazen bir vapur acentesinin camekânındaki model gemiyi istiyor ve kendi kendine: "Param olsa derhal bunu alırım!" diyordu. Gözleri her şeye, saray lokmasından hasır şapkalara, rakı şişelerinden gümüş tabaklara kadar her şeye dayanılmaz bir hasretle takılıyordu. Bir seyyar fıstıkçının yanından geçerken parmakları tablaya doğru gitmek istiyor ve o kendine, terler içine batarak hâkim olabiliyordu.

Bir akşamüzeri eve gelirken Beyoğlu'nun büyük mağazalarından birinde ucuz satış yapıldığını ve büyük bir kalabalığın birbirini iterek içeri girip çıktığını gördü. Yanında on kuruştan başka parası olmadığı için bir şey alacak değildi. Yalnız, parası olanların emrine arz edilen bu eşyayı yakından görmek, müşterileri hayretle seyretmek istiyordu. Elinde satın almak imkânı bulunduğu zamanlar asla duymadığı bu arzuya mukavemet edemedi. Dar kapıda şişman kadın vücutlarının arasına sıkışarak içeri girdi.

Adamakıllı yaz başlamış olduğu için, herkes terlemişti. İncecik ipekli elbiseler giymiş kadınların koltukaltlarından, pişmekte olan külbastı kokusunu andıran ağır ve ezgin bir hava yayılıyordu. Hepsinin yüzünde ciddi bir tecessüs ifadesi vardı. Birçoklarının yanında giden ve mendilleriyle yüzlerinin terini silen erkekler daha hafif, fakat daha keskin bir koku neşrediyorlar, fena halde sıkıldıklarını saklamaya lüzum görmeden, karılarına ters cevaplar veriyorlardı.

Ömer ağır ağır, her tarafa bakarak, her şeyi yakından görmek isteyerek ilerledi. Korkunç derecede süslenmiş olan satıcı kızlar insanın gözünün içine yalancı bir alaka ile bakıyorlar ve önlerinden geçer geçmez tekrar lakayt tavırlarını alarak manasız şeylerle uğraşmaya başlıyorlardı. Bir sürü eşya rasgele ortaya serilmişti. Çorap bağlarının yanında çocuk tulumları, lastik topların bitişiğinde ipekli bluzlar vardı. Ömer, mağazanın ortalarına kadar ilerledi. Her şeye elini sürüp çekiyor, geniş kenarlı kadın şapkalarını uzun uzun muayene ediyor, hamam havlularının fiyatını soruyordu. Bir aralık büyük bir tezgâhın üzerinde kadın çorapları yığılmış olduğunu, bir sürü insanın oraya birikip habire karıştırdıklarını gördü. Yavaş yavaş sokuldu. Sıcaktan ve kalabalıktan terlemişti. Yüzünü silmek için mendil aradı, bulamadı. Gözlüğünü çıkarıp cebine koyarak iki eliyle yüzünü ovuşturdu. Avuçlarını kaplayan yağlı ve cıvık bir his başını döndürdü. Gözlüğünü tekrar taktıktan sonra ellerini cebine soktu ve ıslak parmaklarını kuruladı. Tezgâha doğru daha çok sokularak terden buğulanmış gözlüklerinin arkasından çoraplara bakmaya başladı. Bir müddet böyle bekledikten sonra rasgele bir çift çorabı yakaladı ve çekti.

Parmaklarının arasında yumuşak bir kadife parçası gibi kayan ince çoraplar aşağı doğru sallanıyordu. Saatlerden beri kafasında yer eden istek tekrar canlandı: "Param olsa bunu alır Macide'ye götürürdüm!" dedi ve birdenbire, evlendiklerinden beri karısına herhangi bir hediye, bir tek çiçek, bir avuç meyve veya bir mendil götürmemiş olduğunu hatırladı. Çorabı derhal oraya atarak mağazadan çıkmak istedi. Fakat durakladı. Elinde tuttuğu çorabın koncu, terli parmaklarının arasında yağlanmış ve lekelenmişti. Büyük bir telaşa düştü: "Ya bu lekeleri görürler de çorabı bana aldırmak isterlerse!" diye korkuyordu. Etrafına bakındı. Satıcı kızlar müşterilerle ve müşteriler önlerindeki mallarla meşguldü. Bu alakasızlıktan istifade ederek yağlı tarafları, görünmeyecek şekilde içeri kıvırmaya çalıştı. Bu esnada, nasıl olduğunu düşünmeye vakit kalmadan, bu uzun, yumuşak ve ipekli cismin, avcu içinde büzülüp kaybolduğunu fark etti. Eli yorgun bir halde aşağı doğru sallandı. Bütün vücudunu ani bir ter kaplamış ve her tarafı titremeye başlamıştı. Olduğu yerde mıhlanmış gibi duruyordu. Avcunun içindeki şeyi süratle tezgâhın üstüne bırakıp dışarı fırlamak istiyor, bütün iradesine rağmen buna muvaffak olamıyordu. Sağ koluna felç gelmiş gibiydi. Tam elini kaldırırken birisinin bileğinden yakalayacağını: "Nedir bu avcunuzdaki?" diye soracağını zannediyordu. Gözlerini şaşkın şaşkın etrafında gezdirdi. Bu defa daha çok titremeye ve terlemeye başladı: Birkaç adım ilerisinde duran uzun boylu, kırmızı yüzlü, saçları sımsıkı arkaya taranmış bir adam gözlerini dikmiş, sert sert ona bakıyordu. Bunun mağazanın kontrole memur adamlarından biri olduğunu hemen tahmin etti. Lakayt görünmeye çalışarak sol eliyle çorap yığınını karıştırmaya başladı. Ara sıra gözünün ucuyla yanına bakıyor, uzun boylu adamın hâlâ orada beklediğini anlıyordu. Müşterilerden birkaçı da yanı başlarında manasız bir şekilde duran bu garip delikanlıyı süzmeye başlamışlardı. Ömer bütün iradesiyle bir hamle yaptı ve avcunda çorap bulunan sağ elini pantolonunun cebine sokarak ağır adımlarla diğer kısımlara doğru ilerledi. Uzun boylu adam hâlâ olduğu yerde duruyor ve başka taraflara bakar görünüyordu. Buna rağmen, Ömer onun gözlerinin gizlice kendini takip ettiğini zannetti. Kapıya doğru yaklaştıkça adımlarını hızlandırdı. Sokağa çıktığı zaman adeta koşuyordu. Akşam olmaya başlamıştı. Süratle sağa sola giden otomobillere ve tramvaylara ehemmiyet vermeden derhal karşı kaldırıma geçti. Kalbinin çarpıntısı dayanılmayacak kadar artmıştı, arkasında ayak sesleri duydukça hızlanıyordu, nihayet yan sokaklardan birine saptı ve adamakıllı koşmaya başladı. Burası dar ve dik bir yokuştu. On beş yirmi metrede bir dönemeç yapıyor ve yüksek bahçe duvarıyla karanlık evlerin arasında kayboluyordu. Daha fazla gidemeyeceğini anlayarak bu duvarlardan birine dayandı ve kesik kesik nefes almaya başladı. Göğsünün sol tarafı doğrudan doğruya uzvi bir acı ile burkuluyordu. Gözleri, arkasından gelenleri görmekten korkarak, yerin bozuk kaldırımlarına dikilmişti. Pantolon cebindeki sağ elinin zonkladığını hissetti. Parmakları sıkılmaktan ağrımaya başlamıştı. Yavaşça kolunu kaldırdı ve bej rengi bir kadın çorabının konç kısmının bir karış uzunluğunda avcundan fırladığını ve sallandığını gördü. "Eyvah, beni muhakkak gördüler... Bu, cebimden dışarıya da sarkmıştır!.." diye mırıldandı. Bir iki adım kadar duvardan açılarak kolunu gerdi ve avcundaki yumuşak maddeyi yukarıya doğru fırlattı. Top halindeki çorap havada açılarak yüksek bahçe duvarının üstüne kadar çıkmış, fakat orayı aşamayarak tepede kalmış ve sokağa doğru sallanmaya başlamıştı. Ömer bu son irade cehdinden* sonra daha fazla dizlerinin üstünde duramadı ve oraya, araları çamurlu taşların üstüne çökerek, biraz evvel çaldığı ve şimdi duvarda hafif hafif iki tarafa uçan çorabın altında, gözlerini kapadı.

* * *

Tekrar kendine geldiği zaman, vaktin ne kadar geçtiğini bilmiyordu. Yalnız ortalık tamamen kararmış ve karşı sıradaki evlerin pencerelerinde sarı ışıklar belirmişti. Biraz kımıldadı. Taşlar oturduğu yerleri acıtmıştı. Teri soğuduğu için çamaşırları, bilhassa yakası vücuduna ıslak ıslak yapışıyordu. Süratle kalktı. Gözlerini duvarın üst kısmına çevirmeye cesaret edemeyerek caddeye doğru yürüdü.

Evde Macide'yi kendisini bekler buldu. Genç kadın, pencerede durarak arkasını kapıya dönmüş, dışarı bakıyordu. İki eliyle pencerenin mandalını yakalamış ve çenesini koluna dayamıştı. Pek az bir kısmı görülen yüzü soluk ve endişeliydi.

Kapının açıldığını duyar duymaz geri döndü. Ömer gülümsemek ve sakin olmak isteyen bir tavırla:

"Geç mi kaldım?" diye sordu.

Macide kısaca:

"Hayır!" dedi. Sonra karşısındakine dikkatle bakmaya başladı. Ömer masaya yaklaştığı için tepeden vuran ışık alnını ve yüzünü aydınlatıyor ve yeni geçtikleri bu odanın diğerine nazaran biraz daha büyükçe olan kırmızı abajuru terli saçlarına kızıl denilecek parıltılar veriyordu. Eliyle çektiği bir iskemleye dermansızca çöktü ve başı önüne düştü.

* Çabasından.

Onu hiç ses çıkarmadan gözleriyle takip eden karısı, bir adım sokularak:

"Hasta mısın?" dedi.

"Bilmem?"

Macide daha çok yaklaşarak onun saçlarıyla oynadı. Sonra, küçük fakat hazin bir gülümseme ile:

"Sen son günlerde biraz tuhaf oldun!" dedi.

"Ne gibi?"

Macide bir müddet düşündü: Evet, ne gibi? Bunu kelimelerle ifade etmek oldukça güçtü. Yalnız Ömer'in halindeki değişiklik ihmal edilecek gibi değildi. Gözlüklerinin arkasında mütemadiyen kıpırdayan gözleri ara sıra dalıyor, elleri sofra örtüleri ve buna benzer şeylerle sinirli sinirli oynuyordu. Macide onun sorulan şeylere biraz geç cevap verdiğini, hatta bazen cevap vermeyi büsbütün unuttuğunu fark ediyordu. Karısıyla olan konuşmalarında, hatta onu kucaklamalarında bile, garip bir telaş, acele işi olanlara mahsus bir sabırsızlık vardı. Bunların hepsi Macide'nin gözünün önünden geçti, fakat hiçbirini söylemeye karar veremedi. Sadece:

"Çok üzüldüğünü görüyorum... Neden?.. Her şey yoluna girer... Parasızlık bu kadar korkunç bir şey mi? Bak, bugüne kadar aç kalmadık... Bir kolayını bulacağız elbette..."

Ömer başını kaldırarak karısına baktı. Macide bu bakışlarda haince, hatta düşmanca bir şeyler bulunduğunu zannetti ve titremeye başladı. Ömer yerinden hafifçe kalktı, iki kolunu masanın üstüne koyarak ileri doğru uzandı. Gözleri büzülerek ve dudakları incelerek sordu:

"Bu sözlerde samimi misin?"

Macide şaşırmıştı. Kocasında şimdiye kadar hiç görmediği bu hal, onu adamakıllı ürkütüyordu. Bağırır gibi:

"Ne diyorsun? Ne diyorsun? Ömer!.. Ciddi mi yapıyorsun?" dedi.

Ömer hiç kımıldamadı, aynı şekilde ve teker teker sordu:

"Benim halimde gördüğün değişikliğin sadece parasızlıktan geldiğini samimi olarak mı zannediyorsun?"

Macide gözleri yerinden fırlayarak karşısındakine baktı. Bir adımda masaya geldi ve aynen Ömer gibi dirseklerini dayayarak başını ona yaklaştırdı. Kendine hâkim olmasını bilen bir insanın sesiyle, fakat merak ve heyecanını saklamadan:

"Nasıl?" dedi. "Başka sebepler mi var? Niçin söylemiyorsun? Yoksa artık her şeyi bana açmaya lüzum görmüyor musun?"

Ömer aynı ısrar eden bakışlarla gözlerini karısına dikmişti. Hafif buğulu ve kirli gözlüklerinin arkasında sanki bir şey yanıyordu. Ağzı sımsıkı kapalı, dişleri kilitli, dudakları yapışıktı. Bütün dikkatini Macide'nin heyecanlı fakat her şeyden habersiz yüzüne dikmişti: Bir şeyler okumak, bulmak, sezmek, yakalamak ve... ezmek istiyordu.

Macide yavaşça elini uzatarak Ömer'in bileğini yakaladı. Bu sırada genç adam zavallı kadının yüzünde ve gözlerinde şüphelerini kuvvetlendirecek hiçbir şey bulamadığı için mahcup, tekrar iskemlesine çöktü. Ellerini tamamen karşısındakinin iradesine terk ederek alnını masanın kenarına dayadı ve fevkalade süratle düşünmeye başladı:

"Herkesten korkuyorum... Bunun neticesi olarak herkesten şüphe ediyorum. Fakat bu dereceye kadar nasıl düştüm? Macide'nin samimi olmaması ihtimalini nasıl oldu da aklıma getirdim? Benimki aptallık! Kız ne bilsin? Benim ne çirkef olduğumu, ne haltlar karıştırdığımı, ne tehlikeler atlattığımı nereden bilsin? Her mücrim* ruhlu insan gibi ben de vehimlerimin oyuncağı olmaya başlıyorum. Mağazadaki herif benim yaptığımı görmüş, hatta şüphelenmiş olsa derhal yakama sarılırdı. –Herhalde kılık kıyafetim pek itimat verecek soydan değildi.– Halbuki ben eve gelinceye kadar onu arkamda zannettim. Sonra beni beklemekten başka kabahati olmayan, benim kepazeliklerimin, ruhumun çirkefliğinin yüzüme ve tavırlarıma vuran akislerini insanı ağlatacak kadar masum bir şekilde tefsir eden, benim sırf parasızlık yüzünden bir tuhaf olduğumu söyleyen karıma ben nasıl muamele ediyorum. Zannediyorum ki, her şeyi bildiği halde benimle oyun oynuyor, zavallılığımla eğleniyor. Eyvah!.. O beni kurtarıp temizleyecek derken galiba ben onu kendi ruhumun korkunç dünyasına çekeceğim... Fakat... Fakat benim ne kabahatim var? Ben hangi fena maksadın kurbanıyım sanki? Hiç... Bir kere parasızlığın büsbütün tesirsiz olduğunu nasıl söylerim?..

* Suçlu.

Her şeyin başlangıcı o... Sonra içimdeki bu melun şeytan... Her şeyi imkânsızlığı nispetinde bana cazip gösteren, beni olmayacak şeylerin hasretiyle kavuran bu korkunç his... Ben ki bütün ömrümde hiçbir maddi arzu duymamayı kendime gurur vesilesi yapmak isterdim... Bir kadın çorabı... Aman yarabbi... Bir çorap... Hayır... Böyle değil... Ben çorap falan istemedim... Orada garip, benim elimde olmayan bir şey oldu... Parmaklarımın teri... İnsanın avcunda kayboluverecek kadar ince bir şey... Peki.... Neden yerine bırakmadım?.. Muhakkak ki ruhumun benim gözümden kaçacak kadar uzak köşelerinde bir şeytan saklı... Beni oyuncak gibi kullanıyor.... Bunları Macide'ye nasıl anlatayım?.. Suratıma tükürüverir... Fakat bu olur mu? Herhangi bir şeyi ondan saklamak doğru mu? Ben niçin onu alıp buraya getirdim? Ruhlarımızın ayrı tarafları kalacak olduktan sonra niçin bu külfete girdim ve onu neden bu derdin içine soktum?.."

Düşünceleri dağılmaya, manasızlaşmaya başlamıştı... Bugünkü hadiselerden sonra kafasının doğru dürüst işleyecek hali yoktu. Başını kaldırdı ve hâlâ karısının avuçları içinde duran ellerini çekti. Gözleri karanlığa alıştığı için şimdi kamaşmıyordu. Biraz böyle durdu. Sonra yorgun yorgun karısına baktı ve hiç beklemediği, bu kadar vukuattan sonra bu ruh hali içinde imkânsız bulduğu halde yüzündeki adalelerin kımıldamak ve gülümsemek istediklerini fark etti. Kendini ılık bir suya bırakır gibi bu arzuya teslim oldu.

Macide'nin yüzü de derhal aydınlanmıştı. Buna rağmen henüz devam eden bir endişe ifadesi her halinden belli olmaktaydı. Ömer'e sokuldu:

"Her şeyi, bütün kafandan geçenleri, bütün dertlerini bana ne zaman söyleyeceksin?" dedi. "Büsbütün bana yabancı şeyler düşündüğünü ve bunların elinde kıvrandığını görüyorum. Bunları uzaktan seyretmek hoş bir şey değil!"

Çok yumuşak ve tatlı olmak isteyen sözlerinde biraz, hatta bir hayli sitem bulunduğu Ömer'in kulağından kaçmadı. Derhal kızacaktı. Kendini toplayarak:

"Hakkın var... Sana her şeyi söylemek, bütün münasebetsiz taraflarımı önüne dökmek lazım... Yalnız benden..." Burada bir müddet durdu ve kelime aradı. Nefret edersin, korkarsın, iğrenirsin... gibi tabirler ona belki doğru, fakat çok şiddetli görünüyordu. Her şeye rağmen, nefsi hakkında kullanacağı sözlerin ölçüsüne dikkat ediyordu. Bir an için bunun lüzumsuz ve saçma bir gururdan geldiğini düşündü ve derhal keskin ve inatçı bir ifade ile bütün kelimeleri bir arada sıralayıverdi:

"Yalnız benden nefret edersin, tiksinirsin, korkarsın, diye cesaret edemiyorum!.."

Macide inanamayarak ona bakıyordu. Yavaşça:

"Zannetmem!" dedi. Sonra izah etmek ister gibi ilave etti:

"Böyle korkunç şeyler yapmış olacağını zannetmem!"

Ömer'in derhal yüzü değişti. Bir müddet evvelki haşin tavrını alacağa benziyordu. Mırıldandı:

"Demek böyle şeyler yaptığımı sana söyler ve inandırırsam..."

Devam edemedi. Gene münasip bir kelime bulamıyordu. Macide de önüne bakıyor ve ona yardım etmiyordu.

Uzun süren bu sükût devam edecek gibiydi. Kapı vuruldu. İkisi birden başlarını çevirdiler. Hiçbirisi, "Gir!" demeden kapı aralandı ve Nihat göründü.

Ömer yerinden kalkarak ona doğru yürüdü:

"Ne istiyorsun?"

Nihat durakladı. Sonra gülerek:

"Pek kibar bir istikbal ediş* doğrusu!.." dedi.

Ömer özür diler gibi:

"Hayır canım, onun için değil; gece yarısı bir şey mi oldu diye merak ettim!"

"Ne gece yarısı? Saat daha dokuza bile gelmedi. Seninle biraz konuşmak, hatta hanımefendi müsaade ederse biraz beraber çıkmak istiyordum!"

Macide'ye döndü. Genç kadın gözlerini başka tarafa çevirdi ve omuzlarını silkti.

Ömer karısına bakmadan:

"Peki, geliyorum!" dedi. Sonra Macide'ye sordu: "Müsaade eder misin?"

Macide başıyla evet işareti yaptı.

İki genç hemen çıktılar.

* Karşılama.

* * *

Nihat daha merdivenlerdeyken Ömer'in kolundan tutarak:

"Bize para lazım azizim!.." dedi.

"Bana da lazım!"

"Sana keyfin için lazım... Bize gayelerimiz için, yapacağımız işler için lazım!"

Sokakta birkaç adım yürüdüler. Ömer dalgındı. Yavaş yavaş kendini toplamaya çalışarak:

"Nereye gidiyoruz?" dedi. "Para bulmaya mı? Adam mı soyacağız? Ev mi basacağız?" Sonra dişlerini sıkarak garip bir şekilde güldü ve daha ziyade kendi kendineymiş gibi mırıldandı:

"Bunları yapabilecek hale geldim çünkü..."

Nihat ona merhametle baktı:

"Sen hiç fena bir çocuk değilsin!.." dedi. "Senden istifade edilebilirdi. Hayatını bu salakça gidişten ayırman ve ona daha manalı bir istikamet vermen, daha büyük hedeflerin peşinde koşman mümkündü... Fakat sen istemiyorsun... Sana acıyorum... Sen böyle postane köşelerinde üç buçuk kuruşa memurluk yaparak ev beslemeye uğraşacak adam mısın?" Eliyle Ömer'in başını dürttü:

"Bu kafa büsbütün başka işler becerebilir... Sen kendini ziyan ediyorsun, halbuki buna hakkın yok!.. Mademki herkes gibi değilsin, onlardan daha akıllı, daha üstünsün, onlara hükmetmek hakkın, hatta vazifendir. Yalnız bunu istemen lazım. Her şeyi feda edebilecek kadar şiddetle istemen ve bütün arzularını bir tek gayeye: İnsanlara hükmetmek, onların başına geçmek gayesine hasretmen lazım. Sonra senin gibi hayallerle, çocukça, daha doğrusu kadınca hislerle uğraşmak da insanı berbat eder. Hayatını nasıl olup da bir kadına bağladığına şaşıyorum. Kadın bir oyuncaktan başka nedir? Erkek, tam manasıyla erkek ol... Erkek sert, haşin, âciz hislere yabancı, sadece kuvvete tapan mahluktur. Dünyaya bizim gibi insanlar kendi kafalarında tasavvur ettikleri şekli vermeli ve koyun sürüsünden farkı olmayan halk ise sadece tabi olmalıdır. Bunu sabit fikir halinde kafana yerleştirir ve maddi, manevi bütün kuvvetlerinle bu yolda çalışırsan muhakkak gayene varırsın... Muvaffak olmamak ihtimali pek azdır; belki de hiç yoktur..."

Ömer ona yandan bir göz attı. Nihat'ın bu kadar kendinden geçerek zırvaladığını ilk defa görüyordu:

"Hasta mısın kardeşim?" diye sordu.

Nihat onun gırtlağına sarılacak gibi ellerini kaldırdı ve homurdandı:

"Aptal.. Ben de seni adam yerine koydum da konuşuyorum. Sen bizim aramıza giremezsin ki?"

Ömer bu istihfaf* dolu sözlerden alındı:

"Ne münasebet!" dedi. "Yalnız senin gibi soğukkanlı bir insanın bu derece hararetlenmesine şaştım! Ne malum, belki ben de senin fikirlerinden birçoğuna iştirak ediyorum?"

"Ciddi mi söylüyorsun?"

"Ne bileyim? Herkesten daha üstün olmak fena bir şey değil... Fakat bu meseleler üzerinde hiç düşünmedim ki!.. Bence insanlara hükmetmek arzusu manasızdır... Etrafımız o kadar çirkefle dolu ki, temiz kalmak için bir tek çare kendi dünyamıza çekilmek ve muhitle, hiç olmazsa manen, alakamızı kesmektir!"

"Sus, gene o manasız hülyalarına başladın!.. Nasıl alakanı kesersin? Toprağa bağlı olduğunu unutma ve benimle konuşurken lütfen esrarkeşçe fikirlerini kendine sakla!"

Ömer uzun zaman cevap vermedi. Nihat kendi sözlerinin ona tesir ettiğini zannediyor, halbuki Ömer bu anda büsbütün başka şeyler düşünüyordu.

"Hakikaten çirkef mahluklarız! Ne yüzle, hangi cesaretle temiz kalmaktan, kendi dünyamıza çekilmekten bahsediyorum? Ben... Ben... Ne suratla?.. Sonra bu Nihat neler yumurtluyor? Onun her saçmalığını bilirdim ama, büyüklük delisi olduğunu şimdi öğreniyorum. Dünyaya hükmetmeye hazırlanıyormuş! Dünya kim?.. Benden başka dünya var mı? Herkesin bir tek dünyası vardır, o da kendisi... Üst tarafıyla alakadar olmaya bile değmez... Zeki olmak, kuvvetli kafa ve bilgi sahibi olmak neye yarıyor? Bizi istediğimiz saadete götüremedikten sonra... Zekâmız olmasa daha iyiydi. Otlar, hayvanlar, bulutlar ve kayalar gibi yaşamak bana daha saadet verici, daha yorgunluksuz, daha manalı geliyor... Fakat bunları Nihat'a söylemenin faydası yok... Benden ne istediğini öğrenip eve döneyim... Macide merak ediyordur!"

* Küçümseme.

Birdenbire yüreği çarpmaya başladı:

"Ben ne yaptım? Eyvah!.. Ne utanmaz ve düşüncesiz adamım!.. Beni bekleyen karımı bin türlü sefil şüphelerle şaşırttım, kendi ruhumun pis taraflarından onu mesul etmeye kadar vardım, sonra, bir sözle gönlünü bile almadan bu serseriye uyup tekrar dışarı fırladım. Beni yemeğe bekliyordu. Kırmızı abajurun altında karşı karşıya çay içecektik... Parasızlığımızdan bahsedip biraz üzülecek, birbirimizi avutmaya çalışarak biraz gülüşecek ve nihayet birbirimize sarılarak yarı aç midelerimizle yatağa girecektik.. Bütün bunlar Nihat'ın saçmalarını dinlemekten... mağaza camekânlarına kurtlar gibi parlayan gözlerle bakmaktan ve çılgınca arzuların oyuncağı olmaktan iyidir... Ne işim var benim burada!.."

Nihat'a döndü:

"Ben eve dönmeliyim. Macide yemeğe bekliyor!" dedi.

Nihat onu kolundan yakaladı:

"Sen benim en iyi arkadaşımsın, Ömer!" dedi. "İster fikirlerimi kabul et, ister etme, bana yardım etmelisin... Bize para lazım!"

"Delirdin mi? Benim para bulabileceğimi nasıl tahmin edebilirsin? Sonra bu parayı nereye sarf edeceksiniz?"

"O kadar derin sorma... Yalnız sen biliyorsun ki, birtakım mecmualar ve ufak tefek de olsa kitaplar neşrediyoruz... Gençlik bizimle beraber, fakat fakir! Çok kere bu kitapları bedava vermeye mecbur oluyoruz... Mecmualar ayda bir hiç olmazsa birkaç yüz lira eritiyor... Halbuki susamayız... Düşmanlarımız var, onları cevapsız bırakamayız... İnsaniyet, hak, adalet gibi sözlere dayanarak gençliği zehirlemek isteyen cereyanlarla mücadeleye mecburuz... Bunların hepsi para ile olur... Sen bize para bulabilirsin..."

Ömer onun sözünü kesti:

"Bir sürü mecmua çıkardığınızın farkındayım... Bereket versin ben aranızdan ayrıldım. Fakat etrafına topladığın o biçare delikanlılar, imzalarını matbu* olarak görebilmek için, babalarından aydan aya gelen birkaç kuruşu sana memnuniyetle verirler! Ne diye başka yerlere başvuruyorsun?.."

"Bırak gevezeliği!.. Harçlıktan arttırma parayla ciddi iş yürümez..."

* Basılı.

Biraz durdu, sonra karar vererek Ömer'i omzundan yakaladı:

"Şu senin veznedar bize para bulabilir!"

"Kaçık!"

"O bize para tedarik edebilir... Hem de istediğimiz kadar... Beş yüz lira... bin lira..."

"Hemen yarın arzunuzu kendisine söylerim... Bankadan alır, istediğiniz yere bırakır. Yalnız tehdit mektubunu yazıp bana verin..."

"Ne zannettin ya? Elbette tehdit edeceksin... Onun için büyük bir fedakârlık değil ki... Ha iki yüz lira, ha iki bin lira... Hepsi ihtilas,* hepsi aynı ceza... Vazifesinde kaldığı kârdır... Böyle şeyler bazen senelerce, bazen hiç meydana çıkmayabilir... Fakat biz onu ihbar edersek derhal gider. Anlıyor musun? Bu fena bir hareket değildir... Çünkü kendi şahsi menfaatimiz için yapmıyoruz... Bunu adi soygunculukla karıştıracak kadar sersem değilsin herhalde... Unutma ki, biz yüksek bir gaye için vasıta bulmaya çalışıyoruz, kendi adi ihtiyaçlarımız için mendil, çorap almıyoruz!"

Ömer birdenbire sapsarı kesilerek arkadaşını yakaladı. Caddenin ışıkları altında parlayan yüzünü ona yaklaştırıp gözlerinin içine bakarak sordu:

"Nereden biliyorsun? Rezil!.. Ne zamandan beri benim peşimdesin? Anlaşıldı... Sen veznedarı değil, beni tehdit etmek niyetindesin!.. Ama yağma yok!.."

Nihat şaşkın bir halde durakladı ve sapsarı yüzü ani şekilde terlere gömülen Ömer'e baktı:

"İtiraf ederim ki, şu anda seni anlamıyorum... Şimdi ben sorayım: Hasta mısın?"

Ömer gözlerini yere indirdi:

"Bırak beni... Hastayım... Eve döneceğim!" diye homurdandı.

Nihat ısrar etmedi. Arkadaşının hali onu korkutmuştu. Sadece:

"Sözlerimi unutma, üzerinde düşün!.. Hayatta kendine layık olan mevkii almak için her türlü çareye başvurmak meşrudur. Modası geçmiş ahlak kaidelerini unut!.." dedi ve elini uzatmadan ayrıldı.

* Yolsuzluk.

Ömer bir müddet onu arkasından seyretti. Beş on adım ileri-deki kahvelerden birine girdiğini gördü. Orada camekânın arka-sında oturan kır saçlı bir adam derhal yerinden kalkarak Nihat'ı karşıladı ve kendi masasına çağırdı.

Ömer, bu adamın, bir müddetten beri Nihat'la sıkı fıkı ah-baplık eden mahut Tatar suratlı herif olduğunu gördü. Geçenler-de bir yerde ismini de söylemişlerdi, fakat şu anda hatırlayamı-yordu. Onu yakından tanıyan biri, umumi harpten sonra dünya-nın muhtelif yerlerinde teşekkül eden ve birkaç ay veya birkaç sene sonra batan küçük ve uydurma devletlerden birinde reislik, yahut nazırlık yaptığını ve o zamandan beri sergüzeştler içinde şurada burada dolaştığını anlatmıştı. Ömer, Nihat'ın bu adamla ne alışverişi olabileceğini düşünerek evin yolunu tuttu.

XVII

Macide'yle Ömer'in hayatı birkaç gün daha bir fevkaladelik göstermeden geçti. Ömer son günlerin buhranından kendini toplamak ister gibi bir sükût ve dalgınlık içindeydi. Onun hal-lerindeki anlaşılmaz tarafları, garip, hiddet ve hüzün nöbetleri-ni mazur görmek ve aslında fevkalade iyi bir insan olduğunda şüphe etmediği delikanlıya herhangi bir şekilde faydalı olmak isteyen Macide, bütün zekâsı ve dikkatiyle onu avutmaya, sıkın-tılı hayatlarını kocasına biraz ümit dolu göstermek için çareler aramaya çalışıyordu.

Fakat, hiç beklemediği bir hadise kafasını ve ruhunu altüst etti ve gözlerini bir müddet için Ömer'den ayırmasına sebep oldu.

Bir akşamüstü Ömer eve erken dönmüşü. Yüzü gülüyor ve gözleri, verilecek iyi haberi olan bir insan gibi parlıyordu. Ma-cide onun bu halinden birtakım büyük müjdeler sezmek istedi, hatta Ömer:

"Bu akşam yemek yemeyelim... Arkadaşlarla hep beraber saza gideceğiz... Davet ettiler!" dediği zaman biraz da hayal sükûtuna uğradı. Bunu saklamayarak:

"Ben daha başka, daha sevinçli bir haberin var sanmıştım!" dedi.

Ömer bu söze içerledi, fakat sonra karısının haklı olduğunu düşünerek güldü:

"Daha ne olacak!.. Sen galiba benim müdürlüğe terfimi bekliyordun!"

"Hayır... Bilmem... Kimlerle gidiyoruz?"

"Oldukça kalabalık... Beni şu geçenlerde gördüğün Profesör Hikmet davet etti. 'Bu akşam saza gideceğiz, sen de gel!..' dedi. Ben param olmadığını söyledim, hemen azarladı: 'Bak ettiği lafa!.. Hanımefendiyle beraber misafirimsiniz!..' dedi. Ben bu heriften hoşlanmam ama, iyi bir insan olduğu da inkâr edilemez. Hadi, hazırlan!.."

Macide bavulunda getirip şimdi aynalı dolaba sıra ile astığı üç kat elbisesinden birini, vişneçürüğü renginde ve yakası kadife parçalarıyla süslü bir yünlü elbiseyi giymeye karar verdi. Yaz ortasında yünlü giymek biraz garip olacaktı, fakat Balıkesir'den buraya geldiği zaman kış başlangıcıydı ve yalnız bu mevsim için elbise diktirmiş ve satın almış, yazlık elbise parası istemeye vakit kalmadan malum vak'alar birbirini kovalamıştı.

İçini çekerek bu kadifeli entariyi giydikten sonra bir iskemleye oturdu; bacak bacak üstüne attı ve fevkalade bir itina ile çoraplarını dikti; bunları giyerken topuklarını aşağıya çekti ve böylece dikişli yerlerin iskarpinden dışarıda kalmamasını temine çalıştı.

Saçlarını ıslatmadan taradı. Mevcut bir tek şapkasını eline alıp garip garip seyrettikten sonra başı açık gitmeye karar verdi. Beraberce çıktılar. Ortalık yeni kararmıştı. Vaktin henüz erken olduğunu düşünerek biraz caddelerde dolaşmaya karar verdiler.

Kalabalık caddeden ayrılıp biraz daha geniş, biraz daha ağaçlı ve biraz daha tenha yerlere gelince yaz mevsiminin bunaltıcı sıcağında da güzellikler bulunabileceğini fark ettiler. Ömer mırıldandı:

"Niçin sık sık çıkıp gezmiyoruz? Ben postanede, sen madamın yemek kokulu pansiyonunda tıkılıp kalmaktan çürüyeceğiz... Her akşam biraz dolaşmalı!"

Macide cevap vermedi. Ömer'in yüzünü yandan seyretmeye

dalmıştı. Onu iki ay kadar evvel gördüğü ilk günden bu ana kadar başından geçenleri süratle bir daha yaşamak istiyordu. Yanında yürüyen ve bir zamanlar kendisini sarhoş eden sesiyle konuşmaya başlayan bu delikanlıya ne kadar bağlı olduğunu hissetti.

Saçları gene alnına dökülmüştü. Gözlükleri gene kirli ve konuşan dudakları gene güzel, çok güzeldi. Her şeye, bu kısa beraber hayatın öğrettiği bütün güçlüklere rağmen onu adamakıllı seviyordu. Herhangi bir sebebin kendini ondan ayırabileceğini tasavvur etmek bile elinde değildi. Kendi kendine:

"Bu çocuğun tahammül edilemeyecek hiçbir fenalığı olamaz. Ben onun her yaptığını hoş görebilirim..." diyordu. Tekrar sükûta dalmış olan Ömer'in kolunu sıktı. Göz göze bakıştılar. Heyecan ve istekten genç kızın dudakları titriyordu.

Ömer hiçbir şeyin farkına varmayarak.

"Ee!.. Epey dolaştık; artık gidelim!" dedi.

Taksim'le Harbiye arasında sıra sıra dizilen sazlı bahçelerden birine girdiler. Uzun ve kumlu bir yolu geçtikten sonra kulaklarına hafif bir vızıltı ve sonra ince bir kadın sesi geldi. Ortalığı papatya tarlası gibi kaplayan beyaz örtülü teneke masaların etrafı irili ufaklı, kadınlı erkekli bir insan kalabalığı ile dolmuştu. Geniş kenarlı şapkalarını beyaz eldivenli elleriyle düzeltmeye ve etrafı gözden geçirmeye çalışan şişman ve yaşlı kadınların yanında on üç on dört yaşlarında mahcup, fakat bazı hallerinden hayatı, hatta annelerinden ve babalarından iyi bildikleri anlaşılan genç kızlar oturuyorlar ve icabına göre çocukça, icabına göre hanımca cilveler yapacak kadar hünerli olduklarını ispata çalışıyorlardı. Daha ufak yaştaki oğlan çocuklar can sıkıntısından ve arsızlıktan ya annelerine, ya ablalarına musallat oluyorlardı. Erkekler ise, saz dinlemeye asla vakit bulamayarak veya buna lüzum görmeyerek, habire garsonu çağırıyorlar, boyunlarını uzatıp etrafı araştırıyorlar, elleriyle meçhul istikametlere işaret ediyorlar, ara sıra, herhalde yorgunluk fasılalarında, önlerindeki hesap pusulasını dikkatle ve bir daha gözden geçiriyorlar, ani bir şüphe ile sofra halkına:

"Baksanıza!.. Biz kaç porsiyon kaşar getirtmiştik?" diye soruyorlar ve cevap beklemeden tekrar hesap pusulasına veya garson taharrisine dönüyorlardı.

Bekârlardan ibaret bazı masalarda vaziyet daha başkaydı. Kafayı çeken herkes şahsına dair bir laf açmış, alabildiğine anlatıyor, falan hanendeyle geçirdiği maceraya, arkadaş canlısı olduğuna veya filan hergeleye neden kızdığına dair kitap dolusu tafsilat veriyordu. Vakit henüz pek geç olmadığı için ekseriyet gevezelik edenlerdeydi ve ağır ağır kafa sallayarak arkadaşını dinler gözüken ileri merhalede sarhoşlara pek tesadüf edilmiyordu.

Buraya saz dinlemek için gelmiş hissini verenler, çalgı çalanların hemen burnunun dibindeki birkaç masayı işgal eden yaşlıca zatlardı. Beyaz saçlarını ihtimamla taramış olan ve kibar kibar içen bu efendi kılıklı adamlar bazı şarkılar çalındığı ve söylendiği sırada gözlerini kapayarak hatıraların denizine dalıyorlar ve her şarkıdan sonra, ihtiyarlıktan üst kısımlarını lekeler ve çiller saran elleriyle uzun uzun alkışlıyorlardı.

Macide ile Ömer bulundukları yerden etrafa bakınarak kendilerini davet edenlerin masasını aradılar. Hiçbir tanıdık çehre görünmüyordu. Birkaç adım ilerlediler. Sıkışık masaların ve iskemlelerin arasından geçerken garsonlar onları mevcut olmayan masalara iş olsun diye davet ediyorlar ve derhal ortadan sıvışıp gidiyorlardı.

Ömer, Macide'ye:

"Galiba henüz gelmemişler!" dedi.

Karısı "Bu bahçe olduğunu iyi biliyor musun?" diye sordu.

"Herhalde... Aklımda böyle kalmış!.."

Bu sırada uzakta, sazın hemen önünde oturan kalabalık bir gruptan birisi kalkarak onlara elini sallamaya başladı.

Ömer derhal Macide'yi dürttü:

"Buradalar galiba... Bizim şair Emin Kâmil işaret ediyor. Haydi, oraya doğru bir hamle edelim!"

Karıkoca yaklaştıkları sırada onları çağıran grupta bir hareket oldu. Dört beş masanın yan yana getirilmesinden hasıl olan uzun sofrada iki kişilik bir yer açıldı. Macide oradakilere teker teker takdim edildi. Garsonlara yeni kadeh, çatal vesaire ısmarlandı. Ömer kendisine gösterilen bu ikrama hayret ediyordu. Teşekkür eden gözlerle etrafına bakındı; hep uzaktan yakından tanıdığı kimselerdi. Yalnız Profesör Hikmet'in yanında oturan iriyarı, ablak yüzlü, lacivert elbiseli ve elmas kravat iğneli zatı hiç görmemişti. Hâkimane konuşması ve saçları dökülmüş başını ara sıra sol eliyle sıvazlaması mühim adam olduğunu gösteriyordu. Ömer sağ tarafında oturan muharrir İsmet Şerif'e:

"Kim bu zat?" diye sordu.

Bir şeye canı sıkılmış görünen ve mütemadiyen önüne bakıp rakı içen İsmet Şerif:

"Tanımıyor musun? Muharrir Hüseyin Bey..." dedi ve başını çevirdi.

Ömer, muharrir Hüseyin Bey diye birini hatırlayamadı. Solunda ve Macide'nin ötesinde oturan Profesör Hikmet'e döndü:

"Kim bu adam yahu?"

Profesör Hikmet yanındaki mühim zata duyurmak istemeyerek:

"Demin tanıştırdık ya!" dedi. Sonra, daha yüksek sesle tafsilat verdi. Ömer biraz düşündü. Bu Hüseyin imzasını bazı gazetelerde ağırbaşlı edebiyat tenkitlerinin ve estetik makalelerinin altında gördüğü aklına geldi. Fakat asıl şöhreti, daha doğrusu kudreti, muharrirliğinde değil, işgal ettiği mühim mevkideydi. Bütün konuşmalarında ve hareketlerinde büyükçe bir memur olmanın verdiği salahiyet ve hürriyet kendini gösteriyordu. Her sözünü, karşısındakilere silahtan tecrit eden bir gülümseme ile bitiriyor ve kendisine yapılan itirazları dinlememek suretiyle ret ve cerh ediyordu*.

Etrafındakilerin haline bakılacak olursa, bu akşam sofranın ağası oydu. Garsonlara sert emirler veriyor, sazın ön tarafında oturan bir kemancı ile bir hanendenin selamını mühmel** bir baş işaretiyle iade ediyor ve yanındakilere ikide birde:

"Ne duruyorsunuz canım, içsenize!" diye ikramda bulunuyordu.

Sofrada konuşanlar grup grup olmuşlardı. Herkes yanındakine bir şey fısıldıyor ve kıkır kıkır gülüyordu. Profesör Hikmet, Macide'ye birtakım ciddi meselelerden bahsediyor: "Nerede okudunuz? Pederiniz necidir? İstanbul'u nasıl buluyorsunuz?" gibi ağırbaşlı sualler soruyordu. Ömer laf olsun diye İsmet Şerif'e döndü:

* Çürütüyordu.

** Önemsemez.

"Bu akşamki davet nereden çıktı?"

Öteki aynı canı sıkılmış tavrıyla cevap verdi:

"Hüseyin Bey üdebayı* davet etti. Malum ya, iki seneden beri şurada burada neşrettiği makalelerini bugünlerde kitap halinde topladı. Kalem sahiplerine hoş görünüp iyi tenkitler yazdıracak... Bunun illeti de bu... Aldığı yüzlerce lirayı adam gibi yemez de edebi şöhret uğrunda harcar..."

Macide, Profesör Hikmet'in sözlerine birer kelimelik nazik cevaplar verirken bir yandan da etrafını gözden geçiriyor ve ara sıra saza bakıyordu. Orada iki sıra halinde dizilmiş duran birkaç esmer çalgıcı ile birkaç boyalı hanım hiç durmadan bağrışıyorlardı. Görünüşe nazaran, bahçenin asıl yıldızı olan ve ismi elektrikli ilanlarla kapının üzerinde parlayan meşhur ses kraliçesi Leylâ'nın gelmesine henüz vakit vardı. Onun şarkılarından evvel ve sonra geçen zamanı doldurmak için yapılan fasıllar, çalanları ve söyleyenleri hatta dinleyenler kadar bile alakadar etmiyordu. Hanendeler birbirleriyle şakalaşıp gülüşüyorlar, kemancı yayını çekerken seyircilerden birini selamlıyor, kanuni bir elini yeleğinin cebine sokup ufak paralarını karıştırıyordu.

Bir aralık saz durdu. Şarkı söyleyen kadınlar, kırmızı, yeşil, kanarya sarısı tuvaletlerini sürüyerek, kenardaki tahta merdivenden indiler ve büfede kayboldular. Diğer sazendeler de aletlerini kutularına, torbalarına yerleştirip çekildiler. Herhalde fasıl arası olacaktı.

Lakayt gözlerle onları seyreden Macide birdenbire sapsarı kesildi. Kendini tutamayarak Ömer'in eline yapıştı. Düşüncelerine dalmış olan Ömer, sıçrayarak sordu:

"Ne var? Ne oldun? Üşüyor musun?

Macide kendini toplamaya çalışarak:

"Galiba..." dedi. "Hava biraz serin!.. Daha ne kadar kalacağız?"

"Dur bakalım... Daha Leylâ'yı dinleyeceğiz!" Sonra Macide'nin ellerini ovuşturarak:

"Sakın canın sıkılmasın... Sen herhalde alaturkadan hoşlanmazsın, ama bu kadın güzel halk havaları söyler... Bunların da kendine göre güzel tarafları var!.."

* Edipleri, edebiyatçıları.

Macide gözlerini muayyen bir noktadan ayıramayarak mırıldandı:

"Yok... Yok... Ben halk havalarından, hatta alaturkadan çok hoşlanırım!.."

Saz heyetinin biraz evvel boşalttığı sahnede bir tek kişi kalmıştı. En geride ve arkası halka dönük olarak piyano çaldığı için kimsenin fark etmediği, uzun boylu, siyah elbiseli ve zayıf bir genç, notaları toplayıp bir kenara bıraktıktan sonra aşağıya inmiş, muharrirlerin sofrasına doğru gelmeye başlamıştı.

Ömer karısının ellerini bırakarak o tarafa seslendi:

"Bedri!.. Bedri!... Buraya..."

Siyah elbiseli genç, Ömer'in bulunduğu yere baktı ve bir an durakladı. Macide de gözlerini o tarafa dikmişti. Yüreği adamakıllı çarpıyordu. Gözlerinde bir bulanıklık, başında bir uğultu vardı. Ömer'in koluna sımsıkı yapıştı. Fakat birdenbire kendini silkerek gözlerini açtı. Ne münasebet! Bunda heyecana düşecek ne vardı? Neden korkuyordu. Hiç! Ömer'den saklanması icap edecek bir şey var mıydı? Hayır!.. Karşı karşıya gelince yüzlerini kızartacak bir vak'a geçmiş miydi? Asla!.. O halde bu telaşa hiç lüzum yoktu.

Bedri uzun boyu, bir hayli zayıflamış olmasına rağmen hâlâ gülümseyen ablak yüzü, biraz mahcup tavrıyla, sofradakilere teker teker selam vererek yaklaştı. Ömer'in elini hararetle sıktı. Sonra Macide'yi hayretle süzerek:

"Siz burada mısınız?" dedi ve ona da elini uzattı. Macide, Bedri'nin gözlerinin içine baktı ve:

"Evet!" dedi.

Ömer sordu:

"Karımı tanıyor musun? Nereden? Konservatuvardan mı? Sen oraya da gidiyor musun?"

Bedri sükûnetle:

"Hayır... Oradan değil... Balıkesir'de talebemdi... Şu kadarcıktı!"

Ve eliyle on on iki yaşında bir çocuk boyu gösterdi.

Macide hafif bir gülümsemeyle itiraz etti:

"Yok, o kadar da değil... On altı yaşındaydım. Daha aradan iki sene bile geçmedi!"

Ömer, Bedri'yi ceketinin eteğinden çekerek:

"Otursana!" dedi. "Nasılsın? Annen nasıl? Ablan iyice mi?"

"Hep bildiğin gibi." Bir müddet tereddüt ettikten sonra yan gözle Macide'ye bakarak sordu:

"Ne zaman evlendiniz?"

Ömer düşündü. Sonra:

"İki ay kadar oldu galiba... Öyle değil mi Macide?" dedi.

Bedri'nin biraz durgunlaştığı, her zaman gülümseyen yüzüne çocukça bir hüzün çöktüğü Macide'nin gözünden kaçmadı. Uzun zamandan beri aklına getirmediği bu delikanlıya karşı derin bir merhamet ve alaka duydu ve onu zannettiği gibi tamamen unutmamış olduğunu biraz da hayretle anladı. Bu sırada Bedri, Ömer'in suallerinden kurtularak Macide'ye döndü:

"Geçenlerde Balıkesir'e uğramıştım... Mektebi de dolaştım. Bizim müzik odasına girince siz gözümün önüne geldiniz... Hocalık garip şey... İnsan ne kadar bu meslekten kaçmak isterse istesin, ayrıldıktan sonra talebelerine ait hatıraların tesirinden kendini kurtaramıyor... Adeta gözlerim yaşardı. Nasıl?.. Piyanoya çalışıyor musunuz?"

"Evet... biraz... Burada konservatuvara gidiyorum. Siz artık hoca değil misiniz?"

Bedri, ablası hasta olduğu için İstanbul'dan ayrılamadığını, bu yüzden kendisini meslekten çıkardıklarını anlattı. Şimdi geceleri bu bahçede piyano çalmak ve gündüzleri de tek tük hususi ders vermek suretiyle geçiniyordu.

"Çalışacak vakit bulamıyorum. Hele burada çalışmak, intihar etmekten farklı bir şey değil!"

Muharrir İsmet Şerif bu nevi münakaşalarda sükût etmeyi şanına yediremediği için derhal düşünceli tavrını bir yana atıp söze karıştı:

"Sizde de mi bu manasız alaturka düşmanlığı? Doğduğumuz andan beri kulaklarımızı dolduran, ilk ses ahengi olarak kafamıza yer eden, bir hususiyeti ve bir klasiği olduğundan şüphe bulunmayan bu yerli müzik, bu öz malımız size de mi istihfafa* layık görünüyor?.. Bu müziği yakından, ruhundan kavramayan bir insanın, ne kadar büyük istidadı, ne kadar müthiş bilgisi olursa olsun, kuvvetli, yerli ve sizin istediğiniz gibi mo-

* Küçümsemeye.

dern bir müzik yaratmasına ihtimal var mıdır? Her yazımda bunları..."

Bedri daha fazla tahammül edemeyerek tatlı bir gülümseme ile karşısındakinin sözünü kesti:

"Büyük üstadım!" dedi. "Hafızanız pek zayıf galiba!.. Daha geçen gün bu mesele hakkında konuşmuştuk ve bu söylediklerinizi size ben anlatmıştım. Şimdi aynı şeylerin bana karşı müdafaası lüzumsuz değil mi?.. Bu mevzuu tazelemeyelim. Ben hiçbir müziğin, içerisinde güzel, kuvvetli, heyecanlı taraflar bulunan hiçbir sanat şubesinin şekil mülahazaları* yüzünden düşmanı olamam. Sanat bir ifadedir; her devir, her medeniyet başka türlü duyar ve pek tabii olarak başka türlü ifade eder. Bence en iptidai zenci müziği bile sanat eseridir. Kaldı ki, bizim alaturka dediğimiz şeklin bir tekâmül seyri, fevkalade incelmiş ve mükemmelleşmiş tarafları vardır. O ruhu ve o medeniyeti bırakırken onun ifade şeklini muhafaza edecek değiliz, lakin topyekûn inkâr da ancak barbarların kârıdır. Benim nefretim buralarda çalınan şeylere!.. Bunlar alaturka değil, bunlar alafranga değil, her şeyden evvel müzik değil... Şark ve Garp müziğini birbirinden ayırmaya çalışmadan evvel her iki nev'in iyisini kötüsünden ayırmaya çalışmalıyız... Otuz kırk seneden beri bu memlekette yarım sayfalık bile güzel beste yazılmamıştır. Buralarda çalınanlar bayağılığın, ademi iktidarın** ifadesidir!"

İsmet Şerif, karşısındakini bir kabahat esnasında yakalamış gibi hararetlendi:

"Ne demek?.. Mesela Leylâ'nın okuduğu halk havalarını da beğenmiyor musunuz!"

"Beğenmiyorum... Bu havalar yerindeyken güzel. Fakat piyasa ağzı şarkı söylemeye alışanların gırtlağından bütün iptidai ve has güzelliklerini kaybederek fırlıyor... Size onları sevdiren, bu suikaste rağmen muhafaza edebildikleri özlü taraflarıdır... Sonra şunu da ilave edeyim: Bunlar hiçbir zaman mükemmel sanat eserleri değildir. Bunlar, ancak sanatkâr malzemesidir... İki telle çalınan halk havalarını olduğu gibi alıp piyano ve klarnet refakatinde söylemek cinayettir!"

* Yorumları.

** Güçsüzlüğün.

Saz heyeti tekrar yerine geçmişti. Bahçeyi dolduranlarda görülen bir kıpırdama, ses kraliçesinin geldiğini anlatıyordu. Bedri yerinden fırladı:

"Başka zaman konuşuruz!" dedi. Sonra Macide'ye döndü: "Kusura bakmayın. Hassas tarafıma dokundular. Allahaısmarladık!"

Ömer onun elini bırakmadan:

"Bize gelsene..." dedi, "aynı yerde, benim eski pansiyonda oturuyoruz!"

Bedri: "Peki, peki, muhakkak gelirim!" diye ayrıldı. Süratli adımlarla karşıdaki kerevete giderek piyanosunun başına geçti. Biraz sonra da uzun boyu, pembe renkte tuvaletiyle hanende Leylâ göründü. Ağır ağır, etrafına tebessümler saçarak masaların arasından geçiyor ve en aşağı yarım kilo altın bilezik taşıyan sol eliyle boyalı ve kıvırtılmış saçlarını düzeltiyordu. Tahta basamakları çıkarken bütün bahçede müthiş bir alkış koptu. Leylâ gayet kibar reveranslarla hayranlarını selamladı. Arkasından gelen garsondan inci işlemeli pembe çantasını aldı ve omuzlarındaki ince tül pelerini ona verdi. Başıyla saza kısa bir işaret yaptıktan sonra ellerini memelerinin biraz altında kavuşturarak yanık ve güzel bir halk şarkısına başladı.

Sesi gayet gürdü ve hiç de fena söylemiyordu. Bahçedeki ağaçların yapraklarını titreterek etrafa, ta uzaklardaki denize kadar yayılıyormuş zannedilen bu Orta Anadolu havasının birçok sert ve haşin yerlerini piyasa şarkıları tarzında yumuşatmasına, ona aslında mevcut olmayan beylik nağmeler ilave etmesine rağmen, sesinin tatlılığı ve söyleyiş tarzında garip bir hüzün ve teslimiyet bulunması, dinleyenler üzerinde çok kuvvetli bir tesir yapmasına sebep oluyordu. Herkes, belki şarkının belki de umumi alakanın tesiriyle, susuyor ve dinliyordu. Oturdukları iskemlelerde uyuklayan küçük çocuklar gözlerini açarak şaşkın şaşkın bakınıyorlardı.

Leylâ birkaç parça daha söyledi. Alkışın tesiriyle bazı havaları tekrara mecbur oldu, nihayet "Yaşa!... Bravo!" sesleri arasında sahneden çekildi. Orada hürmetle bekleyen garsondan pelerinini alıp çantasını gene ona teslim ederek büfeye doğru yürüdü.

Üdeba masasını bir sessizlik sarmıştı. Hüseyin Bey ikramını

kesmiş, bedava rakıyı fazlaca kaçıran davetliler tefekküre dalmıştı.

Ömer laf olsun diye yanındaki İsmet Şerif'e sordu:

"Yahu, sende bu akşam bir durgunluk var! Ne oldu?"

Muharrir omuzlarını silkmekle iktifa etti.

Karşılarında oturan şair Emin Kâmil:

"Ne diye durup durup adamcağızın damarına basıyorsun! Bugünlerde dertli işte!" dedi.

İsmet Şerif sarhoş gözlerini müthiş bir kinle doldurarak arkadaşına baktı:

"Kapar mısın çeneni?"

Emin Kâmil güldü. Bütün masa halkı canlanmıştı. Herkes heyecanlı bir hadise çıkmasını bekliyormuş gibiydi.

Ömer solundaki Profesör Hikmet'e yavaşça sordu:

"Ben epey zamandır gazete okumuyorum... Aralarında bir münakaşa filan mı geçti?"

Profesör Hikmet, "Ehemmiyetli bir şey değil!" demek isteyen bir el hareketi yaptıktan sonra aynı sesle cevap verdi:

"Emin Kâmil'in bu işle bir alakası yok... Sadece oğlanı kızdırıyor!"

Sonra İsmet Şerif'in iş olsun diye meşhur romancılardan birine çattığını, aralarında müthiş bir sövüşme başladığını, nihayet bu romancının, birtakım vesaik* neşrederek, İsmet Şerif'in babasının zannedildiği gibi pek kahramanca vefat etmiş olmayıp düşmana teslim olmaya giderken arkadan vurulduğunu iddia ettiğini anlattı. Bundan sonra aradaki edebi münakaşa daha ziyade inkişaf etmiş ve her iki taraf hasmının hususi hayatına dair bütün bildiklerini ve bildiklerinden öğrendiklerini ortaya dökmüş. Birisi, "Senin baban kahraman değil, haindi!" diye şahitli ispatlı iddialarda bulunurken diğeri de, "Senin annenin bir zamanlar filanca ile üç sene, sonra falanca ile beş sene gayrimeşru surette yaşadığı poliste mukayettir!"** demiş. Böylece her ikisi de birbirlerinin edebiyat ve fikir kıymetlerinin sıfır olduğunu ispata çalışmışlar...

Ömer bunları dinledikten sonra:

"Peki ama, Emin Kâmil'e ne oluyor?" dedi.

* Belgeler.

** Kayıtlıdır.

"O da kavga kızıştırıyor... Maksat vakit geçirmek. Fakat beriki fena içerlemiş. Şimdi karşısındakinin kafasına bir sürahi geçirirse enfes olur!"

Macide, Ömer'i dürterek:

"Haydi artık kalkalım!" dedi.

Ömer karısının yüzüne baktı:

"Ne oldun? Miden mi bulanıyor?" diye sordu.

"Hayır... Şey... Galiba biraz..."

XVIII

Macide, bir müddet sonra düşündüğü zaman, Ömer'le aralarındaki münasebetin nasıl süratle değiştiğini bir türlü vazıh* olarak hatırlayamıyordu.

Ömer'i seviyordu. Bundan şüphesi yoktu. Hatta belki de bu sevgide vücudunun rolü kafasının rolünden daha büyüktü. Kocasının seyrek tıraş olan yanaklarını okşarken, yahut onun biraz kalınca ve bir çocuk dudağına benzeyen dudaklarını dikkatle seyrederken derisinde garip ürpermeler duyar ve kollarını utana utana, fakat kendisinden hiç ummadığı bir hararetle, onun boynuna sarardı.

Ona bağlılığı yalnız bu sevgiden doğmuyordu. Macide birkaç aylık beraber yaşayışları esnasında Ömer'in ne kadar çok zayıf tarafları bulunduğunu sezmişti. Kocası her şeyden evvel bir anlık arzuların zavallı bir oyuncağıydı. Beraber alışverişe gittikleri zaman bile bu huyu hemen kendini gösterir, çay fincanı almak için girdikleri bir dükkânda alacalı bulacalı Japon taklidi bir vazo görüp almaya kalkar, Macide ona paralarının yetişmeyeceğini, bunun lüzumsuz olduğunu anlatmakta müşkülat çekerdi. Bu gibi hallerden sonra üzerine bir mahzunluk çöküyor ve Macide böyle zamanlarda onu bir çocuk gibi kollarının arasına alıp avutmak istiyordu.

Kocasının bu bir anlık arzuları ve onlara mukavemet ede-

* Belirgin, açık seçik.

meyişi, daha doğrusu iradesini kullanmayı asla bilmemesi bazen daha can sıkıcı vaziyetler doğuruyordu. Birçok akşamlar eve geç geliyor, ağzının kokusundan sarhoş olduğu anlaşılıyor ve karısının: "Neden geç kaldın" sualine ya: "Arkadaşlar ısrar ettiler, dayanamadım!" yahut: "Canım istedi... Dayanamadım!" şeklinde cevaplar veriyordu. Macide onun bu sözlerinin samimi ve doğru olmadığını biliyordu. Ömer'in bütün hareketlerini bu bir tek "dayanamadım!" kelimesinde hülasa etmek mümkündü. Hatta: "Niçin benimle evlendin?" dese: "Gördüm ve dayanamadım!" cevabını alacağını kati olarak tahmin ediyordu.

Fakat bu birçok şeyler karşısında dayanamayan delikanlı, yıkılmadan, perişan olmadan yaşayabilmek için bir insanın yüzde yüz yardımına muhtaçtı ve bunu bilmek Macide'ye gurur veriyor, onu Ömer'e daha çok bağlıyordu. Adeta ağır bir mesuliyetin yükünü omuzlarında hissetmekteydi ve bir insanın mevcudiyetinin bu kadar kuvvetle başka bir insana ihtiyaç göstermesi okşayıcı bir şeydi.

Ne kadar farkında olmaz görünürse görünsün, Ömer de kendisinin Macide'ye muhtaç olduğunu hissediyordu. Dairede veya dışarıda birtakım vesilelerle eskisi kadar hür olmadığını, bir yere ve bir insana bağlı bulunduğunu nefsine itirafa mecbur kalınca, Macide'ye karşı müthiş bir hiddet duyuyor, fakat pek az zaman sonra sarhoşluktan ayılır gibi kendini toplayarak: "Ben onsuz ne olurum?.. Değil birkaç ufak hürriyet, birçok ve hem daha büyük şeyler bile bu yolda feda edilebilir..." diyordu. Macide'yi hayatında yok farz etmek mümkün değildi. Ondan ayrılmayı düşünmek şöyle dursun, onunla birleşmeden evvel nasıl yaşadığını, gezip dolaştığını bile tasavvur edemiyordu.

Bazı arkadaşları onu soğuk bekâr şakalarıyla kızdırdıkları ve ehemmiyetli göstermeye çalıştıkları birtakım hürriyetlerle hırsını ayaklandırdıkları zaman o içinde karısına karşı adamakıllı bir hiddetle evin yolunu tutar, kapıdan içeriye asık bir suratla girer, Macide'nin selamına ve sözlerine ters cevaplar verir, fakat karşısındakinin sarsılmaz sükûnetini ve bu sükûnetin altında saklı olduğunu açıkça hissettiği hakiki teessür ve telaşı görünce derhal değişerek onun ellerine sarılır, yüzünü, kollarını ağlayacak kadar içi titreyerek öper ve:

"Bana kızma!.. Benim kusuruma bakma! Bana kocan gibi değil, çocuğun gibi bak!" diye yalvarırdı.

Ömer, insanı istemediği şeyleri yapmaya mecbur eden ve herkeste az çok bulunan bir şeytanın mevcut olduğuna Macide'yi de inandırmıştı. Genç kadın şimdilik kendinde tezahürlerini görmediği bu acayip mahlukun mahiyetini iyice kavrayamıyor, fakat bir gün meydana çıkıp onu da avcuna almasından korkuyordu.

* * *

Bu sıralarda Bedri onları sık sık ziyarete başlamıştı. İşi olmadığı zamanlar ve ekseriya akşamüzerleri geliyordu. Ömer'i evde bulursa hep beraber gezmeye çıkıyorlar, Ömer henüz işinden dönmemişse, Macide'yle karşı karşıya oturup bekliyorlar ve şundan bundan konuşuyorlardı.

Ömer, karısına Bedri'yi senelerden beri tanıdığını anlatmıştı.

"Pek iyi arkadaştık" diyordu. "Fakat belki bir seneden beri görüşemiyorduk. Ben onu hâlâ bir yerlerde muallim sanıyordum. Halbuki başına neler gelmiş!"

Sonra Bedri'nin evde kalmış hastalıklı ablasından, ihtiyar fakat dinç ve gayretli annesinden bahsediyordu.

Macide fazla alaka göstermek istemeden bu tafsilatı dinlerdi. Ömer'in böyle büyük bir sevgi ve hayranlık ile Bedri'nin iyi huylarını, büyük sanatkâr olacağını, arkadaşlığında ne kadar sadık olduğunu anlatması nedense hoşuna gidiyordu.

Fakat bir gün Ömer söz arasında ağzından:

"Dün Bedri'den iki lira borç aldım!" diye bir laf kaçırdı. Bu haber Macide'yi şaşırttı ve üzdü. Ömer'in huyunu biliyordu. Sıkışık zamanlarında gidip zavallı Bedri'den para istemesinden korkuyordu. Bedri'nin kendisine acımasını, onu zavallı bulmasını asla istemiyordu. Bazı akşamlar Bedri ile beraber Ömer'i beklerken söz evlenmelerine intikal edince Macide ağzından memnuniyetsizlik ifade edecek bir kelime çıkmamasına dikkat ediyor ve Ömer'i ne kadar sevdiğini ihsas edecek* sözler söylüyordu. Hat-

* Sezdirecek.

ta, –belki de Ömer'in ihmali yüzünden– bir türlü yürümeyen ve kâğıtları askıdan indiği halde muamelesi iki aydır tamamlanamayan nikâh işini bile ondan saklamıştı. Bedri onları doğru dürüst, anne ve babalarının muvafakatiyle evlenmiş biliyordu.

Birkaç kere Macide'ye:

"Ömer'in vaziyeti nasıl? Sıkıntı çekiyor musunuz? Balıkesir'den yardım ediyorlar mı?" diye sormuş ve Macide kaçamaklı cevaplar vermişti.

Onun bu merakını, Macide ve Ömer'e karşı duyduğu samimi alakadan başka bir şeye atfetmek doğru olmazdı. Macide, Bedri'nin kendisi için hissettiği endişeyi anlamakta zorluk çekmiyordu. Birkaç gün uğramayıp tekrar göründüğü zamanlar genç adamın ilk sözü:

"Sizi merak ettim... Nasılsınız?" suali olurdu.

Bu merak genç kızın içinde tatlı bir akis yapıyordu. Ömer hiçbir zaman karısını merak ettiğini söylememişti. Ömer çok kereler karısını fark bile etmiyordu. Onun sevgisi, bütün hisleri gibi ani ve şiddetliydi. Birdenbire coşuyor, belki dünyada hiçbir insanın muktedir olamayacağı kadar kuvvetle Macide'yi aşk fırtınalarına boğuyor, fakat bu tufandan sonra, bazen günlerce, sanki evdeki kadın uzak bir akraba, yahut ev sahibi madammış gibi lakayt bir hal alarak muhayyilesinin dünyasına çekiliyordu. Macide bu coşkunluk ve aşk anlarının tesiriyle ona ne kadar yakınlaşsa, içinde mevcut olduğunu inkâr edemediği birtakım ihtiyaçların el sürülmeden kaldığını düşünerek bir sızı duymaktan da kendini men edemiyordu. Hislerinde daima ölçülü, en çılgın anlarında bile kendine hâkim olmayı bilen, sık sık iradesini kullanmaktan zevk ve gurur duyan bir insandı. Kendinde bulunmayan coşkunluğun, şiddetin, ani ve kuvvetli heyecanların Ömer'de çok olarak mevcut oluşu, ona daha ziyade bağlanmasına sebep oluyor, fakat kendisinde olup da Ömer'de bulunmayan vasıfların noksanlığını da acı acı hissediyordu. Bir insandan bu kadar çok şey talep etmek belki doğru değildi. Fakat Macide kendisini her an düşünen, sadece aşk ve istek değil, bunlar derecesinde de hürmet telkin eden, sadece bir küçük kardeş, yaramaz bir çocuk değil, aynı zamanda bir ağabey, bir destek olan bir insanın yakınlığını daima arıyordu.

Bedri'nin onları sık sık görmeye geldiği günlerde Macide'nin bu arzuları büsbütün arttı. Bazı hatıralara henüz bağlı bulunduğunu hissettiği eski hocasında bol bol mevcut olan bu vasıfları Ömer'de görmek istiyor, garip bir korkuya ve kıskançlığa benzeyen hislerle kocasına sokuluyor ve onun alakasını çekmeye çalışıyordu. Bedri'ye hatta biraz kızgın gibiydi. Onun kendisine karşı olan hislerini gayet iyi seziyor, bunlardan dolayı onu kabahatli bulmayı aklına bile getirmiyor, yalnız şimdiye kadar Ömer'de görmemeye çalıştığı kusurların apaçık gözlerinin önüne serilmesinde onun tesiri olduğunu düşündükçe istemeyerek hiddetleniyor ve ruhunda zorla ayakta tuttuğu bir muvazenenin* bozulmasından korkuyordu.

Bu sıralarda bir hadise her şeyi altüst etti; birçok şeyleri geri attı ve birçok şeyleri ileri getirdi.

Ömer son zamanlarda gene müthiş bir somurtkanlığa ve tersliğe başlamıştı. Her şeye canı sıkılıyor, mütemadiyen üzüldüğü yüzünden okunuyordu. Adamakıllı para sıkıntısı içinde olduklarından Macide bu halin sebebini uzun uzun araştırmıyor, sualleriyle Ömer'i daha çok şaşırtmaktan çekiniyordu. Fakat ne kadar kendine hâkim olsa, her şeyi ne kadar hoş görse, sinirleri bu kadar gergin bulunan bir adamla uzun müddet beraberlik onun üzerinde de sarsıcı tesirler yapmaktan geri kalmıyordu.

Bir akşamüstü odasının pencerelerini açmıştı. Sokağın pek temiz olmayan havasını ciğerlerine çekip dışardaki muhtelif milletlere mensup çocukların bağırışlarını dinleyerek bir iskemlede oturuyordu. Bugün mektebe gitmediği halde yorgun, yerinden kımıldayamayacak kadar yorgundu. Başını arkasına dayamış, ayaklarıyla yeri ve sırtıyla iskemleyi itiyor, biraz böyle durduktan sonra tekrar ileri düşüyor ve bu basit oyun esnasında hayalleri daldan dala atlıyordu.

Fakat düşüncelerinin dönüp dolaşıp bir noktaya: Bedri'nin şimdi gelivermesi arzusuna vardığını fark edince telaş etti. Bilhassa bu arzunun şu anda lüzumsuz olduğunu, çünkü Bedri'nin, birkaç gün evvel Ömer'e söz verdiği için, bu akşam nasıl olsa geleceğini hatırlayınca büsbütün kendinden utandı.

"Çok fena yapıyoruz" diye mırıldandı. "Ömer de, ben de!..

* Dengenin.

Ben eski talebesiyim... Beni seviyor ve mesut olmamı istiyor... Bunu muhakkak istediğini biliyorum. Ömer'i de çok seviyor... Belki dünyada bulunmaz bir arkadaş... Fakat bizim yaptığımız doğru mu? Bir aydan beri geçinmemize o yardım ediyor... Halbuki üstüne başına bakılınca pek para içinde yüzmediği anlaşılır... Neden ona bu kadar fedakârlık yaptırmalı?.. Hiçbir şey mukabilinde olmadan onun dostluğunu geçim vasıtası yapmak bize yakışır mı? Acaba Ömer'in işleri ne zaman düzelecek? Bedri'den borç istemenin ona ne kadar güç geldiğini görüyorum. Bu kadar iyi bir arkadaşından ne zaman ödeneceği belli olmayan paralar almak herhalde hoş değil... Yalnız Bedri'nin öyle bir hali var ki, insana dokunmuyor... Bize yardım etmesi pek tabii bir vazifeymiş gibi yapıyor. Ne kadar iyi insan..."

Düşüncelerinde biraz daha cesur olmaya karar verdi:

"Onun bize gösterdiği bu alakada acaba benim tesirim ne kadardır? İkide birde Balıkesir'den bahsediyor ve herhalde yüzüme tabii şekilde bakamayacağını bildiği için, gözlerini yere çeviriyor: Fakat ben anlıyorum. Ne kadar saklamak isterse istesin, bu hatıralar onun içerisini hâlâ dolduruyor... Halbuki ben unuttum bile... Hayır, unuttum diyemem, fakat üzerimde bir tesiri kalmamış... Öyle ya! Zaten aramızda ne geçti ki? Ortada bir çift söz bile yok... Yalnız bakışlarını hatırlıyorum. Sınıfın kapısında durarak gözlerini üstümde dolaştırırdı. Ateş gibi bakışları vardı. Şimdi daha ziyade mahzun ve düşünceli bir hali var... Ablası hastaymış... Belki geçim derdi onu da eziyor... Halbuki biz boyuna..."

Kapıya yavaşça vuruldu ve Bedri'nin uzun boyu içeri sokuldu. Macide yerinden kalkarak o tarafa doğru bir adım yürüdü:

"Hoş geldiniz!"

"Teşekkür ederim. Ömer daha gelmedi mi?"

Bu sualinde biraz hayret, fakat birazcık da memnuniyet vardı.

Macide bir iskemle uzatarak:

"Daha gelmedi. Oturun!" dedi.

Karşı karşıya geçtiler. Her zaman bu şekilde oturuyorlardı. Ortalık henüz tamamıyla kararmadığı için lambayı yakmadılar.

Bir sükût başladı. Macide herhangi bir sözün, içinde birikmiş olan şikâyetleri ifade edivereceğinden korkuyor ve alt dudağını kemirerek önüne bakıyordu.

Bedri ise söyleyecek şey bulamıyordu. Ömer ile Macide'nin hayatları ve kendisinin bu aileyle münasebeti hakkında henüz vazıh bir fikri yoktu. Ömer'i eskiden tanıdığı ve sevdiği halde onun evlenmiş olmasını, hele Macide'yle birleşmesini biraz garip, hatta biraz münasebetsiz buluyordu. Bütün iyi niyetine rağmen, bu iki insanı beraber düşünmek imkânsızdı. Ayrı, son haddine kadar ayrı mahluklardı. Bedri onların hayatında, zahiri* ahenge rağmen, muhakkak bir sakat taraf bulunacağını seziyor ve bundan samimi olarak korkuyordu. Daha ziyade Macide'yi düşünerek üzülmekte ve: "Bizim deli oğlan kızın başına işler açmasa bari! Ne cesaretle evlendi acaba?" demekteydi. Macide'nin hiç şikâyet etmeyişi ve bir şeye canı sıkıldığı pek belli olduğu zamanlarda bile onun suallerine: "Çok iyiyim... Çok memnunum!" gibi cevaplar vermesi, şüphelerini ve endişelerini daha çok arttırıyordu.

Hayatının son senelerde birtakım karışık ve üzücü hadiselerle dolu olarak geçmesi bir müddet için Macide'yi unutmasına sebep olmuştu. Yalnız, geçenlerde bir münasebetle Balıkesir'den geçerken eski mektebini dolaşmış ve, saza geldikleri akşam Macide'ye söylediği gibi, müzik odasına girdiği zaman kalbinin şiddetle ezildiğini hissetmişti. Siyah göğüslükleriyle koridorlarda dolaşan genç kızların hepsi ona iki sene evvelki hayatını ve o hayatın bir müddet için manasını teşkil etmiş olan insanı hatırlatmıştı. En ufak hissi hadiseler karşısında şiddetli ve uzun teheyyüçler** duyan Bedri, Macide'yi o akşam sazda gördüğü zaman bu tazelenmiş hatıraların henüz tesiri altındaydı.

Senelerden beri arkadaşı olan Ömer'e karşı dürüst davranmak ve münasebetlerinde ondan gizli hiçbir şey bulundurmamak istiyordu. Fakat ne söyleyebilirdi? Ortada ne vardı, daha doğrusu ne olmuştu ki söylesin? Bugün Macide'ye karşı duyduğu hisler, Ömer için duyduğu alaka ve sevgiden pek farklı değildi; belki biraz daha kuvvetli, belki biraz daha mahrem, fakat herhalde aynı neviden şeylerdi. Böyle olması lazımdı. Sabahtan akşama kadar çalışıp kazandığı beş on kuruşun yarısını bu aileye verir-

* Görünüşteki.
** Heyecanlar.

ken, Macide'nin sıkıntı çekmesini istemediği kadar Ömer'in müşkül vaziyete düşmesinden, Macide'nin karşısında ezilip büzülmesinden korktuğunu da kendine itiraf ediyordu. Hasta ablasına vazife olarak bakmaktan bıkmıştı. Onların arzularının, dertlerinin esiri olmak artık onu sıkıyordu. Halbuki Ömer'e ve Macide'ye yardım ederken içinde mecbur olmadan iyilik yapmanın hodbin zevkini duyuyor, onları bir sıkıntıdan kurtardığı zaman birlikte ve adamakıllı seviniyordu. Bunlara mukabil hiçbir şey istediği yoktu. Çalışmak ve üzülmekten ibaret sandığı hayatına küçük de olsa yeni bir mananın gelmesi ona kâfi bir mükâfattı. Sonra, dertlerini, düşüncelerini ondan sakladığı halde gene yakınlığını muhafaza eden Macide ile ara sıra böyle karşı karşıya oturmak... Hep beraber gezmeye çıkmak... Göz göze geldikleri zaman, eski ahbap olduklarını bildiren bir bakış ve bir gülümseme ile iktifa etmek* ve buna rağmen hayatının daha maksatlı, daha canlı bir yol tuttuğunu vehmetmek... Bunlar az şeyler miydi?

Hiç konuşmadan karşı karşıya otururlarken epey vakit geçmiş olmalıydı. Oda tamamen kararmıştı. Birbirlerinin yüzünü seçmekte güçlük çekiyorlardı. Yalnız, ikisi de, karşısındakinin düşüncelerini sezdiğini zannettiği için, kalkıp lambayı yakmak ve ötekinin yüzüne bakmak cesaretini gösteremiyordu.

Bu sırada sofanın halıları üzerinde ağır ağır yürüyen bir ayak sesi duyuldu ve kapı açılarak içeriye Ömer girdi.

Karanlık merdivenden ve sofadan geldiği için, pencereden biraz ışık alan bu odayı gayet iyi görüyordu. Ortadaki masada karşı karşıya ayakta duran karısıyla Bedri'yi manasız gözlerle bir müddet süzdü.

Macide ona doğru yürüdü:

"Gene geç kaldın!.. Bedri Bey bir saatten beri burada!" dedi ve kocasının önünden geçerek elektriği yaktı.

Abajurun kırmızı ışığı vurunca Ömer'in gözleri birkaç kere kapanıp açıldı. Macide ona dikkatle baktı ve bir adım geri çekildi. Kocasını hiç bu kadar değişmiş görmemişti. Evvela sarhoş zannetti. Fakat onun en çok içtiği zamanlarda bile böyle bitkin ve kendinden uzak bir çehre almadığını hatırlayarak daha fazla korktu. Ömer'in yanakları çökmüş, dudaklarının iki tarafı,

* Yetinmek

her şeyi yapabilecek bir insan gibi, aşağı doğru çekilmiş, gözleri bulanık ve yorgun bir hal almıştı. İki yanına uzanan elleri bile sapsarıydı ve titriyordu. Yanaklarındaki adalelerin oynayışından ve gözlerini boyuna açıp kapamasından kendini toplamaya çalıştığı anlaşılıyordu. Bir adım ileri attı, eliyle iskemleyi kendine doğru çekerek oraya yığıldı. Bedri ve Macide ona doğru koşarak: "Ömer, neyin var?" diye sordular. Delikanlı hiç cevap vermeden yüzünü sağ koluna kapattı ve birkaç dakika bekledi.

Sonra birdenbire başını kaldırarak fırıl fırıl dönen gözlerle etrafına bakındı. Odadakilerin mevcudiyetini şimdi fark ediyor gibiydi. Bir müddet Bedri'yi süzdükten sonra, fısıltı gibi bir sesle:

"Sen burada mısın?" dedi.

Sualin manasızlığı Bedri'yi şaşırtmadı. Elini arkadaşının omzuna koyarak:

"Ömer!" dedi. "Bizi korkutuyorsun... Bir şey mi oldu?"

Ömer gözlerini bir Macide'ye, bir de Bedri'ye çevirdi. Bu hareketi birkaç kere yaptıktan sonra ani bir fikirle canlanmış gibi, boğuk boğuk sordu:

"Siz kim?.." Karısını göstererek: "Bu ve sen mi? Ne zamandan beri siz oldunuz?"

Macide bağırmak ister gibi ağzını açarak ve aynı zamanda elini Ömer'in ağzına götürmek için uzatarak bir adım ilerledi. Ömer derhal yerinden kalktı. Sağ eliyle Bedri'yi yakasından tuttu, fakat deminkine hiç benzemeyen yumuşak, adeta yalvaran bir sesle:

"Sen benim arkadaşımsın, değil mi?" dedi.

Bedri sükûnetini muhafaza ediyordu. Gayet tabii olarak cevap verdi:

"Ömer!.. Ne oluyor? Son zamanlarda kendi içine kapandın... Nihayet bu hallere geldin... Çıldıracaksın... Aklını başına topla!"

Ömer hep o yumuşak ve yalvaran tavrıyla:

"Sen iyi bir insansın... Çok iyi bir arkadaşsın" dedi ve biraz acı bir eda ile devam etti: "Hatta son günlerde bizim hamimiz,* ne diye saklayayım, belki de velinimetimizsin... Dünyada bir insana itimat caizse o da sen olmalısın!" Karısına döndü: "Öyle değil mi Macide!"

* Koruyucumuz.

Genç kadın cevap vermeden kocasının yüzüne baktı. Bu sahnenin onu muazzep ettiği* belliydi. Ömer bunun farkına varmadan, tekrar Bedri'ye dönerek:

"İnsan sana güvenebilir mi?" dedi. "En müşkül vaziyetimde bile senin yardımını beklersem hata eder miyim? Söyle!.."

Bedri arkadaşının elini yavaşça yakasından uzaklaştırdı ve tatlı bir sesle:

"Bu lafları bırak... Ne istiyorsan söyle!.. Gene mi parasızlık?" dedi.

Bu son kelime Ömer'in üzerinde bir kamçı tesiri yaptı. İki elini arkasına bağlayıp ileri doğru uzanarak:

"Ya? Öyle mi? Hemen para lafı ha? Belki... Belki de parasızlık... Her şeyi yapan paradır çünkü... İnsanları en aşağılara indiren ve en yukarılara çıkaran... Para... Ne malum? Belki de bana para lazım... Öyle ya, şu anda cebimde beş kuruşum bile yok. Haydi versene!.."

Bedri hemen elini cebine soktu. Eski ve rengi siyahlaşmış bir meşin çantayı açarak içini karıştırdı. Ömer bu esnada onun hareketlerini hiç kaçırmadan takip ediyordu. Arkadaşının birtakım ufak paraları alıkoyduktan sonra geri kalan bütün servetini, üç kâğıt lirayı masanın üzerine bıraktığını gördü. Onun ellerinin hareketine, yüzüne belki dakikalarca ve bir şey keşfetmek ister gibi baktı. Sonra iskemleyi kendine doğru çekerek dirseklerini arkalığına dayadı ve kelimeleri yarı yarıya dişlerinin arasında ezerek mırıldandı:

"Peki... Sen ne yapacaksın? Sana bir şey kalmadı ki... Azizim, bu ne fedakârlık!.. Ben bir insanda bu kadar iyilik bulunabileceğine inanayım mı? Belki başka zaman inanırdım... Fakat bugün... Bugün inanmak mümkün mü? Bir insan diğer bir insana kötülükten başka ne yapabilir? Kimi kandırıyoruz? Bana öyle riyakâr gözlerle bakmayın! Masum tavırlar beni deli ediyor. Ben de sizin gibi masum suratlar almasını bilirdim... Ama bu suratın arkasında ne saklı olduğunu da biliyorum. Anlıyor musunuz? İnsan dedikleri mahlukun bütün çirkef taraflarını artık gördüm. Burun buruna nefesini koklayarak gördüm. Hiçbir evliya benim karşımda maskesini muhafaza edemez... Sen Bedri,

* Üzdüğü, ona acı çektirdiği.

sana hiçbir fenalık yükleyecek değilim... Olduğumuz gibisin... Fazla bir tarafın yok... Ama karşımda böyle fazilet heykeli gibi durma... Masanın üzerine koyduğun üç yeşil kâğıt sana bu kadar cesaret vermesin... Anlıyor musun? Karanlık odalarda baş başa oturduktan sonra bu saf çocuk çehreleri gülünç oluyor. Siz ne dersiniz küçükhanım?.. Bunları pek mi ustaca buluyorsunuz?.."

Sesi gitgide yükselerek boğuk bir haykırma halini almıştı. Macide gözlerini yarı kapayarak bekliyor, zonklayan kafasında yalnız bir tek düşünce: "Ah, bu sahne bir bitse... Bir bitse!" arzusu geçiyordu. Bedri ise evvela sakin, hatta biraz mütebessimdi. Acıyan gözlerle Ömer'e bakıyor ve: "Bu oğlana ne oldu acaba?.. Nasıl teskin etmeli?" diye düşünüyordu. Fakat yavaş yavaş o da içerlemeye başladı. Ne gibi bir tesir altında olursa olsun, bir insanın bu kadar kendini kaybetmesi ve böyle tamiri güç, hatta imkânsız işler yapması mazur görülemezdi. Hele Macide'nin hiç yoktan delice ithamlara maruz kalması hakikaten üzücü bir şeydi. Bunun için Bedri'nin kaşları çatılmış ve teessürü adamakıllı artmıştı.

Ömer biraz durduktan sonra tekrar bağırmaya başladı:

"Size doğrudan doğruya ve bir vak'aya dayanarak hücum etmiyorum. Yalnız insanlara itimadım yok... Hele dostluğa, hele arkadaşlığa... Asla inanmıyorum... Bundan sonra inanamam da... Çabuk... Bedri, derhal defol git... Tahammül edemeyeceğim ve seni tokatlayacağım..."

Arkadaşının üzerine doğru yürüdü. Bedri tabii bir müdafaa vaziyeti almıştı. Ömer, zor zapt ettiği anlaşılan ellerle onu omzundan yakalamaya çalıştı, buna muvaffak olamayınca iki eliyle birden ve şiddetle Bedri'yi kapıya doğru itti. O zamana kadar taş kesilmiş gibi hiç ses çıkarmadan duran Macide bir çığlık kopardı.

Bedri geri geri sendeleyerek duvara tutundu. Eliyle kapının mandalını araladı. Bu sırada Ömer'in her tarafı sarsılarak, biraz evvel kalktığı iskemleye çöktüğünü gördü. Başı derhal göğsüne düşen genç adam omuzları sarsılarak ağlıyordu. Bedri ona sahiden acıyarak baktı. Kendi gözleri de yaşarmıştı. Ömer'e mi, kendine mi, Macide'ye mi daha çok acıdığını bilmiyordu. Gidip gitmemekte bir an tereddüt etti, sonra genç kadına bakarak:

"Görüyorsunuz ki size yardım etmem imkânsız... Bu çocukla tek başınıza meşgul olmanız lazım... Allahaısmarladık!" dedi.

XIX

Macide bir müddet olduğu yerde kaldı. Bedri'nin ayak sesleri halı döşeli salondan geçip merdivenlerde kaybolduktan sonra ortalığı yalnız Ömer'in kesik ve hafif iç çekişleri dolduruyordu. Genç kadın, kocasının bu haline uzun uzun baktı. İlk defa olarak içinde merhamet ve alakadan ziyade, hiddet vardı. Birkaç kere gidip onun kafasını, yüzünü yumruklamak ihtiyacı duydu. Kafasında, o eski ve daima cevapsız kalan sual zonklayıp duruyordu: "Ne hakla? Ne hakla? Bana bunu ne hakla yapıyor? Ben ne yaptım? Ben herkesin oyuncağı mıyım? Ne hakla!.." Ve bunları düşündükçe kızgınlığı daha çok artıyordu. Nihayet kendini tutamayarak Ömer'i omzundan yakaladı ve sarstı; biraz evvel Bedri kapıya doğru sendelerken çıkardığı feryada benzeyen bir sesle:

"Kalk!" dedi. "Kalk ve arkasından koş!.. Senin gibi bir deliye iyilikten başka hiçbir şey yapmamış olan bir insanı bu kadar yaralamaya nasıl cesaret ettin? Git!.. Ancak ondan sonra seninle konuşabilirim... Bedri'yi bulup yaptıklarına pişman olduğunu söylemeden benim yüzüme bakma... Ben de ancak o zaman senin yüzüne bakabileceğim... Aman yarabbi!.. Sen ne kadar alçalabiliyormuşsun?.. Ömer!.. Bu kadarını tasavvur edemezdim. Herkesten, bütün insanlardan, anamdan, babamdan böyle şeyleri umar, senden beklemezdim... Neler yaptığının, neler söylediğinin farkında mısın?.. Bana daha büyük bir fenalık edemezdin. Söyleyecek şey bulamıyorum... Çok fena yaptın Ömer... Ağlamak bir şey ifade etmez..."

Ömer başını kaldırdı. Gözleri kızarmıştı. Macide'ye uzun uzun baktıktan sonra yerinden kalktı. Ellerini karısının omuzlarına koydu:

"Galiba hakkın var!" dedi. "Ben senden, daha doğrusu sizden şüphe ettikten sonra nasıl yaşarım? Şu sözlerin insanı daha çok kuşkulandırabilirdi... Fakat bana yalan söylemediğini ispat etti. Git, Bedri'yi bul ve af dile demekle korkacak ve utanacak hiçbir şeyiniz olmadığını bana gösterdin! Evet, gideyim... İnanmak, itimat etmek lazım..."

Birdenbire tekrar değişti. Gözleri odaya ilk girdiği zamanki dalgın ve bulanık hali aldı. Maddi bir acı ile kıvranır gibi:

"Fakat nasıl inanmalı?.. Kendime inanmadıktan sonra... Bir gün içinde, birkaç saat içinde kendimin ne çirkef olduğumu öğrendikten ve yirmi altı seneden beri saklamaya muvaffak olduğum aşağılık ruhumu bir karış önümde gördükten sonra, kim olursa olsun, bir insana inanmak mümkün müdür? Benden bunu nasıl istersiniz?... Fakat lazım... Mademki sen istiyorsun, şimdi gider Bedri'ye yalvarırım... Herkesin benim kadar kepaze olması şart mı? Belki siz başkasınız... Bir insandan haksız yere şüphe etmek en korkunç şeydir. Aldanmak pahasına da olsa bunu yapmamalı. Şimdi gidiyorum!"

Hemen kapıya koştu. Tekrar geriye döndü. Macide'nin ellerine sarıldı. Onları ağzına götürerek öpmeye başladı. Bu sırada genç kızın ellerini çekmek için yaptığı ufak, fakat kati bir gayreti fark ederek gözlerini ona çevirdi:

"Eyvah!.." dedi. "Bunu ilk defa yapıyorsun... Asıl korkunç tarafı, farkında olmadan, içinden gelerek yapıyorsun... Macide... Seni de kaybetmeye başladım... Öyle ya, belki... Neden kaybetmeyeyim?.. Sen benim neyime bağlısın? Güzel huylarıma mı? Bulunmaz meziyetlerime mi? İkimizin ayrı dünyaların malı olduğu muhakkak... Yalnız seni deli gibi seviyorum... Bu kadar... Fakat şimdi? Şimdi bunu iddiaya cesaret edebilir miyim? Hakkın var! Ancak hiçbir şüpheye meydan vermeyecek kadar seni sevdiğim takdirde senden bir şeyler bekleyebilirdim. Şimdi kendini benden uzak hissetmen pek tabii... Fakat ben buna tahammül edemem... Söyle... Ne yapmam lazım?.. Macide, karıcığım, bak, sana bir arkadaş gibi soruyorum... Seni tekrar kazanmam için ne lazım? Bana teker teker say ve ben teker teker yapayım!.. Evet, söyledin ya!.. Hemen gidiyorum. İcap ederse onun ayaklarına da kapanacağım... Bunu senin için yaptığımı da söyleyeceğim... Hakkın var... Bedri kendisinden şüphe edilmeyecek kadar iyi bir insandır... Hemen gidiyorum..."

Koşarak dışarı fırladı ve aynı hızla merdivenleri indiği duyuldu.

Macide kendini arkaüstü yatağa attı. Birkaç dakika kımıldamadan, bir şey düşünmeden, muayyen bir yere bakmadan öylece kaldı. Birdenbire boğazına hafif bir gıcık geldiğini ve gözlerinden farkında olmadan yaşlar boşanmaya başladığını hissetti. Bu, öyle hummalı, hıçkırıklı, buhranlı bir ağlayış değildi. Bir yerde biriktiği anlaşılan gözyaşları, kendilerine dökülecek bir mecra bulmuşlar, gayet sakin, hatta biraz tatlı bir şekilde iki yanağından yastığa süzülüyorlardı.

Macide şakaklarında ve kulak memelerinde hafif bir gıdıklanmadan ve bilek damarlarını kesen bir adamın kan fışkırdıkça gömüldüğü garip gevşeklik ve rahatlığa benzeyen bir histen başka bir şey duymuyordu. Nefesleri derin ve seyrekti. Ciğerlerine çektiği her hava yığını göğsünde birazcık titriyor, fakat bu, hıçkırıktan ziyade tatlı bir iç çekişe benziyordu.

Kırmızı abajur gözlerinin önünde küçülüp büyüyor; ışık, yaşlarla karışıp yedi renge bölünüyor ve tavana doğru ufaklı büyüklü renk halkaları halinde yükseliyordu. Sessizlik kulağında zonklamakta ve yalnızlık alnına ağır bir taş gibi çökerek kafasını yastığa gömmekteydi.

Böylece ne kadar yattığını bilmiyordu. Bir gürültü ile kendine geldi. Derhal doğruldu ve ayaklarını karyoladan aşağı uzattı. Gözlerine ilk çarpan şey, bacakları oldu. Eteği sıyrıldığı için çıplak dizleri ve bunların biraz altında kıvrılıp bir lastikle tutturulmuş olan ten rengi çorapları ona bir yabancıya ait şeylermiş gibi geldi. Yere atladı ve aynaya sokulup yüzünü de görmek istedi, fakat bu sırada kapıya vuruldu. Macide kendini dalgın halinden uyandıran gürültünün ne olduğunu derhal anladı. Kimdi acaba? Yavaşça sokularak kapıyı araladı ve geriye çekildi.

Dışarıda otuz beş kırk yaşlarında, zayıf, sarı yüzlü, fakat oldukça temiz giyinmiş bir kadın duruyor ve içeri girmekte tereddüt ediyordu. Macide ilk anda onu bir yerden tanıdığını zannetti. İçinde fena bir seziş vardı.

"Kimi aradınız?" diye sordu.

Yabancı kadın odaya çabuk bir göz attıktan sonra gayet keskin ve kati bir eda ile:

"Sizi!" dedi.

"Buyrun!.. Bir şey mi söyleyeceksiniz?"

Kadın içeri girdi. Macide onun elbiselerinin, alacakaranlıkta göründüğü kadar iyi vaziyette olmadığını tespit etti. Siyah ipekli entarisinin koltukaltlarının rengi atmış ve bazı yerleri göze çarpacak kadar parlamaya başlamıştı. Atkılı iskarpinleri biraz çarpık, fakat yeni boyanmıştı. Sık sık nefes alışı ve içinde herhangi acılı bir yer varmış gibi ikide birde yüzünü buruşturması pek sıhhatli olmadığını gösteriyordu. Macide söyleyecek söz bulamayarak sorucu gözlerle ona bakıyordu. Nihayet karşısındakinin ısrarlı sükûtuna dayanamayarak başını çevirdi. O zaman ziyaretçi kadın:

"Ben Bedri'nin ablasıyım!" dedi.

Macide birdenbire döndü:

"Siz mi?" diye sordu ve sözüne devam edemeyerek önüne baktı.

Kadın tekrar başladı:

"Ne vakitten beri buraya gelmek istiyordum. Sizi yalnız görmem lazımdı. Aklı başında bir insan olduğunuzu, ne yalan söyleyeyim, pek zannetmiyordum. Onun için kendime hâkim oldum. Rezalet çıkmasın, kardeşim de üzülmesin dedim. Fakat her şeyin bir haddi var... Siz ne biçim insanlarsınız... Şimdi bakıyorum, yüzünüz hiç de fena bir kıza benzemiyor. Fakat yaptıklarınızı kendiniz beğeniyor musunuz?.."

Macide bir şey anlamadan şaşkın şaşkın dinliyordu. Kadın oturmak için bir iskemle çekti, sonra vazgeçerek gene ayakta devam etti:

"Kızım... Kimsenin işine karışacak değilim. Canınız istediği gibi yaşarsınız... Fakat âleme zarar vermemek şartıyla... Kardeşimin bir aile geçindirmeye mecbur olduğunu herhalde biliyordunuz, öyle olduğu halde hangi vicdanla onun varını yoğunu, bütün kazancını, anasının ve ablasının nafakasını elinden alıyorsunuz? Onu masum buldunuz diye işi bu kadar ileri götürmek doğru mu?"

Macide daha beter şaşırdı. Kendini toplamaya çalışarak ve ani bir hiddetle yüzü kıpkırmızı olarak:

"Bunları kardeşinizle konuşsanız daha iyi değil miydi?" dedi.

Kadın derhal bir buhran geçirecekmiş gibi sinirli hareketlerle yüzünü oynatarak cevap verdi:

"Bedri ile mi? Onunla konuşulur mu? O yedi kat göklerde

uçuyor. Ne zaman laf açacak olsam: 'Aç mısınız? Çıplak mısınız? Beni kendi halime bırakın!' diye söyleniyor. İnsan karnı doyunca ihtiyacı biter mi? Hem ne hakkınız var? O bizim kardeşimiz, oğlumuz, sizin ona yük olmaya ne hakkınız var? Karıkoca aptal oğlanı buldunuz da soyup soğana mı çevireceksiniz? Ben de sizi bir şey zannediyordum... İki seneden beri bahsedip dururdu: 'Aman anne, aman abla, Balıkesir'de bir talebem vardı. Şöyle kibar, şöyle güzeldi! Hiçbir yerde bu kadar mükemmel bir kız bulunmaz... Fevkalade!' diyordu. Hatta o zamanlar, galiba bu kıza tutuldu, evlenmeye filan kalkacak diye korkmuştuk. Sonra araya zaman girdi, Balıkesir'e dönmedi. Yavaş yavaş da bu lafların arkası kesildi... Biz de gözden ırak, gönülden ırak dedik. Meğer başımıza gelecekler varmış. Birdenbire sizin lafınız yeniden başladı. Artık o kadar coşkun değildi tabii 'Anne, o kız evlenmiş, hem şu bizim Ömer'le evlenmiş... İnşallah mesut olurlar!' diyor, fakat içten içe eridiği de belli oluyordu. Durup dururken lafınızı açar: 'Galiba çok sıkıntı çekiyorlar, şu Ömer de bu kadar parayla ne diye evlenir acaba?.. Kıza yazık değil mi?.. Fakat iyi çocuktur, inşallah bahtiyar olurlar!' diye tuttururdu. Birkaç kere de ağzından kaçırdı: 'Ben elimden gelen yardımı yapıyorum ama, vaziyetlerini düzeltmeye imkân yok ki!' diyerek size para verdiğini ortaya döküverdi. Pek saftır, böyle şeyleri de hiç saklayamaz... Aaa! Kan beynimize çıktı. Lakin kızmasın diye ses çıkarmadık. Gel zaman, git zaman, bizim Bedri değişiverdi. Eskiden çantasında ne varsa ortaya dökerken şimdi beş kuruşun hesabını sormaya, para isteyince: 'Ne yapacaksınız?' diye istintak etmeye* başladı. Birkaç gün sabahları o uyurken çantasını yokladım, üç beş lirası vardı. Akşamları gelince gene bir aralık çantaya göz attım, ufaklıktan başka bir şey yok... Hamt olsun, kardeşimiz ayyaş değildir, çapkınlığı yoktur... Hemen aklıma siz geldiniz! Evlense bu kadar fena olmazdı... Gelin bile onu senin kadar elimizden alamazdı. Ne oluyor? Dağ başında mıyız?"

Adamakıllı heyecanlanmış ve bu yüzden nefesi daha çok daralmaya başlamıştı. Hiç istemediği halde bir iskemleye çöküp oturmaya mecbur oldu. Macide hâlâ karşısında ve ayakta duruyor ve söylenenlerden bir şey anlamıyordu. Her kelimeyi teker

* Sorgulamaya.

teker duyuyor, bunların kafasında muayyen levhalar yarattığını fark ediyor, fakat hepsini toparlayıp muayyen bir mana çıkarmak elinden gelmiyordu. Bunun için, verecek cevap da bulamıyor, ikide birde, düşmemek için, masanın kenarına yapışarak karşısındakine bakıyordu.

Bedri'nin ablası hafif ve hasta bir sesle, kesik kesik, tekrar başladı; bir ahbabına herhangi bir dedikodu naklediyormuş gibi tabii ve kaygısız bir eda ile:

"Kardeşimin istikbali meselesi, arkasını bırakmaya gelmez diye bu hasta halimle sokaklara düştüm. Haftalardan beri dolaşmadığım yer kalmadı. Burayı buluncaya kadar akla karayı seçtim. Ama o zaman gelip sizi görmedim. Neyin nesi imişler bakayım diye tahkikatımı derinleştirdim. Şehzadebaşı'nda sokak sokak dolaşıp teyzeniz midir, nedir, onları buldum. Kadıncağız meğer dertli imiş, açtı ağzını, yumdu gözünü, 'Aile namusumuz bir paralık oldu, bizim öyle akrabamız yok!' diye bağırdı. Az daha bayılacaktı. Nur yüzlü bir eniştemiz var, onu da gördüm. Zavallı adamı da çarpmadan edememişsiniz: 'İki aylık yemek içmek parası seksen lira borcu vardı, bir kere gelip elimizi öpmeden, hakkınızı helal edin demeden defolup gitti... İki elim yakasındadır!' diye beddua ediyor..."

Macide daha fazla tahammül edemeyerek olduğu yere yuvarlanıverdi. Düşerken sol eliyle iskemleye tutunmak istemiş, fakat muvaffak olamayarak daha beter sendelemiş ve alnını masanın köşesine çarpmıştı. Bu darbenin tesiriyle derhal kendinden geçti, pis halının üzerinde boylu boyunca kaldı.

Bedri'nin ablası şaşırmış ve adamakıllı korkmaya başlamıştı. "Kıza bir şey olur da benden bilirler!" diye telaş ediyordu. Macide'ye doğru koştu. Genç kızın masanın altına kayan ve kıvırcık saçlarıyla tamamen örtülen kafasını kaldırdı. Sağ kaşının üst tarafı şişmiş ve kızarmıştı. Kaldırıp yatağa götürmek istedi, nefes ve takati yetmedi. Büsbütün korkarak dışarı salona fırladı. "Kimseler yok mu?" diye bağırdı. Odaların birinde tıpırtılar oldu ve madam, siyah elbiseleri ve daima asık suratıyla dışarı fırladı:

"Ne olmuş?" diye sordu.

Beraberce genç kızın odasına girdiler. Bedri'nin ablası:

"Birdenbire üstüne bir fenalık geldi. Herhalde sinirli bir

şey... Belki de kocasıyla kavga ettiler..." diye izahat veriyordu. Madam kuvvetli kollarıyla Macide'yi yatağına yatırdı, göğsünü açtı, bileklerini ovuşturdu. Başındaki şişi görünce:

"Vah yavrum. Çarpmış bir yere!" diye söylendi ve sirke getirmek için dışarı fırladı. Bu sırada genç kızın bileklerini ovmak işine devam eden Bedri'nin ablası kendi kendine mırıldanıyordu:

"Biraz evvel Bedri eve geldi; deli gibi bir hali vardı, odasına çıkıp yatağına seriliverdi. Kapıya kulağımı koydum. Galiba ağlıyordu da... Kazık kadar adam... Hâlâ çocuk... Bu kız da buralarda baygınlıklar geçiriyor... Acaba ikisi de sahiden sevdalı mı? Allah göstermesin... Kocası olacak serseri de ne boynuzlu herifmiş!.."

Madam tekrar içeri girince sesini kesti ve birkaç dakika durduktan sonra genç kızın kendisine gelmesini beklemeden sıvışıp gitti.

XX

Ömer eve döndüğü zaman, Macide gözlerini açmış, fakat henüz kafasını toparlayamamıştı. Madam asık suratıyla girip çıkıyor ve kendi bildiği birtakım ilaçlarla tedavisine devam ediyordu. Vak'ayı yarım yamalak Türkçesiyle anlatamayacağını aklı kesince susmuş ve tekrar işine koyulmuştu. Ömer karısını bayıltan bu sıska karının kim olduğunu pek merak ediyordu.

Macide yarı açık gözlerle bir müddet tavana baktıktan sonra başını yavaşça yana çevirdi. Orada ayakta duran Ömer hemen:

"Karıcığım, karıcığım!.. Ne oldu sana?" diyerek genç kadının ellerine sarıldı. Macide ilk anda hiçbir şey hatırlayamadığı için sadece gülümsedi ve gözlerini kapadı. Madam getirdiği birkaç şişeyi topladıktan sonra başıyla hafif bir selam verdi ve odayı terk etti. Karıkoca ani bir sessizlik içinde dakikalarca birbirlerine baktılar.

Vakit gece yarısına yaklaşmış, sokaklarda gürültü kesilmişti. Serince bir rüzgâr açık pencerenin kalın ve kirli perdelerini kımıldatıyordu. Ömer:

"Üşüyeceksin... Haydi seni soyayım da yorganın altına gir!" dedi. Fevkalade bir dikkatle karısının sırtından elbisesini, ayaklarından çoraplarını çıkardı. Kendisi de soyunarak elektriği söndürmeden yatağa girdi.

Kolunu Macide'nin başının altına sürdükten sonra gene uzun zaman hareketsiz kaldılar. Kadın duvardaki meçhul bir noktaya ve Ömer onun yüzüne bakıyordu. Macide, rengi biraz solmuş, çenesi biraz daha uzamış olmasına rağmen hep güzel, belki daha güzeldi. Abajurun ışığı kirpiklerinin ucunu kırmızıya boyuyor, dudakları zaman zaman ürperir gibi kımıldıyordu. Nihayet başını yavaşça kocasına doğru çevirdi. Ağzından ilk çıkan söz:

"Ne yaptın?" suali oldu.

Ömer fısıltı halinde söylenen bu kelimelerin ne kastettiğini anlayamadı. Acaba: "Neler yaptın? Neden yaptın?.. Bak beni ne hallere koydun?" manasına mıydı, yoksa: "Ne yaptın, gidip Bedri'yi gördün mü?" demek mi istiyordu? İkinci şekle cevap vermeyi daha kolay buldu:

"Bedri'nin evine gittim" dedi. "Zavallı çocuğun halini görünce hakikaten kendimden utandım. Bir insan ancak haksız bir hücuma uğrarsa bu kadar harap olabilir. Buna rağmen beni arkadaşça, evet, hiçbir şey olmamış gibi, dostça karşıladı. Yaptıklarımı mazur görmeyi ne kadar istediği yüzünden okunuyordu. Her şeyi kendisine anlatınca... Bana hak verdi diyemem... Fakat bana acıdı... Ah, Macide, sen de her şeyi bilsen bana acırdın..." Birdenbire sözünü keserek:

"Ben gittikten sonra gelen kadın kimdi?" diye sordu:

"Ablası!"

"Ablası mı? Bedri'nin ablası mı? Ne istiyormuş?"

Macide kadınla arasında geçen sahneyi hatırlamaktan fevkalade muazzep olduğunu* gösteren bir hareket yaptı. Gözlerini Ömer'den çekerek:

"Bilmiyorum!" dedi. "Bedri'nin bizimle ahbaplık etmesi... Bize yardım etmesi doğru değilmiş... Onlara zararı varmış..."

Ömer ne kadar samimi olduğunu kendisi de tayin edemediği bir hiddetle:

"Hayvan!.." dedi. "Ne üstüne vazifeymiş?"

* Acı çektiğini.

Macide farkında olmadan Ömer'den biraz uzaklaştı. Güç zapt ettiği bir isyan ile, sesi titreyerek:

"Bana, biraz evvel senden dinlediğime benzeyen şeyler söyledi. Belki de daha fazlasını... Aynı şeyleri senin de düşündüğünü bilmesem belki bu kadar fena olmazdım. Hasta ve edepsiz bir kadın derdim. Fakat görüşlerinizin bu kadar yakın oluşu beni deli etti. Onu dinlerken, aklımın almayacağı kadar bayağı iftiralarıyla ezilirken gözümün önünde hep sen canlanıyordun... Kadına kızmaya, onu kovmaya cesaret edemedim. Buna ne hakkım vardı?.. Aynı şeyleri sen de söylememiş miydin?.. Bedri'nin kardeşi beni senden daha çok düşünecek, senden daha iyi tanıyacak değildi ya... Ağzımı açıp bir kelime bile cevap veremedim. Sonra, birdenbire başım döndü... Galiba teyzemlere gittiğini ve onların benden nasıl bahsettiklerini anlatıyordu... Dizlerim bükülüverdi!.."

Kendini zapt edemeyerek ağlamaya başladı. Bu akşam bu ikinci ağlayışı idi. Fakat bu sefer gözyaşları öyle sakin ve rahat akmıyor, bir tarafına bıçak saplanan bir adamdan çırpındıkça fışkıran kanlar gibi hiddet, yeis ve çaresizlik içinde yastıklara dökülüyordu.

Ömer karısını teskin etmek için elini ıslak yanaklarında gezdirdi, fakat Macide yüzünü öteye çevirerek rahat bırakılmasını istedi. Bir müddet konuşmadılar. Ömer titreyen parmaklarıyla karısının saçlarını karıştırıyordu. Neredeyse o da ağlayacak yahut kendisini kaldırıp pencereden aşağı atacaktı:

"Ben belki dünyanın en aşağı insanıyım... Ne kendime, ne başkalarına lüzumum var... Bir an evvel hesap kesmek en iyisi!" diyor, fakat bir taraftan da, kafasından geçen bu tasavvurlarla Macide'yi tehdit ettiğini sanıyordu.

Yavaş yavaş mırıldanmaya başladı:

"Hakkın var Macide... Ben Bedri'nin yanında biraz kalıp onun insanı bağlayan arkadaşlığını ve alakasını görünce kendimin ne olduğumu unutuvermiştim. O, birçok şeyler söyleyerek benim tamamıyla fena bir adam olmadığımı ispat etmeye çalıştı... Bir an için inandım. Şimdi görüyorum ki hepsi vehim! İnsan neyse o... Hakkın var... Belki de Bedri'nin o şirret ve mızmız ablası Mediha ile aynı hamurdanız... Seninle yollarımızın ayrılması lazım. Ben bu içimdeki melun şeytanı bir müddet daha gezdirir ve sonra her şeye bir son veririm... Niçin seni beraber sürükleyeyim? Ne kadar ayrı insanlar olduğumuz meydanda... Bütün bu farklara rağmen seni böyle çılgınlar gibi sevişim de herhalde bu şeytanın bir oyunu olacak... Sonra her şey günden güne daha fena oluyor... Şimdiye kadar asla yapmadığım, yapacağımı aklıma bile getirmediğim işler oldu. Ben senin yanında böyle uzanıp sahici bir insan gibi sözler söyleyecek bir mahluk değilim... Ah Macide... Daha birçok şeyleri bilmediğin halde hükmünü verdin... Halbuki senin bu akşam gördüklerin hiçti... Hatta ben böyle yapmakta biraz da mazurdum. Kendimden iğreniyordum. Buna tahammül edemeyerek bütün insanları da kendim gibi iğrenilecek mahluklar halinde görmek istiyordum... Karıcığım... Benim neler yaptığımı bilsen... Belki bana daha çok kızardın... Belki yanımdan kaçardın... Belki de halime acırdın... Bak bana... Ben acınacak halde değil miyim?.."

Macide elinde olmayarak başını çevirdi. Kocası hakikaten son kuvvetini sarf ediyormuş gibi bitkin ve zavallıydı. Bu akşam ilk geldiğinden beri onda bir başkalık bulunduğu genç kadının aklına geldi. Ona "Neyin var?" diye bir kere bile sormadığını, bütün gece, sadece kendi ıstırapları üzerinde düşünüp, birçok sıkıntıların ve dertlerin elinde çırpındığı muhakkak olan kocasını asla merak etmediğini hatırladı. Fakat içinde acımaktan ziyade merak etmeye benzeyen bir his belirdi.

"Niçin anlatmadın? Niçin hâlâ söylemiyorsun? Aylardan beri benden sakladığın şeyler var... Beni kendinden uzaklaştırmak için elinden gelen her şeyi yapıyorsun... Söylesene, bugün ne oldu?"

Ömer bir müddet durdu. Yattığı yerde yüzünün kızardığı belli oluyordu. Macide hem merak, hem de, kocasının bu hazin hali karşısında yeni doğmaya başlayan bir merhamet ve alaka ile onun gözlerinin içine baktı.

Ömer süratle doğruldu. Mümkün olduğu kadar karısından uzak durmak istediği anlaşılıyordu. Sırtını duvara dayadıktan sonra teker teker:

"Bugün bizim veznedar Hafız'ı tehdit ederek iki yüz elli lira aldım!" dedi.

Macide yattığı yerde hiç kımıldamadan Ömer'e baktı. Yüzünde bir yabancıyı tanımak istiyormuş gibi bir ifade vardı. Gözlerini büzüyor ve uzun kirpikleri daha sık ve koyu görünüyordu.

Ömer karısının halinden korktu, ona doğru eğilerek:

"İstersen hiçbir şey anlatmayayım..." dedi. "İstersen hemen giyinip gideyim ve seni rahat bırakayım... Yahut arkamı dönüp uyuyayım!.. Nasıl istersen!"

Her şeyi bitmiş, her şeye karar vermiş bir insan gibi konuşuyordu. Macide kollarını uzatarak onu ellerinden tuttu ve tekrar yanına yatırdı. Gayet yavaş bir sesle:

"Haydi, artık anlat!" dedi. "Her şeyini herkesten evvel bana söylemen lazım değil mi? Seni benim kadar, hatta benden başka kim dinler? Kim seninle beraber üzülür?"

Ömer biraz durup o günün vukuatını kafasında derlemeye çalıştıktan sonra, aynı yavaş sesle ve ağır ağır anlatmaya başladı. Bu sırada yastığın üzerinde yan yana duran başları neredeyse birbirine dokunacaktı. Macide yukarıya, tavana bakıyor. Ömer ise biraz yan durarak karısının sol yanağını, burnunu ve kirpiklerini görüyordu:

"Ne kadar sıkıntıda olduğumu biliyordun" diye başladı. "Belki sıkıntımın en büyük tarafı, sana hiçbir şey belli etmemek kaygısı idi. Sakın, sakın!.. Senin yüzünden bir şey yaptığımı iddia edecek değilim... Ne yaptımsa kendi hesabıma, kendi rezilliğimle yaptım. Zaten işin tefsir edilecek tarafı yok. Hiçbir şey beni mazur gösteremez... Evet, aylardan beri süren bu para sıkıntısı beni deli ediyordu. Sokaklarda, dairede gezip dolaşır veya otururken mütemadiyen düşünürdüm: Böyle sıkıntı çekmemize sebep ne? Bir türlü makul bir sebep bulamıyordum. Köprü'de, akşamüzerleri alışverişlerini yapıp paketlerini koltuklayan adamlara rastladıkça kendime sorardım: Senin neyin noksan? Neden? Neden sen evine bir şey götüremiyorsun? Neden borç alacak arkadaş veya olmayacak hülyalar peşinde koşmaktan başka elinden bir şey gelmiyor? Belki bunlar aslında o kadar feci şeyler değil... Belki yollarda gördüğüm insanların çoğu da benim gibi veya bana yakın vaziyette, fakat kafam her şeyi büyüten bir adese* gibi... Oraya giren her şey, yünlü bir kumaş

* Büyüteç.

üzerine damlayan yağ lekesi gibi belli olmadan genişliyor, büyüyor... Başka bir şey düşünmek isteyince muvaffak olamıyordum... Bu sıralarda bizim Nihat da beni sıkıştırmaya başladı. Kendilerine birtakım dalavereli işler için para lazım olduğunu söyledi ve bu sırada bizim veznedardan bahsetti... Nihat'a lazım olan para bana vız gelir... Aldırış bile etmedim... Fakat bu veznedar meselesi kafamda takıldı kaldı. İlk günlerde böyle bir şey yapılabileceğini ciddi olarak düşünmedim, fakat ben farkında olmadan bu fikrin, bir ihtiyat tedbiri gibi zihnime yerleştiğini gördüm. Aklım başımdayken böyle bir alçaklığı tasavvur etmeyi bile ayıp, hatta cinayet sayıyordum. Fakat dört tarafa koşup çare arayan ve mütemadiyen imkânsızlık duvarlarına çarpan kafam, son dakikada, tam yeis getireceği sırada, bu ihtimale sarılıp kendini kurtarıveriyordu. Belki eski bir alışkanlığın da bunda tesiri olacaktı. Çünkü ben bekârlığımdan beri sıkıntılı zamanlarımda veznedara başvuruyordum. Büsbütün başka bir şekilde tabii... Onun iyi ve eli açık oluşu, beni ümitsizliğin son haddine düşmekten daima men ederdi. Veznedar şimdi de aynı şeyi, fakat ne kadar değişmiş olarak yapıyordu!.. Şunu da söyleyeyim ki, böyle bir cesareti göstereceğimi, yani gidip veznedardan zorla para isteyeceğimi ciddi olarak asla tahmin etmiyordum... Kafamda sadece bir ihtimal bulunduğunu sanıyordum... Bu sabah... Bu sabah daireye gidince birdenbire karar verdim... "Ne olur yahu? Giderim, açıktan açığa para isterim!.. Ben onun serseri kaynı kadar da değil miyim?" dedim. Bu ani karar, bu yüzsüzlük birdenbire nereden çıktı, bilmiyorum; daireye gider gitmez bu niyeti içimde hazır bulmuştum... İşte o kadar... Bir şeytan iredemi istediği tarafa sevk ediyordu... Birkaç kere odadan çıkıp veznedarın kapısına kadar gittim... Bir türlü içeri giremedim. Nihayet bir hademe: "Hafız Bey odasında!" diye akıl öğretti. Ben de daha fazla tereddüt edemedim... Ah, Macide, zavallı adamın halini bir görmeliydin. Düşün ki, aylardan beri daimi bir telaş, işkence içinde yaşıyordu. Sana iki ay kadar evvel, galiba evlendiğimiz gün anlatmıştım!"

Macide yavaşça: "Bana bir şey anlatmadın!" dedi.

"Sahi mi? Ben öyle hatırlıyorum... Nihat'la Profesör Hikmet'e anlattım. O zaman sen yok muydun? Neyse, fakat kaynını hapisten kurtarmak için vezneden iki yüz lira aldığını, bunu yerine koyamadığı için defterlerde kalem oynatıp işi idareye çalıştığını herhalde söylemiştim. Aylardan beri hep tereddüt içindeydi. Kaynı mahkûm olsa, yahut beraat etse kefalet olarak adliyeye yatırdığı bu parayı alıp kasaya koyacak ve defterleri tashih edecekti, fakat mahkeme bitmek bilmiyordu... Bugün odasına girdiğim zaman hemen yüzüme bakıp o mahzun haliyle gülümsedi: 'Halâ bir şey yok!' demek istediğini anladım. Fakat ben kararımı vermiştim. Gayet kısa kesmek, bunun için de hiç oyalanmadan, lakırdıya dalmadan, makine gibi istediğimi söylemek tasavvurundaydım... Şimdi pek hatırlayamıyorum. Tamamıyla yabancı biri gibi konuştum. Çoğunu Nihat'tan öğrendiğim cümleler ve tehditlerle zavallı adamı evvela şaşırttım; fakat sözlerimin sonuna doğru dudaklarında garip bir tebessüm belirdiğini gördüm. Derhal ağzım kurudu, sözümü kestim. O zaman Hüsamettin Efendi yerinden kalktı. Bana doğru geldi. Yakamdan tutup dışarı atacak sandım. Yapmadı. Şimdiye kadar kendisinde asla tesadüf etmediğim pişkin ve külhanbey bir tavırla: 'Aferin evlat, iyi yetişmişsin!' dedi. Sonra kısık ve bana o anda müthiş ve yersiz gelen bir kahkaha attı: 'Zamanını da iyi intihap ettin.* Maalesef seni boş çeviremeyeceğim. Mademki iki esnaf karşı karşıyayız, açıkça konuşalım. Dün gelsen metelik alamazdın, seni tekme ile kovardım. Yarın gelsen beni bulamayacaktın. Şeytan sana fısıldamış herhalde... Mübarek olsun... Ben bu işe daha fazla dayanamayacağım... Bir nihayet vermek lazım... Bu sabah kararımı verdim. Kasada epeyce para var, bir miktarını, daha doğrusu yüklenebildiğim kadarını alıp eve çoluk çocuğun nafakası olarak bırakacak, ondan sonra da başımı alıp gidecektim. Şeytan nereye çağırırsa oraya... Bu dünyada başka türlü olmak neye yarar? Dünyayı bizim kayınbirader gibi adamlar istila etmiş... Benim gibi bir acizin debelenmesi fayda verir mi? Beş çocukla bir karıyı süründürmeye ne hakkım var... Sen şimdi bu sözlerinle benim kararımı takviye ettin... Sana teşekkür borçluyum evlat... Bana dünyanın hakikaten suratına tükürülmeye bile değmez olduğunu ve bu dünyada suratına tükürülmeyecek bir tek, ama bir tek insan bile bulunmadığını sağlam bir şekilde ispat ettin.

* Seçtin.

Böyle biri mevcut olsa o sen olurdun ve şimdi buraya gelinceye kadar içimde bir şüphe vardı. Şu kâinatta belki bir de iyi taraf vardır, fakat görmek bize nasip olmuyor diyor ve seni düşünüyordum. Bir daha teşekkür ederim. Beni boş hayallerle avunmaktan, yaptığıma pişman olmaktan kurtardın. Ben de kendimi, adam tanır bir şey zannederdim. Senin suratına bakınca melanet dolu ruhunu göreceğime yüreği çarpan bir insan görüyordum. Nah, bunak kafa... Al şu iki yüz elli lirayı, beni kimseye ihbar etme. Yarına kadar sükût hakkı olarak veriyorum. Ondan sonra istersen İsrafil'in* borusunu al da eflake** ilan et... Vacibtaâlâ*** polis olup gelse beni bulamayacak. Yalnız senden bir ricam var... Namusuna güvenerek istemiyorum. Kendin için de bir faydası yoktur, belki zararı olur da ondan söylüyorum: Paraları alıp eve verdiğimi ağzından kaçırma... Nereden biliyorsun diye belki seni de işin içine karıştırırlar... Merhametten değil, ihtiyaten sus... Haydi bakalım... Benim gözlerimi açtın, sana bir daha eyvallah.... Şimdi arabanı çek... Namussuz insan suratı seyretmek istemiyorum. Kendim kendime yeterim... Durma... Defol!.. Defol!..' Sarhoş gibi odasından çıktım. Bütün söylediği sözler birer birer beynimde zonkluyordu. Yerinden fırlayacakmış gibi büyüyen gözleri, yeis ve ümitsizlik içinde, insanlara ve hayata karşı artık teskin edilmeyecek bir kin ile titreyen sesi peşimi bırakmıyordu. Macide, yemin ederim ki dünya kurulalıdan beri hiç kimse kendini, benim o anda bulduğum kadar aşağılık ve iğrenç bulmamıştır. Kendimi tokatlamak istiyor ve bunu alabildiğine, kolumu gere gere yapamayacağımı düşünerek kuduruyordum. Pantolonumun sol cebinde ve avcumda tuttuğum banknotlar her adım atışımda hışırdıyor ve bir çirkefe dokunuyormuşum gibi içimi gıcıklıyordu. Derhal daireden çıktım. Paraları bir köşeye atmak istiyordum. Fakat zavallının birinin eline geçer diye korktum... Dünyanın en biçare, en alçak adamı bile, bu paralara müstahak olacak kadar düşkün değildi. 'Ne yapmalı, ne yapmalı?' diye

* Kıyamet zamanının geldiğini "sur" denilen borusuyla bildireceğine inanılan melek.

** Gökler, anlamında. Burada, İsrafil'in, eski astrolojiye göre dokuzuncu gök sayılan arşı taşıyan meleklerden biri oluşu inancına dayanılarak kullanılıyor.

*** Allah.

düşünüyordum. Onları yanımda bulundurduğum her an beni daha çok şaşırtıyor, eritiyordu; fakat ben bu işkenceyi nefsime reva görmeyi bir nevi intikam sayıyordum... Birdenbire kendimi Beyazıt civarında buldum. Dolaşırken farkında olmadan buralara kadar gelmişim... Derhal aklıma Nihat'ın evinin bu taraflarda olduğu geldi... Evet, o herif bu paralara layıktı. Belki bunun ne demek olduğunu anlamayacak, hatta memnun olacaktı, fakat ben onun bu iki yüz elli liranın sahibi olduğunu bildikçe ondan nasıl iğreneceğimi düşünüyor ve adeta haz duymaya başlıyordum. Kumkapı tarafına giden yollardan birinde oturuyordu. Evde yoktu. Paraları boru gibi yuvarlayarak kapının altından içeri soktum. On parasızdım, fakat biraz hafiflemiştim. Oradan buraya kadar yayan olarak geldim..."

Ömer fısıltı halinde konuştuğu halde yorulmuş ve terlemişti. Gözlerini bir an için kapadı ve bu esnada Macide'nin, belki de farkında olmadan, uzaklaşmak, ona dokunmamak için bir hareket yaptığını hissetmedi. Gözlerini açmadan, sayıklar gibi bir sesle:

"Evde sizi karşı karşıya oturur buldum. Evvela hiçbir şey anlamadım. Sonra birdenbire ruhumun bütün çirkefleri boşandı. Fakat ne yapabilirdim? Kendi ruhunun pisliğini bu kadar yakından gören bir adam başkalarının temiz olacağına inanabilir mi?"

Birdenbire gözlerini açtı. Macide'nin kendinden uzaklaştığını, ürkek bakışlarla yatağın ta kenarına kadar gittiğini gördü:

"Eyvah... Macide... Niçin bana hepsini anlattırdın? Böyle yapacaktın da neden her şeyi söyle dedin? Şimdi beni anlamıyorsun. Anlasan böyle kaçmazdın! O zaman, bütün fenalıkları yapanın asıl *ben* olmayıp içimde saklı duran ve fırsat arayan başka bir *ben* olduğunu sezer ve bana acırdın, beni kurtarmaya çalışırdın. Bedri... Bedri beni anladı... O nasıl anladı? Yanaklarımı nasıl okşadı?.. Halbuki ben ona neler yapmıştım. Macide, beni nasıl bırakıyorsun..."

Yastığın üzerine kapandı. Kolları omuzlarından aşağı ölü gibi sarkıyordu. Hıçkırmıyor, ağlamıyor, şikâyet etmiyor, hatta belki nefes bile almıyordu. Bu hal Macide'yi büsbütün korkuttu. Eliyle kocasının başını dürtüp yüzünü yastıktan ayırmaya ve kendine çevirmeye çalışarak:

"Ömer!.. Ömer!.. Bana bak... Kocacığım... Üzülme... Bana bak!" diye yalvardı. Ses çıkarmadığını görünce daha çok telaş ederek üstüne eğildi, hem kulaklarına tatlı sözler fısıldamaya, hem de yanaklarını, boynunu öpmeye başladı. Onu bu kadar harap görmeye dayanamıyordu. En ümit etmediği zamanlarda onu Ömer'e bağlayan bir his, bu adamın şu anda yüzde yüz kendisine muhtaç olduğu hissi ve bunun verdiği gurur, genç kadına her şeyi unutturuyordu. Kocasına sokuldukça çıplak ayakları onunkilere dokunuyor ve her temasta Macide'nin vücudundan şiddetli bir titreme geçiriyordu. Nihayet Ömer'in başını çevirmeye muvaffak oldu. Delikanlının yüzü soluk ve gevşekti. Minnetle dolu bir gülümseme onun ağır bir hastayı andıran çehresine tatlı ve cazip bir hal veriyordu. Macide kocasının şimdi tamamen çocuklaşan dudaklarını buldu ve kollarını boynunun altından ve üstünden uzatarak ona daha çok sokuldu.

XXI

Bu hadiselerden sonra on gün kadar, hayatlarında hiçbir fevkaladelik olmadan, geçti. Araya aybaşı girdiği için henüz şiddetli para sıkıntıları da yoktu. Yalnız Macide'nin bütün tahminlerinin aksine olarak bu müddet esnasında Nihat onları daha sık ziyaret etmeye başlamıştı.

Bu sefer birtakım garip delikanlıları da beraber getiriyordu. Dârülfünunun muhtelif kısımlarında okudukları rivayet edilen ve bağıra bağıra konuşmayı, geniş hareketler yapmayı itiyat edindikleri ilk anda göze çarpan bu gençler, Ömer'in pansiyonundaki karanlık salonda toplanıyorlar, madamı, ikide birde odasının kapısından başını çıkararak, kızgın gözlerle ortalığı süzmeye mecbur edecek kadar gürültü ediyorlar, bazı meseleleri münakaşa ve Nihat'ın fikirlerini tamamen kabul ettikten sonra dağılıyorlardı.

Bazen ceplerinden çıkardıkları birtakım yazıları birbirlerine okurlar, yahut neşretmekte oldukları mecmua ve broşürlerin tashihlerini yaparlardı. Yazıları, ekseriya ismi zikredilmeyen, yahut nadiren ve korkunç sıfatlarla birlikte zikredilen muhasımlara* küfürden ibaretti. Ömer, Nihat'ın hatırı için bazen bunların yanında oturur, hatta bu ateşli yazıları biraz da zevk alarak dinlerdi. Bu gençlerin iddialarına bakılacak olursa memleketteki bütün aklı başında fikir adamları birer türlü lekeliydi: Kimisine falan milletin yardakçısı, kimisine şu veya bu fikrin satılmış kölesi, kimisine korkak ve dalkavuk, kimisine bozuk kanlı diye hücum ediyorlardı. Sadece kulak misafiri olduğu halde Ömer bunların, mücadele ettikleri adamlar ve fikirler hakkında, hiçbir malumatları olmadığını hayretle tespit etmişti. Bunun için bir gün Nihat'a:

"Yahu, sana acıyorum. Etrafına daha aklı başında insanları toplayabilirdin!" dedi.

Fakat o, kurnaz bir gülümseme ile mukabele etti:

"Lüzumu yok. Aklı başında adamlarla hiçbir iş görülmez. Bize, itirazsız inanacak ve düşünmeden harekete geçecek insanlar lazım! Bu gençleri romantik birtakım emellerle bağlamak, onlara kabadayıca sergüzeştlerin hasretini duyurmak ve bugünkü hudutları dar gösterip büyük arzularla beslemek ve böylece hepsini avcumun içine almak daha kolay ve daha muvafık..." Sonra, artık yola getiremeyeceğini anladığı dostuna karşı samimi olmakta bir mahzur görmeyerek ilave etti:

"Hayat bir katakulliden ibarettir!"

Bir zamanlar Nihat'la münakaşa ederken söylediği gibi, Ömer arkadaşının sözlerinin doğru olmaması icap ettiğini seziyor, hayatın bu kadar aşağı emeller üzerine kurulabileceğini kabul etmiyor, fakat fikirlerini müdafaa edecek kudreti de kendinde bulamıyordu. Hayat herhalde bir katakulli değildi. Ama neydi? Bu hayatın bir manası olmak icap ederdi. İnsan dünyaya sadece yemek, içmek, koynuna birini alıp yatmak için gelmiş olamazdı! Daha büyük ve insanca bir sebep lazımdı. Lakin tembelliğe alışmış olan kafası bunu bulamıyor, bulmak için uğraşmaya üşeniyor, yanlış ve bayağı olduğunu sezdiği şeyleri de kabul edemediği için selameti firarda buluyordu... Her şeyden, her derin düşünceden, her üzüntülü nefis muhasebesinden kaçmayı itiyat

* Düşmanlara.

edinmişti. Düşünce adamı olmaktan çıkmış, muhayyile, daha doğrusu kuruntu adamı olmuştu. Etrafında kendisini doğruluğuna inandıracak bir fikir cereyanı bulamadıkça, arkadaşlarının ve hatta hocalarının, büyük ve gösterişli sözler arkasında adamakıllı esnafça işler kovaladıklarını gördükçe kendi muhayyel* âleminde yaşamayı tercih ediyor ve hakikatte sadece muhayyilede yaşamak mümkün olmadığından maddi hayatında tesadüflerin, ani heyecan ve ihtirasların oyuncağı olup kalıyordu.

Nihat'ın yanındaki çocukların kabadayıca feragat ve fikir kahramanlığı rolü oynadıklarını sezecek kadar zekiydi. Onlar, Ömer'e: "İdealsiz ve hodbin genç! İçinde asla inanmak ihtiyacı duymayan serseri ruhlu bir adam!" diye bakarlarken Ömer de:

"Ben sizi bilirim, civan delikanlılar. Bütün fedakârlık hamleleriniz post kapıncaya kadar sürer!" diye söyleniyordu.

Bunlardan biriyle konuşurken:

"Azizim!" diye sormuştu: "Sen tıbbiyeyi bitirince ne yapacaksın? Köye mi gideceksin?"

Öteki birdenbire boş bulunarak:

"Ne münasebet!" dedi. Sonra, pek ustaca olmayan bir ricat yaptı: "Mamafih, icap ederse giderim!"

"İcap etmesi nedir? Nasıl icap eder? Köyün doktora ihtiyacı var! Sen gitmek istersen kimse de mâni olmaz. Ne bekleyeceksin?"

Çocuğun cevap vermeye hazırlandığını görünce devam etti: "Hiçbir şey söyleme iki gözüm. İtirazlarını senden evvel ben sayıvereyim: Köylere gitmeden evvel birçok şehirlerimize bile doktor lazım!.. Köylerde, vesait noksanı yüzünden kâfi derecede faydalı olamayız!.. Bu kadar tahsili ve yurdun bizde tecelli eden** emeğini mahdut bir mıntıkada ziyan edemeyiz!.. Değil mi? Pekâlâ, ben de size hak veriyorum, öyleyse ne diye feragat makaleleri, köylüye destanlar yazıp duruyorsunuz? Bak, ben sana, senin neler istediğini sayayım: Evvela, bütün muvaffakiyetinin başı olarak büyük bir iltimas arayacaksın... İtiraz etme, bal gibi arayacaksın. Hatta, eğer son sınıflara yaklaştıysan aramaya başlamışsındır bile... Ondan sonra memleketin göz önünde bir

* Düş.
** Ortaya çıkan.

yerine tayin olunmak... İhtisas yapmak imkânlarını elde etmek... Sonra para kazanmak: Bol bol, avuç avuç, çılgınlar gibi kazanmak... Sonra güzel bir karı almak... Kafaca anlaşacağın ve ruhu ruhuna uygun bir kadın değil! Herkes gördüğü zaman 'Aman! Bakın, falancanın ne enfes karısı var!' desin yeter!.. Yalnız bu noktada idealistsiniz; ve maddi menfaatler ve rahatlar haricinde yegâne manevi zevkiniz budur: Güzel karı alıp herkese parmak ısırtmak... Sonra otomobil, apartman... Daha sonra göbek, poker vesaire... Hayatınızı gözümün önüne serilmiş gibi görüyorum, bir şey dediğim de yok, pekâlâ! Demek ki böyle icap ediyormuş, böyle olsun... Fakat bu istikbale hazırlanırken şu yaptığınız işler tarzındaki bir mukaddemeye* ne lüzum var? Yarın yaşlanınca eşe dosta: 'Gençliğimizde çok idealisttik ama, hayat insanı değiştiriyor... Şimdi realist olduk... Ah, o ateşli günler!' diyebilmek için mi? Bu kısa gevezelik devrine sırtınızı vererek bundan sonraki hayatınızın kepaze ve boş mahiyetini mazur göstereceğinizi mi ümit ediyorsunuz?"

Nihat, Ömer'in bu nevi ukalalıklarını doğru bulmadığı için onu başka taraflara çekmeye çalışıyor, ve son günlerde hep beraber geldikleri Profesör Hikmet'le dedikodu bahisleri açıyordu. Fakat Ömer, fırsat buldukça, o zavallı delikanlılara musallat olmaktan geri kalmaz, herhangi birini yakalayıp çatmaya başlardı:

"E, genç arkadaş! Sen hangi işin peşindesin? Hukukçu mu? Enfes... Şimdilik böyle gönül eğlendiriyorsun... Yarın öbür gün müddeimumi muavini** olunca İran ile, Turan ile uğraşmaya vaktin kalmaz... Köyden köye cürmümeşhuda*** gidersin... Yarım yamalak okuduğun evraka dayanarak ceza talep eder ve hayatının manasını idrak etmek için eşi dostu toplayıp bekâr odanda akşamları iki kadeh atarsın... Göreceksin, birkaç sene içinde emellerin ne kadar daralıverecek... Bu ateşli halinden eser kalmayacak... Baremde bir derece yükselmene mâni olacak kahramanlıklardan şiddetle kaçınacaksın... Her âmirin karşısında bir tek düşüncen olacak: Ne pahasına olursa olsun, kendini beğendirmek! Onun için isyankâr ruhunu şimdiden boşalt... Tam fırsattır... Ta-

* Girişe, başlangıca.
** Savcı yardımcısı.
***Suçüstü.

lebeyken istediğin profesörü cahil, istediğin hocayı aptal bulabilirsin... İstediğin gibi tenkitler yaparsın... Hiçbir zararı olmaz, bilakis arkadaşların arasında merteben yükselir... Sana açıkça cevap veremeyeceğini bildiğin kimselere küfürlerle hücum et, hain ve alçak diye yaz!.. Gençlik ateşlidir. Hareket ve heyecan ister. İstikbalini tehlikeye koymamak şartıyla coş bakalım!.."

Bir gün bu gençlerden biri ona sordu:

"Ömer Bey" dedi. "Siz adeta yaşlı bir adam gibi konuşuyorsunuz... Halbuki aşağı yukarı bizle akransınız... Aramızda ancak üç dört yaş fark var!.."

Ömer evvela verecek cevap bulamadı... Bir müddet düşündükten sonra:

"Hakkın var!" dedi. "Sizin de, benim de işimiz gevezelik... Yalnız bir farkla: Siz bir şey yaptığınızı zannediyorsunuz, ben ne yaptığımı, daha doğrusu ne yapmadığımı gayet iyi biliyorum. Sonra... ben daha çok kendi içimde yaşayan bir insanım... Bunun için size nazaran birkaç misli fazla yaşamış sayılırım."

Bu münakaşalar ve makale kıraatleri* esnasında Macide ekseriya odadan çıkmazdı. Yalnız ara sıra Profesör Hikmet Ömer'e:

"Hemşire hanım nerede? Buyurmazlar mı?" diye soruyor ve Ömer gidip karısını getiriyordu. Böyle zamanlarda Profesör lakırdıyı gayet cazip mevzulara, mesela Arap müverrihlerine** veya Selçukilerin silah kullanmalarına intikal ettirir, saatlerce tafsilat verir ve genç kadını böylece ilmine hayran ettiğini zannederdi. Son günlerde Profesör'e bir de evlenme merakı gelmişti. Talebeleri ona ikide birde kız buluveriyorlar fakat nedense iş bir türlü ciddileşemiyordu. Bazen Nihat:

"Macide Hanım, sizin konservatuvarda iyi ve güzel bir arkadaşınız yok mu?" diye sorar ve Macide hafifçe kızarıp sahi zannederek:

"Bilmem... Hiç bu gözle bakmadım!" derdi.

Profesör, hem güzel, hem tahsilli, hem de iyi aileden bir şey arıyor ve nihayetsiz ilminin kendisine bütün bu meziyetleri istemek hakkını verdiğini sanıyordu.

Macide, Ömer'le aralarında herhangi bir münakaşa olması-

* Okumalar.
** Tarihçilerine.

nı istemediği için bir türlü sesini çıkarmıyor, fakat ziyareti her güne bindiren bu dostlardan hoşlanmadığını daha fazla saklayamayacağını da hissediyordu. Gündüzleri konservatuvardan döndükten sonra evi düzeltmek, yiyecek hazırlamak, biraz da dinlenmek lazımdı. O akşamki hadiselerden sonra Ömer'le aralarında yeniden taze ve kuvvetli bir dostluk başlamıştı. Fakat henüz herhangi bir mesele halledilmiş değildi. İkisinin içinde de uzun uzun konuşmaya ve anlaşmaya ihtiyaç gösteren düğümler vardı. Adeta yeniden tanışıyormuş gibi birbirlerinin önüne sermeleri, sevgilerini tekrar birtakım esaslara istinat ettirmeleri* lazımdı. Şimdiki münasebetleri daha ziyade karşılıklı itimada dayanan bir mütarekeye benziyordu.

Uzun zaman bu halde yaşamak, vaziyeti düzeltmeyecek; iki tarafın birbirinden gene birtakım şeyleri saklamasına, sakladıkça karşısındaki için elinde olmayarak birtakım memnuniyetsizlikler beslemesine sebep olacaktı. Mesela Macide Ömer'in ahbapları işini kökünden halletmek istiyordu. Kocasının bunlara pek candan bağlı olmadığını, sırf alışkanlık yüzünden ve münasebetini kesmek için bir sebep görmediğinden onlarla düşüp kalktığını fark ediyor, fakat bir türlü açıkça her şeyi söyleyemiyordu. Saza gittikleri akşam Ömer'e birdenbire: "Kalkalım!" demesinin sebebi, bu yüksek adamların konuşmalarının tahammül edilemeyecek kadar manasızlaşması, fakat bunun yanında da, Profesör Hikmet'in gitgide yüzsüzleşen sarhoş halleriydi. Yan yana oturdukları için ikide birde Macide'ye doğru eğilerek herhangi akla hayale gelmeyecek bir şey söylüyor, bu sırada midesinin ufunetli** havası genç kadının yüzünü kaplıyor ve nefesini kesiyordu. Pek de sarhoşluk eseri olmayarak yanına sallayıverdiği elleri Macide'nin dizlerine veya bacaklarına dokunmak hususunda göze batar bir temayül gösteriyorlar ve büsbütün kızaran gözkapaklarının arasında hastalıklı bir kedininkine benzeyen gözleri, manası pek açık olan ifadelerle, Macide'nin göğsünde dolaşıyorlardı.

Bunları Ömer'e açıkça söylemek mümkündü; Ömer derhal inanacak ve bütün arkadaşlarına arkasını dönüverecekti. Vez-

* Dayandırmaları.
** Kötü kokulu.

nedar meselesinden sonra böyle bir şeyi istediği de anlaşılıyordu. Fakat daha evvel gidip Profesör'le kavga etmesi ve hadise çıkarması da mümkündü. Sonra kendisine teheyyüç veren* her vak'adan sonra Ömer'e sinirli bir dalgınlık çöküyordu. Bu hal Macide'yi korkutmaya başlamıştı. Kendisi haklı olsa, bu hakkı Ömer kabul etse bile kocasının içinde gene: "Ne diye benim ruhumun ahengini bozdun?" diyen bir taraf bulunacağını biliyordu. Ömer'in kati hareketlerden ve kararlardan kaçmak ve hoş olmayan her meseleyi olduğu gibi bırakarak el sürmemek yolundaki temayülünü öğrenmişti. Herhangi bir işe kendini vererek uğraşmak, bir meseleyi, tatlı veya acı bir neticeye bağlamak genç adamı ürkütüyor ve o, birçok şeylerin farkına varmadan yaşamayı ve nihayet hadiseler, kendilerinden kaçılamayacak kadar sıkıştırınca, ani ve şiddetli kararlar, o anda aklına gelen hareketlerle işin içinden sıyrılmayı ve her şeyi koparıp atmayı tercih ediyordu.

Genç kadın mütemadiyen düşünüyor ve herhangi bir karar veremiyordu. Bedri o hadiseden sonra ancak bir kere ve Ömer'le beraber geldi. Birkaç dakika oturduktan sonra hemen gitti. Halinden anlaşıldığına göre, ablasının ziyaretinden haberi vardı ve Macide'ye karşı kendini mücrim** hissediyordu. Bu ziyaretinde Balıkesirli bir ahbabını gördüğünü, ondan öğrendiğine nazaran annesinin Macide'yi pek merak ettiğini söyledi. Macide:

"Evet... çok fena ettim. Üç aydır mektup yazmadım!" dedi. Fakat ne yazabilirdi? Vaziyetinin Balıkesir'e karşı izah edilmesi hayli müşkül, hatta imkânsızdı. Şu nikâh işi bitse belki biraz daha kolaylaşacaktı. Bir taraftan da, eniştesinin ve ablasının birtakım manasız hareketlere kalkmalarından, hatta polise filan müracaat etmelerinden korkuyordu. Fakat Ömer'in soyu, şimdi tamamen dağılmış ve fakirleşmiş bulunmasına rağmen, hâlâ Balıkesir'in muteber eşraf ailelerinden sayılırdı. Onların gelini olmak, birçok şeyleri tekrar düzeltecekti.

Bu sıralarda hadiseler gene süratle birbirini kovaladı ve Macide'nin hayatı yirmi dört saat içinde büsbütün başka istikametler alıverdi.

* Heyecan veren.
** Suçlu.

XXII

Profesör Hikmet başta olmak üzere Nihat ve maiyetlerindeki gençler bir akşam Ömer'i ve karısını bir hayır cemiyetinin müsameresine götürdüler. Ömer o gün adamakıllı yorgundu. (Parası olmadığı için Taksim'den Sirkeci'ye kadar yayan gidip gelmiş ve öğle yemeği yememişti.) Bu yüzden pek gönlü yoktu. Macide'nin de gitmek istemeyeceğini tahmin ediyordu. Evvela teklifi kabul etmedi. Fakat Profesör Hikmet:

"Hanım kızımız görmek isterler... Gençlerin uğraşıp yaptıkları bir şey... Müzik var... Piyes var... Çocuklar çalıştılar, bir teşvik olur... Biz zaten elimizden gelen yardımı yapıyoruz, siz bir ziyaret edip gayret vermekten kaçmayın!" dedi. Ömer bir aralık ağzından o gün yayan yürüdüğünü ve parasız olduğunu kaçırdı. Hikmet hemen elini cebine atarak iki lira çıkardı, "Ne diye bana derdini açmazsın! Sana kaç defa söyledim!" diye azarlayarak Ömer'e verdi. Nihat da:

"Daha lazımsa ben de vereyim!" dedi.

Ömer bu söz üzerine tüylerinin ürperdiğini hissetti. Nihat'ın kendisine veznedarın parasını teklif ettiğini zannederek ona kin dolu bir bakış fırlattı. Fakat Nihat hiç aldırmadan:

"Haydi, uzun etme, gidelim!" dedi.

Hep beraber çıktılar ve tramvayla Şehzadebaşı'na kadar geldiler. Bu sokaklarda Macide'yi garip bir korku sardı. Emine teyzelere sapan yolun önünden geçerken bütün gayretine rağmen başını o tarafa çevirmekten kendini alamadı ve iki katlı ahşap evin hiçbir penceresinde ışık yanmadığını gördü.

"Herhalde sofadalar, yemek yiyorlardır!" dedi.

Eski bir konak bahçesinden geçtiler. Kocaman binanın sofası süslenmiş, arka arkaya dizilen iskemleler ve battaniye perdelerin ayırdığı bir sahne ile müsamere salonu haline getirilmişti.

Ortada kimseler görünmediği için Ömer:

"Erken geldik galiba!" dedi.

Profesör Hikmet:

"Öyle!" dedi. "Mamafih reisin odasına bir bakalım. Belki eşten dosttan gelenler vardır... Çene çalarız!.."

Oldukça büyük bir odaya girdiler. Burası hakikaten doluydu. Macide cıgara dumanları arasında hayalleşen on beş yirmi kadar insan gördü. Birçoğunun, saza gittikleri akşam tanıştığı kimseler olduğunu fark etti. Karşıdaki büyükçe bir yazı masasının arkasında beyaz ve kıvırcık saçları arkaya taranmış, orta yaşlı, biraz uzun ve at suratlı bir zat vardı. Bu cemiyetin reisi olduğu anlaşılıyordu. Yeni gelenler içeri girdikleri sırada hararetli bir konuşma başlamıştı. Reisin yanındaki eski usul vişneçürüğü maroken koltukta yaşlı ve yuvarlak yüzlü, minimini gözlü ve seyrek saçlı bir adam sağ elini muntazam fasılalarla kaldırarak nasihat veya emir verir gibi bir şeyler anlatıyordu. Ömer hemen karısına dönerek:

"Eski ve meşhur adamlardandır. Çok büyük memuriyetlerde bulunmuştur. Şimdi mütekait*, fakat fikirlerinden herkesi istifade ettirmek ihtirasını muhafaza ediyor. Dikkat et, çok yaman laflar eder!" dedi.

Gelenler birer iskemle bulup iliştikten sonra konuşan zat tekrar söze başladı. Uzun uzun birçok şeylere temas etti. Asıl neyi kastettiği pek anlaşılmıyor, İstanbul'un sokaklarını tamirden Avrupa'ya giden talebenin barlarda gezmesine; köylüye traktör verilmesinden Almanya'ya olan tütün satışına kadar her mevzua uğruyordu. Bir aralık, memleketi idare için mümtaz bir zümrenin vücuduna lüzum gördüğünden ve bu zümreyi alelade yoldan elde etmek güç bulunduğu için her mektepten sınıf başıları toplayıp ayrı bir rejim altında ve ayrı bir tahsil ile yetiştirmek mümkün olacağından bahsetti. Her fikrini takviye için kendi hayatından ve pek zengin olduğu anlaşılan mazideki icraatından misaller getiriyordu.

Bir köşede cıgara içip etrafı süzen muharrir İsmet Şerif, mütemadiyen konuşan mühim adamın nefes almak için yaptığı bir fasılayı yakalayarak söze başladı ve kendisi de aynı akıbete uğramamak için kelimeler ve cümleler arasında ufak bir boşluk bile bırakmadan anlatmaya koyuldu. Aynen kendinden evvel konuşan zat gibi bin bir mevzua atlıyor, fakat daha karanlık bir lisan ve daha göz boyayıcı kelimeler kullanıyordu. Sonra misallerini de mazideki icraatından değil, yazdığı eserlerden almayı tercih ediyordu.

* Emekli.

Macide bu sırada Bedri'nin de içeri girdiğini gördü. Ömer hemen eliyle işaret ederek arkadaşını yanına çağırdı:

"Gel, beraber oturalım!" dedi. "Bizim İsmet Şerif bütün başından geçenlere rağmen akıllanmamış, boyuna ukalalık edip duruyor. Şimdi bir laf atıp kızdıracağım!"

Bu sırada büyük muharrir:

"İçtimai bünyemizin teşekkülünde mühim âmil olan bu donelerin kütle psikolojisi üzerinde de maşeri tefekkürün tekevvününde nasıl bir seyir ile müessir olduklarını romanlarımda uzun uzadıya teşrih etmiştim!"* diyordu.

Ömer hayretle sordu:

"Üstat sizin romanlarınız da var mı?"

İsmet Şerif hiç beklemediği bu cehalet tezahürü karşısında:

"Okuma yazma bilenlere sorun!" demekle iktifa etti.

"Ben sizin ara sıra makalelerinizi görüyorum, fakat romanınız olduğunun farkında değilim... Herhalde okunmuyor!.."

Şair Emin Kâmil, arkadaşı İsmet Şerif'e yapılan bu hücumdan memnun olduğunu belli edecek kadar mütebessim bir yüzle onu müdafaaya kalktı:

"Aman, dostum, 'Yara' romanı, pek rağbet görmemiş de olsa, edebiyat tarihimize girmiştir!"

"Yara", İsmet Şerif'in hakikaten en çok ismi zikredilen eseriydi ve aşağı yukarı, kendisine çocukluğunu ve gençliğinin bir kısmını zehir eden ve onu daimi şekilde sakat bırakan boynundaki yaranın hikâyesiydi. Ömer, insafsız bir kararla hücumunun arkasını bırakmadı.

"Yapma, canım!" dedi. 'Yara' romanı hakikaten fena değildi... Bak, şimdi aklıma geliyor... Bir zamanlar ben de okumuştum... Lakin hep beraber düşünelim: Bu roman bir adamı edip ve romancı yapmaya kâfi midir? Bir insan ki, ömrünün sekiz, on senesini feci bir derdin pençesinde, bütün hisleri ve düşünceleri bu derde bağlı olarak geçirmiştir eli de, ekmek parası için sürü sürü yazı yazmak sayesinde, iki lafı yan yana getirmeye müsaittir; artık ömrünün bu en büyük ve belki yegâne hadisesi-

* "Toplumsal yapımızın biçimlenişinde önemli bir etken olan bu verilerin kütle psikolojisi ve toplumsal bilincin oluşumunda nasıl bir gelişimle etkili olduklarını romanlarımda uzun uzadıya irdelemiştim."

ni biraz alaka ve birçok merhamet çekecek kadar kaleme alamaz mı? 'Yara' romanı doğru dürüst hurufatla* basılsa, altmış yetmiş sayfa ancak tutar... Herkesin itiraf edeceği şekilde, tekniği de oldukça bozuktur. Büyük eser, sanat muvaffakıyeti dediğiniz bu mu? Şu halimde ben İsmet Şerif'in çektiğini çeksem, böyle bir fasıllık bir roman kıvırırım... Bence sanatkâr, kendinden başkalarına vermeye başladığı zaman sanatkâr olur!.."

İsmet Şerif'in eğri boynu omuzlarının üzerinde kıpkırmızı kesildi. Titreyerek bağırdı:

"Ömründe üç satır yazı yazmamış bir herifin mütalaaları** daha başka türlü olamaz... Sokakta ayakkabı boyayan bir çocuğun işine müdahaleyi salahiyetimiz dışında sayarız, halbuki biz sanatkârların işine burnumuzu sokmayı en tabii hakkımız addederiz... Çizmeden yukarı çıkmak bizim yarı münevverlerin en bariz vasfıdır!.."

Ömer güldü:

"Boyacının meslek ve usullerine karışmam, yalnız pabucumu fena boyarsa bunu anlamaya gözüm müsaittir, itiraza da hakkım vardır. Eğer sanatkârlar eserleri hakkında söz söylemek salahiyetini yalnız meslektaşlarına verecek olurlarsa gene kendileri ziyan ederler, çünkü onlar birbirlerine karşı bizim kadar da insaflı değillerdir!"

Birkaç kişi güldü. Emin Kâmil, İsmet Şerif'i tekrar müdafaa etmek için söze başlamış gibi yaparak lafı değiştirdi, evvela hiç kimse onun ne söylediğini anlayamadı. Fakat yavaş yavaş, yeni daldığı İslam tasavvufundan bahsettiği meydana çıktı. Genç şair bir sene gibi az bir zamanda Buda'yı, Laotse'yi deneyip bırakmış, nihayet Muhiddînî Arabî ve Hallacı Mansur'da karar kılmıştı. Yeni öğrendiği ve yanlış telaffuz ettiği Arapça ibareler söylüyor, münasebetli münasebetsiz beyitler okuyor;

Mansur enelhak söyledi
Haktır Sözü, Hak söyledi

* Kitap basımında kullanılan, küçük ya da büyük, çeşitli puntolardaki harfler.
** Görüşleri.

dedikten sonra bu hikmetin nasıl tefsir edildiğini* görmek için gözlerini kırpıştırarak etrafına bakıyordu.

Masanın başında oturan ak saçlı reis:

"Emin Kâmil, bir şiir okusana" diye tutturdu.

Genç şaire ve onun alaka verici istihalelerine** hayran olan birkaç kişi daha ısrar ettiler. Herkes sustu ve şair yerinden kalkmadan, derin ve oldukça tatlı bir sesle uzun bir şiir okumaya başladı.

Bu manzumede, Türkçede mevcut bütün korkunç kelime ve mevhumlar bir araya toplanmış gibiydi. Böylece tüyleri ürperten bir tesir elde edilmek istendiği anlaşılıyordu. Kızılca kıyametlerden, gaiplerden gelen seslerden, Arap bacılardan, kanlı şafaklardan, ateşlerden, zehirlerden, vehimlerden ve bir yerinde de, Wilhelm Tell gibi elmaya ok atan bir adamdan bahsediliyordu. Fakat bu ok ateşten ve bu elma ruhtandı.

Şiir bitince herkes bir müddet sustu. Şiirin anlaşılmaz mahiyeti ve dinleyenlerin kendilerine yaptıkları telkin aydınlık aklın üzerine bulut gibi çökmüştü ve dağılmak için zamana muhtaçtı.

Nihayet cemiyet reisi, ilk söz ve hüküm hakkının kendinde olması icap ettiğini hatırlayarak:

"Fevkalade... İşte şiir budur!.. Tebrik ederim!" dedi.

Sonra, hiç olmazsa küçük bir tenkitte bulunmanın, bu işlerden anladığını ispat için yegâne vasıta olduğunu düşünerek ilave etti:

"Yalnız... Bir mısraı iyice anlayamadım. Hayal bana biraz... Nasıl söyleyeyim, biraz şiddetli göründü... Bilmem arkadaşlar nasıl buldular, şu mısra:

Tükürdüm gözlerimi ağzımdan boncuk gibi

Derhal hararetli bir münakaşa başladı. Bu bir tek satır üzerinde herkes fikrini söylüyor; şair, eserinin tefsirine çalışan bu basit kalabalığa merhamet dolu gözlerle, fakat tenkitler karşısında sinirlendiğini de saklamayarak, bakıyordu.

Bu sırada Bedri Ömer'e doğru sokuldu:

"Şiiri sen nasıl buldun?" dedi.

* Yorumlandığını.

** Değişimlerine.

"Bilmem... Bir şey anlamadım... Fakat fena değil gibi... İnsanın üzerinde garip bir tesir yapıyor!.."

Bedri hazin bir gülümseme ile başını salladı:

"İşte Emin Kâmil'in istediği de bu!.. Bir şey anlaşılmadan garip bir tesir yapmak... Ne kadar basit insanlarız... Doğru dürüst oturup düşünürsek bu manzumenin dünyada yazılabilecek en basit hokkabazlıklardan, yavelerden* biri olduğunu eminim ki teslim ederiz. Hiçbir derin ve kuvvetli hisse, hiçbir büyük ve insanı sarsan fikre dayanmadan, sırf göz boyamak, esrarlı görünmek için yazılan bu beş on satırda, bir talebede bile mazur göremeyeceğimiz aleladelikler var... Yalnız şair, bizim ne mal olduğumuzu bildiği için, birkaç ucuz ve basit vasıtaya müracaat etmiş: Bunlardan birincisi, tesirli olduğunu şimdiye kadar daima ispat eden, mistik havadır. Cahil ve dalavereci bir yobazın kendini muhite yutturmak için müracaat ettiği esrarlı ve muammalı birkaç formül, birkaç dini teşbih, bir iki karanlık ifade bugün bile derhal aydınlık düşünceleri bulandırıyor. Kendilerinde bir şeyler bulunduğunu vehmeden bütün âcizlerin hiç şaşmadan bu basit çareye: Karanlık ve karışık olmak suretiyle derin ve manalı görünmek hilesine başvurduklarını unutuyoruz. Sonra Emin Kâmil kendini bize enteresan göstermeye, ikide birde değiştirdiği birbirinden yaman kanaatlar ve imanlar ile gözümüzde büyülü bir perde yaratmaya da muvaffak olmuş. Birçok halleri, başkalarında bizi derhal güldürmeye kâfi gelecek olan saçmalıkları, etrafına hürmetsizlikten ve saygısızlıktan doğan patavatsızlıkları ve küstahlıkları bize büyük bir şahsiyetin ifadeleriymiş gibi geliyor. Hakikaten şahsiyet sahibi olan bir adamda bulunması lazım olan sarsılmaz iç muvazenesinin, insanlığa ve bittabi insanlara, onları kör, aptal yerine koymayacak kadar kuvvetli bir hürmetin, onda mevcut olmadığını fark etmiyoruz. Bak, 'Tükürdüm gözlerimi ağzımdan boncuk gibi' mısraı üzerinde, hepsi de ahmak olmayan şu bir sürü insan, ciddi ciddi münakaşa ediyor ve bu şair, kendi büyüklüğüne kendi de inanarak, minnettar gözlerle onlara bakıyor. Halbuki yüzüne dikkat etsen, ruhunun iç taraflarında nasıl külçe halinde bir yalanın saklı olduğunu görürsün. En korkunç yalan da budur: Kendimize karşı bile kullanacak kadar pençesine düş-

* Boş söz.

tüğümüz bu derin ve gizli yalan... Onu içinde yaşadığı cemiyet üzerinde düşünmekten alıkoyan, Budizme götüren, Çin felsefesine saptıran, tasavvufa daldıran hep bu ruhundaki büyük yalandır. Kâinatın alelade seyri ile, maddi şeylerle hiç alakası yokmuş gibi görünen zekâsı, zengin babasından para koparmak için öyle kurnazca, öyle esnafça hileler bulur ki, bir sene düşünsen akıl edemezsin... İhtiyar ve zengin babası da oğlunun dehasına inanmıştır. Buna rağmen para işlerinde titiz davranmak ister. Ve Emin Kâmil yeni bir vurgun vurmak için ya 'Avrupa'ya bir kongreye davet edildim!' yahut da 'Yeni bir mecmua çıkaracağım... Dünya parmak ısıracak!' gibi şeyler uydurur. Sahte üdebayı* evine götürüp kendini babasının yanında göklere çıkartır; mevhum Avrupa tabilerinden,** babasının anlamadığı bir dilde yazılmış, içi takdir ve hayranlık cümleleriyle dolu teklif mektupları alır. Sonra, bu kadar ustalıklı tiyatrolar tertip eden adam, çiftliğinde yalınayak dolaştı diye, dâhi olduğuna, büyük şair, uçsuz bucaksız mütefekkir*** olduğuna bizi inandırır... İnsanların en zayıf tarafları, sormadan, araştırmadan, düşünmeden, kafalarını patlatmadan inanmak hususundaki hayret verici temayülleridir. Dünyadaki yalancı peygamberleri yetiştirmek ve beslemek için en iyi gübre, işte bu bilmeden inanmak için çırpınan kalabalıktır."

Bedri bu sözleri yavaş bir sesle, tane tane ve hiç heyecanlanmadan söylemişti. Kendisini Ömer'le Macide'den başka işiten yoktu. Fakat bu ikisi etraflarında hâlâ devam eden münakaşayı tamamen unutmuşlardı. Bedri'nin bu kadar uzun, bu kadar kendini vererek konuşacağını hiç tahmin etmiyorlardı. Ömer arkadaşının, sessiz sedasız durmasına mukabil, birçok şeyler düşünüp kuran bir adam olduğunu yeni anlıyordu.

Bu sırada Emin Kâmil münakaşası çoktan bitmiş, Nihat söze başlayarak, insanların kuvvetli ve zayıf, ahmak ve akıllı olarak tasnif edilmeleri ve buna göre bir cemiyet kurulması hakkındaki malum fikirlerini izaha koyulmuştu. Etrafta gene birçok tasdik ve iştirak alametleri vardı. Kuvvetliye ve akıllıya imtiyaz verileceğini düşünen herkes, mavi boncuğu kendisinde bilerek veya

* Yazarları, edebiyatçıları.
** Uydurulmuş, düşsel Avrupa yayıncılarından.
***Düşünür.

böyle görünmek isteyerek, bu fikirleri pek doğru buluyordu. Bu akşam söz söylemek ihtiyacında olduğu anlaşılan Bedri tekrar Ömer'e dönerek:

"Gayet acayip bir fikir daha!" dedi. "Nihat'ın sözlerine dikkat et! Neredeyse bir kuvvet dini icat edip ona tapacak... En hararetli taraftarları da etrafındaki aptal çocukları bir yana bırakırsak, İsmet Şerif'le Profesör Hikmet... Her üçünün müşterek bir vasfı var: Her biri, hilkatin* birer tokadını yiyerek, hayatta birer cihetten zayıf ve âciz kalmış insanlar. Nihat'ın illetlerini bilirsin. Zaten bir yüzüne bakmak da kâfi... Sıska vücudu, incecik kolları ve sinirden başka bir şey bulunmayan suratı ile bir palyaço kadar biçare bir mahluk... İki günde bir ya böbreklerinden, ya ciğerlerinden hastalanır, evi eczane gibi... İsmet Şerif ise, görüyorsun, boynundaki arıza yüzünden ömrü ve maneviyatı harap olmuş, vücudu kavruk kalmış ve içinde boyuna inkisarlar** biriktirmiş biri. Ağzını açtığı veya kalemini eline aldığı zaman ancak senelerin topladığı zehiri dökebiliyor. Profesör Hikmet de, taibatın kendisine lüzumundan fazla miktarda verdiği ihtirasları köreltmek için en ufak bir meziyete bile sahip olmayan, hayatı kadın düşüncesiyle geçerken yüzü her kadında, hatta parayla gittiği yerlerde bile, istikrah*** uyandıran bir zavallı. Görüyorsun ki hepsi hayata birer miktar kin borçlu. Hepsi çocukluklarından beri mahrum oldukları kuvvete hasret çekerek ve kendilerini yiyerek bu hale gelmişler. Hakikaten kuvvet sahibi olanlara haset ve imkânsızlıkla baka baka nihayet kuvveti en büyük, en tapılmaya layık bir mevcudiyet olarak kabul etmişler... Şimdi öyle bir nazariye yapıyorlar ki, anası âciz ve mahrumiyet... Bu gibi fikirleri doğuranlar, daima, ezilmeye, yok olmaya mahkûm olduklarını hisseden zümrelerdir. Bağırırlar, çağırırlar, ellerine fırsat geçerse suni olarak sahip oldukları bu iktidarı en vahşi bir şekilde kullanmaya kalkarlar; fakat nihayet hayatın ebedi kanunlarının pençesi altında çiğnenir ve mahvolurlar..."

Bu sırada, herkesin yerinden kalkıp salona geçişinden müsamerenin başlamak üzere olduğunu anladılar. Bedri sözünü keserek:

* Yaradılışın.
** Düş kırıklıkları.
***İğrenme, tiksinti.

"Hadi, gidelim ve seyredelim!" dedi.

Ömer ve Macide onun sözlerinin tesiri altında idiler. Bilhassa Ömer, belki hayatında ilk defa olarak, ciddi bir mesele üzerinde konuşulan lafları alaya almak ihtiyacını duymuyor, ezeli şüphelerini harekete geçirmeye sebep görmüyordu.

XXIII

Küçük salonun bütün iskemleleri dolmuştu. Kız ve erkek lise talebeleri, cemiyet mensuplarının akrabaları, dârülfünunlu kızlar ve erkekler gürültülü konuşmalarla yerleşiyorlardı. Reisin odasından çıkanlar, kendilerine ön sıralarda teklif edilen yerleri, evvelce oturmuş bulunanları kaldırmamak için, kabul etmeyerek arka taraflara geçtiler. Birkaç gayretli genç muhtelif odalardan muhtelif koltuk ve iskemleler sürükleyip getirdi.

Cemiyetin amatörlerden mürekkep altı kişilik orkestrası İstiklal Marşı'nı çalmaya başladı. Herkes ayağa kalkarak dinledi.

Bundan sonra ak saçlı reis, battaniye perdelerin sol tarafına konan muvakkat* bir kürsüye geçti. Hiçbir zaman unutulmayan sürahi ile kristal bardağı yana iterek cemiyetin bir senelik çalışması hakkında uzun bir konferansa başladı.

Bu konferans esnasında, bir yenilik olarak, projeksiyon da gösterilecekti. İki genç battaniyeleri kenara çektiler. Arkada buruşuk bir beyaz perde göründü. Seyircilerin gerisindeki makineyi işletmeye çalışan gençler bir türlü işlerini bitirip başlayamıyorlardı. Reis resim yeri geldi diye sözünü kesmiş, kenara çekilmişti. Bir işgüzar elektrikleri söndürdüğü için her tarafta hafif bir mırıltı belirdi. Makinenin başındakiler de, evvela alçak sesle münakaşa ederken, nihayet birbirlerini azarlamaya, "Şurdan tut! Burayı gevşet!" gibi sert emirlere başladılar. Önde oturan birkaç kişi onlara yardıma gitti. Müdür bile dayanamayarak kürsüsünden ayrıldı ve bir türlü işletilemeyen alete doğru yürüdü. Bu sırada, şurasından burasından beyaz ve parlak ışıklar fırlayan si-

* Geçici.

yah ve iri makine, sükûnetini kaybetmeden ameliyatın neticesini bekliyordu. Ara sıra karşıdaki beyaz perdede dağınık hayaller beliriyor, iri insan parmakları görünüp kayboluyor ve soluk bir ışık hoplaya hoplaya battaniyeleri ve kürsüyü dolaşıyordu.

Nihayet bu dağınık hayallerden biri yavaş yavaş sükûnet buldu, açıldı. Fotoğraf aldırmak için dizilmiş olan bir grup çocuk ile bunların önünde iskemlelere oturmuş, ellerine ve ayaklarına ne şekil vereceklerini bir türlü tayin edemedikleri için acayip vaziyetler almış beş altı yetişkin adam hazır bulunanların yüzüne güldü. Ortada oturanın reis olduğu görülüyordu. Kendisi, nereden çıkardığı anlaşılmayan uzun bir sırıkla perdeyi işaret ederek:

"Cemiyetimizin giydirdiği çocuklar!" dedi.

Ömer, Macide, Bedri yan yana oturmuşlardı. Arkalarından muharrir İsmet Şerif'in sesi, fısıltı halinde:

"Çocuk elbiseleri her sene aynıdır... Bayramlarda giydirip sonra saklarlar, ertesi bayram başkalarına giydirir ve bir resim daha çektirirler!" dedi.

Ömer hayretle sordu:

"Sahi mi?"

"Bilmem... Herhalde öyle olacak!"

Bedri arkadaşına eğilerek:

"Atıyor... Tenkit etmek, aklınca espri yapmak istiyor..." dedi.

Ömer kendi kendine:

"Münasebetsizlik!" diye mırıldandı.

Yeni resimler ve yeni manzaralar gösteriliyor ve reis, uzun sopasıyla izah ediyordu:

"Cemiyetimizin bahar balosunu şereflendirenler!.. Cemiyetimize kırk lira teberru eden Ahmet Bey... Şimdi grafikleri göreceksiniz... Yurdumuzu bir senede ziyaret edenler... Rakamlar geçen senelerle mukayeselidir... Karınlarını doyurduğumuz fakir çocuk adedi... Hepsine öğleleri sıcak yemek verilmiştir..."

Konferansın sonlarına doğru, bilhassa grafikler kısmında, herkes yanındakiyle muhabbete daldığı için, hafif bir uğultu başlamıştı. Müdür sözünü bitirir bitirmez elektrikler yandı ve seyirciler gözlerini ovuşturmaya başladı.

Daktilo ile yazılıp çoğaltılan programa nazaran şimdi bir

monolog vardı. Kısa boylu, dişlek, çökük burunlu ve yüzünden zekâdan başka her şey akan bir delikanlı, gayet pişkin bir tavırla battaniyelerin önüne çıktı. Etrafını daima güldürmeye alışmış bir aptalın emniyetiyle ve pek laubali bir tarzda seyircileri selamladı ve peltek bir şive ile monoloğuna başladı.

Bir mesire yerinde ve bittabi eski zamanlarda, muhtelif milletlere mensup insanların kozhelvacı, şerbetçi veya arabacı gibi esnafla olan pazarlık ve münakaşalarını anlatıyordu. Evvela Arnavut'la işe başladı, gayet acemice bir taklit ile, mizah gazetelerinden kapma birkaç cümle söyledi, ondan sonra gelen tipler: Arap, Laz, Çerkez, Yahudi, Ermeni, Rum, Kürt, hepsi Arnavut'un ilk söylediği cümleyi, birbirlerinden daha acemice taklitler ile tekrar ettiler. Salondakilerin en basitinde ve en iyi niyetlisinde bile tahammül edecek hal kalmadı ve komik delikanlı alkışlar arasında battaniyelerin önünden çekildi.

Muharrir İsmet Şerif, bütün monoloğun devamınca, sahnedekinin nüktelerine pek benzeyen sözleri Macide'nin kulağının dibinde mırıldanmış durmuştu. Macide bir aralık kendi kendine:

"Ben bu adamla bir kere mi ne görüştüm. Biraz evvel de Ömer'le çatıştılar! Bu ahbaplık nereden geliyor acaba?" diye sordu.

Zaten bu yüksek fikir muhiti onun üzerinde pek de iyi bir tesir bırakmış değildi. Ömer'le beraber yaşamaya başladıkları ilk günden beri bu meşhur ve kıymetli adamlarda büyük ve fevkalade taraflar, o zamana kadar kimsede görmediği meziyetler arıyor, buna mukabil onların herkesten ayrı olan yegâne hususiyetlerinin, herkesin riayet ettiği birtakım kaideleri keyiflerince çiğnemekten ibaret bulunduğunu görüyordu. Bu o kadar büyük bir şey miydi? Konuşan arkadaşını dinlememek, terslemek ve alaya almak, sazlı bir bahçede ayaklarını karşısındaki iskemleye dayamak, bağıra bağıra konuşmak, ara sıra etrafındakilere hakaret etmek ve onları küçük görmek pek mi fevkalade bir kabiliyet eseriydi? Aylardan beri hepsi birbirinden aptal ve istidatsız olduğuna dair deliller getirmekten ve hepsi kendi fikirlerinin doğruluğunu ispattan başka bir şey yapmamışlardı. Macide kendini ne kadar zorlasa, kafasında en ufak bir iz bırakmış bir fikir bile hatırlamaya muktedir olamıyor, sadece falancanın filancayla kavgası, şunun bununla münakaşası hakkında duydukları ve gördükleri aklına geliyordu. Şimdiye kadar tanıdığı kimselere nazaran bunların bir farkları da, insana daha cesaretle, hatta daha küstahlıkla ve ölçüp biçer gibi bakmaları ve gözlerinde parlayan istek kıvılcımlarını saklamaya asla lüzum görmemeleriydi ve Macide bunun büyük adamlıkla alakasını bir türlü bulamıyordu. Mesela önlerindeki sırada oturan ve bir zamanlar sazlı bahçede ziyafet vermiş olan muharrir Hüseyin Bey, yanında oturduğu zayıf ve gözlüklü kıza, böyle bir yerde hiç de münasip olmayan tavırlarla sokuluyor, onunla konuşurken, hemen üstüne atılacakmış gibi burun delikleri büyüyüp gözleri mahmurlaşarak bakıyor ve münevver genç hanımın gayet ehemmiyetle söylediği şeyleri dinleyeceği yerde gerdanını ve dudaklarını süzüyordu.

Emin Kâmil de yanına bu çeşitten bir kız almıştı. İlk anlarda konuşmalarına mevzu olan ilmî bahis yerini alelade bir dedikoduya bırakmıştı. Bir hafta evvel yapılan bir Boğaziçi gezmesindeki kepazelikleri tekrarlayarak gülüşüyorlardı. Ve genç şair, bu gezintiden pek de masum dönmediği anlaşılan genç kıza, biraz evvel okuduğu şeylere hiç de benzemeyen dünyevî bir eda ile, kinayeli şeyler söylüyor ve kız, koltuk altları gıdıklanmış gibi cilvelerle fıkırdıyordu.

Bu sırada, yanlara çekilen battaniye perdelerin ortasında, gözleri yaşartan bir facia oynanıyordu. İstidatsız bir heveskâr tarafından yazılan üç perdelik ve korkunç bir piyes, istidatsız ve bilgisiz heveskârlar tarafından temsil ediliyordu. İçlerinden birkaçına istidatsız demek belki biraz haksızlık olurdu. Çünkü kendilerini tam manasıyla vererek, oraya toplanan insanlara müessir olmak, bir şeyler göstermek istedikleri belliydi. Fakat ölçülemeyecek kadar büyük bir bilgisizlik, görgüsüzlük, kötü numuneleri taklit etmek zarureti, ortaya koydukları eseri acınacak bir hale sokuyordu. Kimisi burnundan konuşarak daha büyük bir sanatkâr olmaya çalışıyor, kimisi seyircilere dönüp avaz avaz bağırırsa daha tesirli olacağını sanıyordu. Beyaz bir karyolada açlıktan ve veremden harap bir halde yatan delikanlı ise, mütemadiyen midesi bulanıyormuş gibi yüzünü buruşturup yutkunuyor ve bu mimiklerin seyirciler üzerindeki intibaını görmek için de, kendi sözü olmadığı zamanlarda, gözlerini büzerek alacakaranlığa doğru bakıyordu. Bu hastanın annesi olarak sahneye çıkan kadın, bütün makyajına, uzun yeldirmesine ve beyaz başörtüsüne rağmen, yaşlı bir anne değil, ince, şımarık sesli bir kızcağızdı. Piyesin en sonunda, ölü oğlunun yatağına kapanırken çıkardığı ve yarı yerde yırtılıp çatallaşan feryat, seyirciler arasında az daha umumi bir kahkaha koparacaktı.

Buna rağmen alkışlar asla kuvvetsiz değildi.

Macide tekrar sıkılmaya başlamıştı. Hem etrafındakilere, hem sahnedekilere sinirleniyordu. Ömer'e gitmeyi teklif edecekti. Fakat onun da sınıf arkadaşlarından bir kızla konuşmaya başladığını gördü ve sesini çıkarmadı. Bu sırada cemiyetin altı kişilik orkestrası ortaya çıktı. Macide neler çalacaklarını ve nasıl çalacaklarını merak ederken kulakları yırtan bir sesle mevsim modalarından bir dans havasının başladığını gördü ve bütün vücudunu bir titreme kapladı. Güftesi ile bestesi rezillikte birbirine taş çıkaran bu parçayı, orkestra sanatkârları aslında olduğundan daha feci bir hale sokmak için bütün gayretlerini sarf ediyorlardı. Hepsinin yanlış ve birbirine uymadan çaldığı yetmiyormuş gibi, Beyoğlu barlarındaki hokkabazlıkları da tekrara kalkıyorlardı. Birisi davula vururken tokmağa taklak attırmak istiyor, öteki mukavva bir boruyla İngiliz şivesiyle "Gel yanıma, gel canıma, gel kanıma!" diye bağırıyor ve fevkalade yapmacık bir gülümseme ile kırıtarak seyircilere aşinalık ediyordu.

Müzik (!) bitince Macide geniş bir nefes aldı. Ayağını sıkan bir kundurayı çıkarmış gibi oldu. Ömer'in, arkadaşıyla olan mükâlemesini* keserek:

"Sonuna kadar kalacak mıyız?" dedi.

Bu sualine Ömer'den evvel İsmet Şerif şu cevabı verdi:

"Aman hanımefendi, bu kadar erken kaçılır mı?.. Evde bekleyenleriniz yok... Pek nefis şeyler değil ama, çocukları mazur görmeli... Hepsi amatör... Bir şeyler yapmak istiyorlar..."

O bunları söylerken Macide kendi kendine: "Allah Allah!" diyordu. "Demin, arkamda dır dır söylenen ve insafsızca nükteler yapan kendisi değil miydi?"

Bu anda Profesör Hikmet Ömer'e döndü:

* Konuşmasını.

"Bak aklıma geldi. Hazır buradayken Macide Hanım kızımız da bir şeyler çalsın! Böyle yüksek bir müzisyeni her zaman bulamayız!.." dedi.

Macide dehşet içinde kocasının koluna yapışarak mırıldandı:

"Çıldırdın mı? Ben böyle yerlerde bir şey çalabilir miyim!.."

Ömer gülerek:

"Ben teklif etmedim yahu! Neden çıldırayım... Hikmet'e söyle" dedi.

Bu münakaşayı duyan cemiyet reisi de gelmişti. Israra iştirak etti; fakat Macide'nin nasıl kati olarak reddettiğini görünce vazgeçti. Bu sırada ön taraflarda oturanlardan birkaçı başka bir zavallı bulup yakasına sarılmışlardı. Uzun, beyaz sakallı, mevsimin yaz olmasına rağmen pardösülü bir zata hararetle bir şeyler teklif ediyorlardı. Profesör Hikmet:

"Eski şeyhlerden Ali Haydar Bey!" diye Macide'ye izahat verdi: "Bakın, siz çalmadınız ama ona çaldıracaklar... Fevkalade güzel ney üfler!"

Herkesin tanıdığı ve bu civarda oturduğu anlaşılan ihtiyarı adeta zorla sahneye götürdüler. Altına bir iskemle sürdüler. Adamcağız, ince ve beyaz dudaklarında hazin bir gülümseme ile, deve tüyü rengindeki pardösüsünün iç tarafına asılı duran nısfiyeyi torbasından çıkardı. Birkaç kere parmaklarını gerip perdeler üzerinde oynattıktan sonra çalmaya başladı.

Macide bütün dikkatini ona vermişti. İlk çıkardığı sesten itibaren gözlerini kapayan eski şeyh, etrafının hiç farkında olmadan, büsbütün başka bir dünyaya çekilerek çalıyordu. Gözlerini açıp bir bakınsa, şimdi içinde bulunduğu muhitle nasıl her türlü alakasının kesilmiş olduğunu derhal görürdü. Biraz evvel kendisini zorla sahneye itenler de dahil olduğu halde, kimsenin ona kulak verdiği yoktu. Bir kısmı canı sıkılmış bir tavırla oturduğu yerde kıpırdanıyor ve iskemleyi gıcırdatıyordu, bir kısmı da eski usul üzere civarındakilerle konuşup şakalaşıyordu. Macide ihtiyarın çaldıklarını tam manasıyla anlayamadığı halde, onu dinlemekten garip bir zevk duyuyor, pek alışık olmadığı bu sesler kulağına hiç de fena gelmiyordu. Yalnız, biraz evvelki müzik maskaralığından sonra ve böyle bir dinleyici kütlesi karşısında onun ak sakallarını kımıldatarak ve buruşuk dudaklarını nısfiyenin siyah başpâresinde titreterek kendini unutması acınacak bir manzara idi. Bu adam, kim olursa olsun, ister bir kıymeti bulunsun ister bulunmasın, yaptığı işi, kendini vererek ve ciddi olarak yapıyordu. Hiçbir işi ciddiye almayan ve her şeyi sadece gösteriş olarak yapan bir kalabalığın ortasında bütün mevcudiyetiyle hazin bir tezattı. Macide Ömer'i dürterek:

"Bu adama yazık!" dedi. "Zavallıyı ortaya çıkarıp yormaya ve eğlence etmeye ne hakları var?"

Ömer:

"Doğru, haklısın!" dedi ve hemen arkasını döndü.

Macide kocasının bu haline canı sıkılarak biraz eğildi ve Ömer'in yanındaki kızla pek hararetli bir fısıltıya dalmış bulunduğunu gördü. Bir müddetten beri devam ettiği halde ona garip görünmeyen bu ahbaplık bu sefer onu düşündürdü: "Haydi, kalkalım, daha fazla oturamayacağım!" diyecekti. Buna vakit kalmadan nısfiye çalan adam taksimini bitirdi. Eliyle alnının terini silerek ve etrafındakilerin biraz da alayla karışık olan tebriklerini ciddiye alarak yerine geçti oturdu.

Cemiyet reisinin bir teşekküründen sonra müsamere bitti.

XXIV

Macide artık eve döneceğiz diye seviniyor, bir taraftan da, Ömer'in arkadaşları ve muhiti hakkında edindiği ve günden güne kuvvetlenen kanaatlerin tesiriyle, içinde hafif fakat devamlı bir üzüntü hissediyordu.

Oturduğu yerden kalkmış bahçeye çıkmıştı. Ömer'in gelmesini bekliyor ve:

"O yanındaki kız herhalde eski arkadaşlarından olacak... Bana takdim bile etmedi. Münasebetsizlik... Belki de unutmuştur... Ne acayip çocuk!" diye söyleniyordu. Bu sırada Ömer diğer arkadaşlarıyla beraber konağın camekânlı kapısında göründü. Birkaç ayak merdiveni inerek Macide'nin yanına geldi:

"Bu vakitten sonra tramvay bulamayız... Yayan gideceğiz... Zaten arkadaşların birçoğu da o tarafa doğru geliyorlar. Biraz hava alırız..." dedi.

Macide içerde gördüğü kızın da beraber olduğunu fark edince sordu:

"Bunlar da bizim taraflarda mı oturuyorlar?"

"Hayır... Bilmem... Herhalde şöyle bir gezinti yapacaklar!"

Macide kocasına dikkatle baktı ve bir şey söylemedi.

Ömer kabahatli olan bir insan haliyle:

"Kusura bakma, karıcığım... İçerde biraz seni ihmal ettim... Eski arkadaşlar... Aylardan beri görüşmedik... Ömrümün dört beş senesi hep bu muhitte geçti... Derslerden, hocalardan bahsettik... Ne bileyim... Şundan bundan konuştuk... İsmi Ümit'tir... Sana hiç bahsettim mi? Bir zamanlar bizim Profesör Hikmet talip olmuştu."

Macide:

"Bilmiyorum!" dedi. Ömer'in bu kadar izahat vermesine lüzum olmadığını hissediyordu. Belki de bu izahatın doğruluğundan şüphe ediyor veya doğru olmasını istemiyordu. Ömer'in içinde eski günlerin, eski hatıraların tekrar canlanması herhalde tehlikeli bir şeydi. O zaman şimdiki hayatlarını tekrar sıkıcı bulmaya başlayabilirdi. Kendi kendine:

"Şimdi de sıkıcı bulmadığı ne malum?" dedi.

Ömer'in yavaşça yanından uzaklaştığını, geriden bir grup halinde gelen arkadaşlarının arasına sokulduğunu fark etti.

Beyazıt'a doğru yürüyorlardı. Vakit pek ilerlememişti. Ancak gece yarısı olabilirdi. Fakat rutubetli ve yapışkan bir hava sokakları doldurmaya başlamıştı.

Macide biraz geri kaldı ve ağır ağır yürüyen grubun arkasına geçti. Ömer, karısının bu hareketini fark etmedi; Ümit dediği kızla yan yana gidiyor ve kendisine mahsus hararetli tavırlarıyla, saçları gene gözlüklerinin üzerine dökülerek, bir şeyler anlatıyordu. Macide arkada tek başına gelen bir kişi daha bulunduğunu gördü ve bunun Bedri olduğunu derhal anladı.

Hiçbir şey söylemeden birbirlerine yaklaştılar ve yürümeye başladılar. Öndekilerle aralarında, altı yedi adım bir mesafe vardı.

Macide müsamere başladıktan sonra Bedri'yi görmediğini hatırladı:

"Siz hep orada mıydınız?" diye sordu.

"Evet... hep oradaydım. Yalnız biraz arkada duruyordum. Sonra o piyes başlayınca dayanamadım, odalardan birine girdim. Nısfiye sesini işitince tekrar başımı çıkarıp baktım. Zavallı şeyh efendinin halini görünce tekrar odaya çekildim. Ben böyle yerlere gelmekten pek hoşlanmam. Yalnız Profesör Hikmet sizin de geleceğinizi söylemişti..." Sonra, bildiği bir şey varmış da, artık saklamayacakmış gibi bir tavır aldı ve sordu:

"Niçin bunlarla beraber gidiyorsunuz? Niçin ayrılmadınız?"

Macide omuzlarını silkerek:

"Ne bileyim! Ömer öyle istedi... Hep beraber karşıya geçecekmişiz!" dedi.

Bedri tereddüt içindeydi. "Profesör Hikmet'in bazı sözleri bende bu akşam iyi niyetleri olmadığı şüphesini uyandırdı. Acaba beraber gitsem mi?" diye düşündü, sonra, farkında olmadan mırıldandı:

"Benim karışmaya ne hakkım var? Kocası yanında!"

Macide hemen sordu:

"Ne dediniz?"

Bedri kendini toparladı:

"Hiç, düşünüyordum!" Ben burada ayrılayım. Allahaısmarladık!" dedi.

Genç kızın elini sıkarken tekrar durakladı. Hâlâ karar veremiyordu. Gitmek ve Macide'yi bu adamlarla yalnız bırakmak, nedense ona bir vazifeden kaçmak gibi geliyor fakat bir taraftan da kimsenin kendisine böyle bir vazife vermemiş olduğunu düşünüyordu. Nihayet hiç değilse bir şey söylemiş olmak için:

"Ömer'e dikkat edin, o sizi değil, siz onu korumalısınız!.." dedi. Sonra, acele acele ve gayet yavaş bir sesle ilave etti: "Bana ne zaman ihtiyacınız olursa yardıma hazırım... Unutmayın!.." Ve öndekilere veda etmeden ayrıldı, yan sokaklardan birine saptı.

Macide bir müddet düşüncelerini derleyemeyerek dalgın dalgın yürüdü, evvela Bedri'nin sözleri aklına geldi. Onun kendi kendine söylenirken "Kocası yanında!" dediğini duymuştu. Ömer'i korumak ne demekti? Bedri'ye ne ihtiyacı olacaktı?

Sonra Bedri'nin evinin buralarda olmadığı, onun da kendileri gibi Beyoğlu'nda, Cihangir taraflarında oturduğu aklına geldi... "Neden beraber gelmedi de hemen ayrıldı? Hep aynı yoldan gidecek değil miyiz?" dedi. Öndekilerle arası yirmi beş, otuz adım kadar açılmıştı. Sokağın alacakaranlığına gömülerek Mercan yokuşundan aşağı yuvarlanan kalabalıktan kahkahalar yükseliyordu. Macide düşündü: "Ömer benimle olduğunu unuttu bile... Artık onun böyle huylarına kızmıyorum... Alıştım. Hiçbir fena niyeti olmadan, sahiden unutuyor... Şu veznedar meselesini bile ne çabuk unuttu. Ben zavallı adamı merak edip: 'Ne oldu?' diye sormak istedim, derhal lafımı kesti... O günkü halinden sonra Nihat'larla yüz yüze bakmaz sanıyordum... İkinci gününden ahbaplığa başladılar. Pek hoşlandığı için filan değil... Yapamıyor işte... Hiçbir şey yapmaya karar veremiyor... İnsan bir karar vermekten bu kadar korkar mı?.. Belki! Neden böyle düşünüyorum? Ben de bazı kararlar vermekten korkmuyor muyum?"

Bu sırada yanında birinin belirdiğini hissetti. İrkilerek sol tarafına baktı. Profesör Hikmet, öndeki gruptan ayrılmış, duvarların karanlığına sinmiş ve görülmeden geride kalmıştı.

"Niçin yalnız yürüyorsunuz? Bedri Bey neden böyle çabucak ayrıldı?" dedi.

Macide'nin kafasından:

"Demek benim arkada bir müddet Bedri ile yürüdüğümü görmüş!" düşüncesi geçti ve ancak ondan sonra Profesör'ün sualinde gizli ve manalı bir taraf, "Ben bazı şeyler biliyorum!" demek isteyen bir tehdit edası bulunduğunu fark etti. Dişlerinin arasından: "Köpek!" diye mırıldandı ve yanındakinin sualini cevapsız bıraktı.

Ömer'e hiç kızmak istemediği halde, yavaş yavaş içinde bir can sıkıntısı belirmeye başlamıştı. Profesör Hikmet, Macide'nin soğuk halini görünce derhal ciddi meselelere, etrafındakilerde büyük bir hürmet ve hayranlık uyandırdığını zannettiği ilmi mevzulara dönmüştü. Ara sıra arkadaşlık duygusunun asaletinden, faziletinden, muhtaçlara yardımın verdiği ruhi rahatlıktan da bahsediyor ve kemik saplı bastonunu hızla kaldırımlara vurarak hükümlerini kuvvetlendiriyordu.

Bu sırada Köprü'ye gelmişlerdi. Öndeki grubun durakladığı, o civardaki otomobillerden birkaçının motorlarını harekete getirerek onlara yaklaştığı ve birtakım insanları alıp gittiği görüldü. Macide adımlarını hızlandırdı. Yaklaştıkça orada bir otomobilin yanında iki kişiden başka kimse bulunmadığını fark etti. İçinde ani bir telaş başladı. Fakat yanındakine hiçbir şey belli etmek istemediği için sesini çıkarmıyordu.

Daha on adım öteden muharrir Hüseyin Bey'in sesi geldi:

"Haydi, çabuk, Profesörcüğüm!.." Ve sonra, gelenleri iyice seçince:

"O!.. Demek hanımefendi de bizim arabaya kaldı. Ömer Bey öndekilerden birinde... Şimdi yetişiriz!" dedi.

Macide'nin başı ağrımaya başlamıştı. Yahut öyle zannediyordu. Söyleyecek bir kelime bulamadı. Unutulmuş, bırakılmış bir kadın muamelesi görmek ona ağır gelecekti. Bir hadde kadar her şeyi tabii telakki etmeye karar verdi ve sadece sordu:

"Nereye gidiliyor?"

Hüseyin Bey, müsamereden beri yanından ayırmadığı gözlüklü genç kızı otomobile iterek:

"Öyle ya, siz arkadaydınız... Bendeniz arkadaşları şöyle biraz eğlenelim diye davet ettim. Beyoğlu'nda çalgı olan bir yere gideceğiz... Beş on dakika oturur, dans edenleri seyrederiz... Ömer Bey muvafakat ettiler, artık siz oyunbozanlık etmezsiniz!.."

Macide'yi ve Profesör Hikmet'i arabaya koyduktan sonra, kendisi büyük bir tevazuyla şoförün yanına oturdu.

Macide sağ tarafındaki gözlüklü kızdan ortalığa yayılan esans kokusu ile Profesör Hikmet'in kemikli dizi arasında sıkışmıştı. Başındaki ağrı, hakikatte mevcut olsun veya olmasın, herhangi bir şey düşünmesine imkân vermiyordu. Muharrir Hüseyin Bey sol kolunu oturduğu yerin arkasına dayamış ve kendisine doğru uzanan gözlüklü ile muhabbete dalmıştı. Profesör Hikmet: "Siz hiç böyle yerlere gittiniz mi? Pek kibar yerdir. İnsan ara sıra zihni meşguliyetlerden ayrılıp buralarda dinlenmelidir. Buraları bilmedikten sonra İstanbul'da yaşıyorum denilmez!" gibi sözlerle kulağının dibinde vırıldanıp duruyordu.

Otomobil durunca hepsi aşağı indiler. Macide ortalıkta kimseler görmedi. Karşılarında elektrikli ilanlarla süslü bir bar vardı.

Aklından:
"Ben girmeyeceğim!" demek geçti.
Fakat düşündü: Ömer'i dışarı çağırtmak, onunla münakaşa etmek, eve gidinceye kadar bu münakaşayı devam ettirmek. Sonra günlerce... Hem ya Ömer dayatır ve gelmezse?.. Böyle yapması da pek muhtemeldi ve o zaman da bu adamların arasında ne kadar zavallı vaziyete düşebilirdi. Bu son ihtimal tereddüdünü kırdı. "Biraz oturduktan sonra Ömer'i alır çıkarım. Bir kere de görmüş olurum!" dedi. Asıl kızdığı şey, böyle bir yere girmek değil, Ömer tarafından sokakta, başkalarının eline bırakılıvermekti.
İçerde, daha evvel gelen arkadaşları tarafından birkaç masanın kapatıldığını gördüler. Ömer Macide'yi fark edince şaşalar gibi oldu. Pek yan yana oturduğu Ümit'i bırakarak ayağa kalktı ve karısını karşıladı.
"Macide... Kusura bakma... Beni otomobillerden birine tıktılar ve senin için, diğer bir arabayla gelir, dediler... Gel... Otur yanıma!" dedi.
Macide onun gelir gelmez bir şeyler içmiş olduğunu anladı. Birdenbire içinde müthiş bir yorgunluk ve hareketsizlik hissetti. Bu akşam hiçbir şey yapmaya, hiçbir şey söylemeye muktedir olamayacağını gördü. Her şeyi lüzumsuz ve manasız saymaya başlamıştı. Bu histen biraz korktu. Aynı şeyleri bir kere daha, başka bir yerde duyduğunu zannediyordu. Nerede? Bunu bir türlü hatırlayamıyor, fakat birtakım fena hadiselerle alakası bulunan bir duygu olduğunu seziyordu. Ruhu, sahili hızla ittikten sonra denize doğru hoplaya hoplaya açılan bir sandal gibi, bütün etrafındakilerden ve bilhassa Ömer'den uzaklaşıyordu. Yalnız bu uzaklaşma gitgide yavaşlayacağı yerde, hızlanıyor, akıntıya kapılmış gibi başını alıp gidiyordu. Geride bıraktığı her şey süratle sisleniyor ve derhal unutuluveriyordu. Ömer'in, yüzünde sarhoş ürpermeler dolaşarak, Ümit'e eğilmesini ve ona bir şeyler söyleyip gülmesini bir yabancıya ait şeylermiş gibi sükûnet ve dikkatle seyretmeye başladı.
Yüzünden zeki olduğu anlaşılan genç kız, Ömer'i merakla dinler görünüyor ve ara sıra gözucuyla Macide'yi süzüyordu. Bu kaçamak bakışlarda biraz da gurur bulunduğu Macide'nin gözünden kaçmadı. Kocasının, kendi yanında bir başkasına bu ka-

dar musallat olması, o başkası için herhalde hoş bir şeydi. Macide onların pek yavaş olmayan konuşmalarına kulak vermek istedi, fakat söylenen sözleri anlamadı. Ömer birtakım garip teşbihler, dolambaçlı cümlelerle genç kızı bir şeye inandırmaya çalışıyor, öteki ise, aynı neviden cevaplarla bir şeyi kabulden kaçıyordu.

Macide, Profesör Hikmet'in kendisine uzattığı bir bardağı, acılığına rağmen, gözlerini yumarak bir defada içti. Genzi ve yemek borusu tutuşur gibi oldu. Biraz sonra midesinden başına doğru hafif ve tatlı bir duman yükselmeye başladı. Dudaklarının kenarında kendisiyle alakası olmayan bir tebessüm bulunduğunu pekâlâ fark ediyor, fakat bunu oradan uzaklaştırmaya muktedir olamıyordu.

Gözlerini etrafında gezdirince hayret etti: Uzaktaki masalarda iyi giyinmiş yaşlı kimseler oturuyordu. Yanlarında yarı çıplak kadınlar vardı. Kocasının yüzüne baktı ve Ömer karısına dönerek:

"Bunlar bar artistleri... Birazdan numara yapacaklar!" dedi. Bu sırada muharrir İsmet Şerif yerinden kalkarak o masalardan birine doğru gitti. Ömer sırıtarak:

"Bak yüzsüze!!" dedi. "Heriflere dalkavukluk edecek... Bir mecburiyeti de yok ya, huy işte!.."

Hakikaten büyük muharrir yerlere kadar eğildikten sonra mühim zatların yanındaki bir iskemleye, oturacak kısmının ancak dörtte biriyle, ilişmişti. Macide onun, karşısındaki bar kızlarına bile lüzumundan fazla itibar ettiğini ve bunun kızlardan ziyade diğerlerinin hesabına kaydedilmesi lazım geldiğini görüyordu. Bu muharririn Hüseyin Bey'e karşı aldığı tavır da biraz acayipti. Arkasından daima aptal bulduğu, yazıları ile alay ettiği bu adama adeta yaltaklanıyordu. Ateşli yazılarında insanların bütün zaaflarına şiddetle hücum eden ve Nihat'ın yamakları tarafından en yüksek ve kahraman muharrir olarak göklere çıkarılan bu adamın iki kadeh rakı veya muhtemel bir lütuf için böyle yerlere kapanması aklın alacağı şey değildi. Herhalde ortada başka ve yalnız kendisine malum sebepler de vardı. Fakat ne de olsa insanın içinde hafif bir tiksinme ve herhangi kuvvetli bir sebebin dahi bu kadar köpekleşmeyi mazur gösteremeyeceği yolunda bir düşünce, daima mevcut kalıyordu.

Şair Emin Kâmil de başka masalarda başka ahbaplar bulmuş ve onların yanına gitmişti. Macide içtiği üçüncü bardağın tesiriyle biraz daha gevşemiş ve dudaklarındaki tebessüm şakaklarına kadar yayılmıştı. Kendisi de dahil olduğu halde her şeye yabancı gözlerle bakıyor ve kendisi de dahil olduğu halde her şeyi bir parça gülünç buluyordu.

O zamana kadar hiç görülmeyen neşeli ve kıpkırmızı bir yüz ve yüksek bir sesle Profesör Hikmet'e sordu:

"Bu genç şairin gittiği masada oturanlar kim?"

Adamakıllı sarhoş olmaya başlayan Profesör, kirpiksiz gözlerini büzerek baktı:

"Ha... Bizim ahbaplar... İlan şirketi umum müdürü Hayrullah Bey'in oğulları. Müthiş zengindirler. Ömürleri buralarda geçer."

Biraz sonra o masadan doğru kahkahalar yükselmeye başladı. Şair Emin Kâmil viski bardağını havaya kaldırırken bir şeyler söylüyor, bütün masa, kızlarla beraber, katıla katıla gülüyordu.

Profesör Hikmet:

"İçtiği zaman çok hoşsohbet olur... Onun için böyle meclislerde pek sevilir ve aranır. O da bedavadan sarhoş olur ve eğlenir..."

Hüseyin Bey buraya yanında getirdiği iki ahbabının kendi masalarını bırakıp başkalarına yardakçılığa gitmelerine içerlemişti. Bir eliyle gözlüklü kızı kucaklamış, öteki elini Emin Kâmil'in yalnız bırakıp gittiği diğer bir kızın omzuna dayamıştı. Profesör Hikmet'e döndü:

"Serserileri burada bırakıp gideceğim... Paralarını da vermeyeceğim! İnsan arkadaş diye yanında getiriyor, iki laf etmeden gidip başkalarının pabuçlarını yalıyorlar!"

Profesör Hikmet oturduğu yerde hafif bir bel kırarak:

"Hakkınız var beyefendi!" dedi. "Hemen kalkalım mı? Numaraları seyretmeyelim mi?"

Hüseyin Bey cevap vermedi ve eliyle garsonu çağırdı.

Ömer'le Ümit adamakıllı sarhoş olmuşlar ve el ele vermişlerdi. Macide bu manzaranın kendisini kızdırmadığını görünce: "Acaba çok sarhoş muyum?" diye söylendi. Biraz başı dönüyor, gözleri dumanlanıyordu. Buna rağmen aklı başındaydı. Ömer'e ve yanındakine tekrar ve dikkatle baktı: Kızın sarı saçları yüzüne dökülmüştü. Açık kahverengi gözleri ufalmış, oldukça güzel ve sivri çenesi terlemişti. Yayvan bir gülüşle ağzı açılınca biraz kirli fakat muntazam dişleri görünüyordu.

Macide içinden: "O da Ömer'in dudaklarına bakıyor!" dedi. Bir an onların öpüştüklerini tasavvur etti ve hiç heyecanlanmadı. Kafasından: "Ne halt ederlerse etsinler!" diye bir düşünce geçerken kendini topladı ve: "Acaba sarhoşluk insanın bütün hislerini öldürüyor mu?" dedi. Fakat birdenbire içi ezildi: "Ben içmeden evvel de böyleydim. Şimdi hatırlıyorum!" diyordu. "O zaman da Ömer'in halleri beni kızdırmıyordu. Ne üstüme vazife demeye başlamıştım. Bu hal bende bir kere daha olmuştu. Ne zaman?.. Bilmiyorum. Fakat çok korkunç bir şey... Emine teyzelerde böyle olmamış mıydım? Belki biraz başka şekilde... Fakat aynı hislerdi... Kendimi bırakmak ve ne olursa olsun karışmamak... Gönlümün onlarla hiçbir ilişiği kalmadığını gösteren bir his... Eyvah!.. Ömer de benim için onlar gibi mi oldu? İmkânı yok... Her şeye rağmen imkânı yok... Hep sarhoşluk... Çılgınlık... Yok... Yok... Aman yarabbi!.. Ben ne yaparım?"

Hüseyin Bey hesabı görüp ayağa kalkmıştı. Profesör Hikmet'e döndü:

"Haydi çıkalım, onlara inat, gidip başka bir yerde eğleniriz. Sen hanımefendiyi al!" Bu sözle şair Emin Kâmil'in terk ettiği kızı gösterdi. "Haydi Ömer Bey... Gidiyoruz!"

Ömer ve Ümit yerlerinden fırladılar. Ömer alışkanlıkla karısının koluna girdi. Üçü beraber en önde çıktılar. Macide kendini kaybedecek kadar şaşkındı. Dumanlı kafasında muntazam bir fikir silsilesi kurmak için uğraşıyor ve muvaffak olamıyordu.

Macide, kocası ve Ümit hep beraber bir otomobile bindiler. Hüseyin Bey de bu sefer gözlüklüsünü almış, şoförün yanına oturmuştu. Profesör Hikmet ile diğer hanım başka bir arabaya kaldılar. Tam hareket ettikleri sırada Hüseyin Bey'in boğuk sesi işitildi. Başını arkaya çevirmiş:

"Gördünüz mü namussuzu?" diyordu. "İsmet Şerif arkadan yetişti ve Profesör'ün arabasına atladı. Herif muhakkak içtiklerini de benim hesabıma yazdırmıştır!"

XXV

İki otomobil, arka arkaya, oldukça büyük bir süratle Mecidiyeköy taraflarına gelmişti. Muharrir Hüseyin Bey'in yanında oturan gözlüklü kız, pek ciddi olmayan bir telaşla:

"Aman, tenha yerlere geldik. Nereye gidiyoruz?" dedi.

Hüseyin Bey bu sualin cevabını şoföre vermeyi daha muvafık buldu:

"Evladım, bizi Büyükdere'ye doğru götür... Kaza çıkarmamak şartıyla biraz daha sürebilirsin!"

Şoför aklı başında bir adama benziyordu. Başını bile çevirmeden işine devam etti. Projektörler iki taraftaki ağaçları testere gibi biçiyor ve arkaya doğru deviriyordu. Macide, gecenin serinliği içinde biraz açılır gibi olmuştu, şimdi süratin tesiriyle tekrar kafası buğulanıyor ve düşüncelerinin her bir parçası, projektörlerin doğradığı bu ağaçlara takılıp kalıyordu. Kendini tamamen hadiselerin eline bırakmaya karar verdi. İçinde nefsine karşı büyük bir emniyet vardı. "Ne olabilir? Ömer yanımda ya!" diyordu. Fakat içindeki bu cesaretin Ömer'in yakınlığından değil, kendi kendine vermiş bulunduğu birtakım kararlardan geldiğini hemen itiraf etti. Yalnız şu anda ne kadar gayret etse bu kararların neler olduğunu bulamıyor, belki de bulmak istemiyordu.

Bir müddet sonra otomobil dönemeçli bir yokuştan inmeye başladı. Karşıda, muharrir Hüseyin Bey'le gözlüklü kızın başlarının üstünde, karanlık fakat canlı bir deniz görünüyordu. Macide yanındaki pencereden dışarı bakınca olgun başaklı bir tarla gibi hışırdayan denizin sesini duyduğunu zannediyordu. Tek tük geçen vapurlarla rıhtımdaki fenerler ateşböcekleri gibi yeşilimtırak bir ışıkla parlıyordu. Macide kendini yapayalnız hissetti. Bu his, ona şimdi yabancı bir şey gibi geliyordu. Evvelce de uzun yalnızlık seneleri yaşamıştı, fakat o zaman bundan kurtulmak için çabalıyor ve bir şeyler, bir şeyler yapıyordu. Halbuki şimdi ruhunda en ufak bir kımıldama bile yoktu. Yalnızlık hissi asabına tatlı bir rahatlık veriyor ve kafası, uzun zaman koşup yorulduktan sonra güneşin altına ve sarı otlara yatan bir çocuk vücudu gibi ince sızılarla karışık bir uyuşukluğa gömülüyordu.

Otomobil durunca birdenbire şaşırdı ve nerede olduğunu bir müddet hatırlayamadı. Ömer onu kolundan tutmuş indirmeye çalışıyordu. Dışarı doğru bir adım atınca arkadan gelen arabanın ışıklarından gözleri kamaştı. Omzunu karosere dayayarak durdu.

Hüseyin Bey şoförlere beklemelerini söylemiş, önünde bulundukları camekânlı bir kapıyı çalmaya başlamıştı. Burası müşterilerini savmış bir gazinoya benziyordu. Beyaz don ve gömlek içinde yalınayak ve uyku sersemi bir adam suratını asıp küfüre hazırlanarak ve camdan dışarı bakmaya bile lüzum görmeden kapıyı açtı, fakat muharrir Hüseyin Bey'le karşılaşınca tavrını değiştirip "Buyrun beyim!" diye itibar etti.

Hep beraber içeri girdiler. Hüseyin Bey de dahil olduğu halde herkeste bir yorgunluk ve isteksizlik vardı. Gecenin ve rutubetli havanın ağırlığı sinirleri yatıştırmışa benziyordu. Sanki eğlenmek için değil, bir kere başlamışken bitirilsin diye devam ediyorlardı. Kızlara da bir halsizlik ve perişanlık gelmişti. Yüzleri buruşmuş, muvakkat* tazelikleri geçmişti. Münevver hanımlara yakışır bir şekilde boyasız oldukları için daha ziyade hovarda delikanlılara benziyorlardı.

Garson don ve gömleğinin üstüne nedense beyaz bir önlük geçirdi ve karanlık gazinonun uzak bir köşesindeki elektrik lambasını yakarak misafirleri oraya davet etti. Sonra büfeye giderek birkaç şişe rakı ile biraz peynir, ekmek, iki kutu sardalya getirdi.

İsmet Şerif, büyük bir sessizlik içinde bekleşen arkadaşlarına biraz neşe vermek için nükteli sözler söylemeye kalktı. Emin Kâmil'den kalan kızdan başka gülen olmadı. Ömer, Ümit Hanım'la vırıl vırıl konuşmakta, muharrir Hüseyin Bey gözlüklü kıza bir şeyler anlatmakta devam ediyorlardı. Profesör Hikmet bile düşünceli bir hal almıştı. Zaten çok kere böyle oluyordu. Birçok büyük niyetlerle ve birçok tertibat alarak gezintiler, eğlenceler yapar, fakat birkaç kadeh içtikten sonra garip bir hüzün ve ümitsizlik içinde kıvranır dururdu. Sanki kendi mahiyetini anlamak için içkinin yardımına muhtaçtı ve ayıkken her şeye muktedir olduğunu zanneden kafası alkolün tesiriyle büyüklük

* Geçici.

hülyalarından, olmayacak emellerden kurtuluyor, hakiki ve acı hayata dönüyordu.

Hissizleşmeye başlayan ağızlarına arka arkaya rakı döküyorlardı. Macide önüne uzatılan her kadehi içiyor, fakat bu sefer keyifle değil, birisini azarlarmış gibi acı bir mana ile gülümsüyordu.

Bir aralık yerinden kalkarak etrafına bakındı. Garson biraz ötede oturmakta olduğu iskemleden sıçrayarak tuvaleti gösterdi. Macide kapıyı açar açmaz keskin bir idrar kokusuyla karşılaştı. Her taraf, hatta duvarlar bile sapsarıydı. Soldaki iki musluk, üzerlerinde de birer kirli ayna ve sağda iki küçük kapı vardı. Bunlardan birini itti. Burası daha fena kokuyordu. Tekrar dışarı çıkıp musluğun başına geçince gözü aynaya ilişti. Evvela hayret etti; yüzünde hiçbir değişiklik yoktu. Kafasından: "Niçin bambaşka bir çehre göreceğimi sanıyordum?" suali geçti, cevap bulamadı. Musluklar fevkalade kirliydi. Küçük bir sabun parçasına dokunmaktan tiksinerek elini sadece su ile yıkadı. İki musluğun arasına asılmış duran bir havlu, ıslak ve yapışkan manzarasıyla Macide'nin büsbütün gönlünü bulandırıyordu. Fakat buranın keskin kokusu biraz açılmasına yardım etmişti. Tam bu sırada kapı itildi. Macide genç kızlardan birinin girmesini beklerken kısa boyu ve eğri kafasıyla muharrir İsmet Şerif göründü. Macide'yi orada bulmaktan hayrete düşüyormuş gibi:

"O!.. Hanımefendi, affedersiniz!.." dedi.

Macide cevap vermeden çıkmak istedi. İsmet Şerif onun yolunu keserek:

"Çok müteessir oldum Macide Hanım!" dedi.

Genç kadın düşünmeden soruverdi:

"Neden?"

"Ömer'in yaptığı edepsizlikten... Çok canım sıkıldı doğrusu... Sizin gibi bir insana karşı..."

Macide içinden:

"Aman yarabbi, ne kadar bayağı ve aptalca yollardan gidiyor!" dedi. "Galiba benim buraya girdiğimi gördü... Öyle ya... Profesör Hikmet, Emin Kâmil'in kızını kendine alarak bunu açıkta bıraktı. Ömer de beni ihmal ediyor. İkimiz de münhal* sayılırız."

* Boş, açıkta.

Gözlerini hafifçe büzerek bunları düşünürken İsmet Şerif daha çok sokulmuştu:

"Ben bir muharrir, insan ruhlarını yakından görmeye alışmış bir adam sıfatıyla bu akşam burada bir izzetinefis faciası oynandığını gördüm ve hemen sizin kadar işkence çektim!" diyor ve her cümlede bir miktar daha yaklaşıyordu.

Macide tekrar düşündü:

"Bir izzetinefis faciası? Erkekler bazen ne kadar basit oluyorlar... Zannediyorlar ki, bir erkeğe karşı hiddet, hatta nefret duymaya başlayan bir kadın, hemen başka erkekler bulup boyunlarına sarılmak ister... Bu herif herhalde bu usulün para edeceğini sanıyor. Kendisiyle beş cümle bile konuşmadığı bir insana musallat olup, onunla alakadar olduğunu gösterecek lakırdılar söylüyor... Acaba bütün erkekler bizi bu kadar aptal mı zannederler? Ömer başkasıyla eğleniyor, ben de ona içerledim diye beni apteshane aralığına sıkıştırıveriyor ve kim bilir kafasından neler geçiriyor..."

İçinde bulunduğu vaziyeti böyle inceden inceye düşünürken hareketsiz kalmak suretiyle karşısındakine cesaret verdiğini fark etmiyordu. Halbuki İsmet Şerif'in nüfuzlu gözleri genç kadının bekleyişini ve tereddüdünü, sonu müsaadeye varacak bir iç mücadelesi şeklinde kabul etmekteydi. Böyle bir kadının hiç nazlanmadan ve düşünmeden boynuna sarılmasını bekleyecek değildi ya...

Ellerini hareket ettirirken birkaç kere Macide'nin parmaklarına dokunmuş ve bu temastan içinde birtakım tellerin gerilip kopacak hale geldiğini hissetmişti. Kafasında basit fakat gayet sarih* arzular kaynaşıyordu.

İki eliyle Macide'yi omuzlarından yakaladı. Genç kadın bir adım geri çekildi ve sırtı duvara dokundu. Onun bu küçük hareketi üzerine, kim bilir nasıl bir alışkanlıkla, çabucak ellerini çeken ve bir tokattan korunuyormuş gibi bir vaziyet alan İsmet Şerif, karşısındakinin tekrar ve sükûnetle kendisine baktığını görünce cesaretlendi ve sokuldu.

Elleri Macide'nin omuzlarında ve yüzü yüzünden bir karış uzaktaydı. Gözlerinde istek, tehdit, yalvarış, her şey vardı.

Macide, en küçük bir harekete bile muktedir olamayarak sır-

* Belirgin.

tını duvara dayamış, burnunun dibindeki bu çehreye dikkat ve hayretle bakıyordu. Gördüğü şey hakikaten korkunçtu.

Dik durmaya çalışan eğri bir baş üzerinde, yandan ayrılmış, seyrek ve kır saçlar vardı. Yirmi beş mumluk lambanın altında parlayan bu saçların dibinde, bir yara izi pembeliğinde kirli bir deri görünüyordu. Aynı derinin devamı gibi duran alın kısmında boydan boya uzanan buruşuklukların arasını kabarık ve yağlı etler dolduruyordu. Bal rengindeki gözleri dayak yemiş bir kedininkiler gibi ağır ağır kımıldıyor ve gayet açık, gayet hayvanca bir ifade ile bir şeyler istiyordu. Burnunun uç tarafındaki mesameler büyümüş ve bunlardan ince yağlar sızmıştı. Bu uzun ve küt burun, gözlerindekine pek benzeyen hayvanca hareketlerle sanki uzanıp kısalıyordu. Bütün yüzü, çıkmaya başlayan sakallarının dibine kadar, haşlanmış gibi kırmızı ve pırıl pırıl yağlı idi. Bu yağlar dudaklarının kenarında meze bakiyeleriyle* karışarak, daha iğrenç bir hal alıyordu. Üst dudağı titreye titreye burnuna doğru çekildikçe sarı ve uzun bir sıra diş ve dişetlerine yapışık birkaç maydanoz yaprağı görünüyor ve genç kızın yüzüne, rakı ile kutu sardalyasının ve mide usaresinin** karışmasından hasıl olan feci bir koku vuruyordu.

Macide herhangi bir şey yapacağı yerde, duvara yaslanıp bu suratı seyretmekten kendini alamıyor ve birbirini kovalayan düşüncelere dalıyordu:

Bu adam ve ötekiler, hepsi birden, beş altı saat içinde nasıl kendilerini buluvermişlerdi! Müsamereden evvel birbirinden yüksek mevzularda konuşan, fikir âleminden yere inmek istemeyen, adi arzular ve ihtiraslara karşı numunelik bir istihfaf besleyen büyük üstatlar, derece derece alçalarak aç bir hayvan haline gelmişler ve işte böyle karşısına, burnunun bir karış ilerisine kadar sokulmuşlardı. Macide bir insanı insan yapan şeylerden en küçük bir zerresinin bile, şu anda önünde dikilen bu herifte mevcut olmadığını görüyor ve asıl garibi, buna hayret etmiyordu. Halbuki şimdiye kadar, insan kafasına doldurulan ve orada eriyen şeylerin ruhumuza ve en küçük hüceyrelerimize kadar gireceğini, bizi böyle hayvan olmaktan kurtarıp daha baş-

* Kalıntılarıyla.
** Salgısının.

ka, daha temiz bir şeyler yapacağını sanmıştı. Hâlâ böyle olması icap edeceği kanaatindeydi ve kendi kendine:

"Bunlar zaten başka bir şey değillermiş... Bütün sözleri, bütün okudukları, bütün yazdıkları, bütün düşündükleri yalanmış!.. Fakat herkesin böyle olması icap etmez ya... Öyle insanlar olabilir ki, hayatta onları bir an bile bu vaziyette görmek mümkün değildir!.." dedi.

Bunu söylerken birisini kastettiğini seziyor, fakat kim olduğunu kendine bile itiraf etmek istemiyordu.

Macide'nin sükûnetinden cesaret alan muharrir elleriyle genç kadının başını yakalamak istedi, fakat hiç beklemediği halde göğsünden şiddetle itildiğini hissetti. Sendeledi, sağdaki kapılardan birine tutundu ve hiç acele etmeden dışarı çıkan kadının arkasından bakakaldı.

Macide gelip yerine oturduğu zaman Hüseyin Bey'le Ömer'den maada herkesin kendilerini kaybedecek kadar sarhoş olduklarını gördü.

Yanına oturduğu Profesör Hikmet, Emin Kâmil'den kalan kızın başını masaya dayamış, kendisi de iskemlesine yaslanmış, geğirip duruyordu. Macide'yi görünce gülümsedi. Elini genç kadının boynuna atmaya kalktı. Muvaffak olamayınca mırıldanmaya başladı:

"Ne olur sanki, hanım kızım... Sen bizim hemşiremiz sayılırsın!.." diye bir şeyler söylüyor ve korkunç tırnaklı elleriyle Macide'nin oturduğu iskemleye tutunuyordu. Bu sırada genç kadının gözleri kocasınınkilerle karşılaştı. Bir müddet bakıştılar.

Ömer karısının bakışlarından bir sual manası çıkardı. "Nedir bu hal Ömer? Bu herife neden ağzının payını vermek istemiyorsun?" demek istediğini zannetti ve ona doğru eğilerek, hayret verecek kadar ayık ve düzgün bir sesle yavaşça:

"Ne yapalım karıcığım!" dedi. "Halini görüyorsun... Kendinde değil... Aynı zamanda hocamdır... Değil ya... Öyle sayılır... Sonra... Nasıl söyleyeyim..." Sesini daha alçaltarak ilave etti: "Benim huyumu bilirsin... Kendisine on on iki lira borcum var... Nasıl tersleyeyim?"

Macide bu sözleri duyunca ürperir gibi oldu. Şu anda karşısında bütün hüviyetiyle Ömer vardı: Aylardan beri tanıdığı, sevdiği, beğendiği ve artık kendinden uzak, çok uzak bulduğu Ömer... Onu gayet iyi anlıyordu. Karısının yanında başka bir kızı kucağına yatıran, sonra birdenbire, beş on kuruş borcunu düşünerek, söz söylemekten utanan... Karısını yollarda unutan, fakat aynı kadını, canını verecek kadar çok seven... Şu anda ismini duyduğu zaman nefret ve tiksinmeden bayılacak hale geldiği bir adamla ertesi gün, sırf yüzü tutmadığı için kol kola gezen... Hislerini belli etmemek için, şakaya, ciddi olmayan hücumlara kaçarken hakiki hislerini unutuveren Ömer, çırılçıplak önündeydi. Onu hiç bu kadar yakından görmemişti. Kocasını anlıyor, hâlâ seviyor, fakat akşamdan beri hissettiği uzaklığı, içi sızlayarak, muhafaza ediyordu. Demek ki böyle bir anda: her şeyin bitmesi lazım geldiği, artık bu şekilde devam edemeyeceği hakkında kati kararını verdiği anda, Ömer'i böyle apaçık ve böyle yakından görmek mukadderdi...

XXVI

Ertesi günü gözlerini açtığı zaman kendini yatakta yalnız buldu. Ömer onu uyandırmadan kalkmış, giyinip gitmişti. Vakit öğleye yaklaşıyordu. Açık pencereden içeri müthiş bir sıcak sokuluyor ve boynunu, gözlerinin altını terletiyordu. Aşağı atladı, ayağına terliklerini geçirdi ve musluğa giderek yüzüne soğuk su çarptı.

Vücudunda hiçbir ağırlık, yorgunluk, kafasında hiçbir uğultu yoktu. Dün akşamki hadiselerden sonra bu kadar canlı ve taze uyanacağını tahmin etmiyordu. Şimdi her şeyi gayet güzel hatırlıyor ve sinirlenmeden, gülmeden düşünüyordu. Ömer'le ikisi, diğerlerini meyhanede bırakarak, dışarı sıvışmışlar, bir müddet deniz kenarında yürümüşlerdi. Ortalık aydınlanmak üzereydi. Dümdüz uzanan ve toprak bir kaptaki cıva kadar ağır, koyu ve parlak görünen denizden tuzlu ve keskin bir yosun kokusu yayılıyordu. Bozuk rıhtımda sürçe sürçe ve bir şey konuşmadan bir hayli ilerlemişlerdi. Macide, Ömer'in böyle anlarda söze başlayıp uzun uzun anlatmasına alıştığı için her an bekliyor, fakat bu sefer bu bekleyişte biraz da isteksizlik karışık olduğunu kendinden saklamıyordu. Kocası konuşmaya başlarsa belki birçok şeyleri izah etmeye ve Macide'nin kafasındaki kanaatleri değiştirmeye çalışacak ve belki de bunda muvaffak olacaktı. Fakat Macide, artık ne olursa olsun, ta içindeki bir yerde değişmez bir karar verildiğini ve her hal çaresinin bu kararı bir müddet daha geri bırakmaktan başka bir şey yapamayacağını seziyordu.

Ömer hiç ağzını açmadı. Yalnız Macide'nin ayağı bir taşa çarpıp sendeleyince onu kolundan yakaladı ve genç kadın, yaralı bir yerine dokunulmuş gibi irkildi: Ömer onu hep bu kolundan, hep aynı yerden ve hep bu şekilde yakalardı. Sonra bu hadiseyi, eski zamanlara ait tatlı bir hatırayı anar gibi düşünmek ona garip geldi... İşte kocası, aynı adam yanındaydı ve kolunu eskisi kadar sıkı tutuyordu. Bu adamın kendisini eskisinden daha az, yahut daha farklı sevmediği de muhakkaktı... Öyleyse ortada değişen neydi? Macide değişenin kendisi olmasından ve Ömer'e karşı bir haksızlık yapmaktan korktu: "Evet, evet!" diye düşündü... "Bu çocuk hep aynı şeydi. İlk günden beri buydu. Ben de bunu biliyordum. O zaman tahammül ettiğim halde şimdi hoş görmemek doğru değil... Fakat nasıl yapayım?"

Bir hayli yürüdükten sonra yanlarından bir otomobil geçti. İşaret ederek onu durdurdular ve eve döndüler. Ömer dün akşam müsamereye giderken Profesör Hikmet'ten aldığı iki lirayla arabanın parasını verdi. Tenha yollarda ve serin sabahın içinde adamakıllı hızlı olarak gelirken bile Ömer ağzını açmamıştı; fakat odaya girer girmez Macide'nin ellerine sarılarak:

"Karıcığım!" dedi.

Macide, kocasının yüzüne baktı. Gözleriyle birçok şeyler ifade ettiğini sandığı halde, biraz sitemle gülümsemekten başka bir şey yaptığı yoktu.

Ömer bundan cesaret alarak:

"Macide... Bundan sonra hiçbir yere gitmeyeceğiz... Ne saza, ne müsamereye!.. Ne de evimize ahbap çağıracağız... Bütün tanıdıklarımla alakayı keseceğim... Yepyeni ve daha manalı bir hayata başlamak istiyorum... İçimdeki bu melun şeytanı boğacağım!" dedi.

Macide bu nevi sözleri belki onuncu defa dinlediğini unutmuyor, fakat Ömer'in şu anda, her zaman olduğu gibi, tamamıyla samimi bulunduğundan da asla şüphe etmiyordu. Bütün kararlarına rağmen, kocasının sözleri ve bilhassa ateşli tavırları karşısında her zamanki zaaf anlarından birine düşeceğinden korktu. Böyle bir şeyi asla istemiyordu. Bu sefer bütün hiddetini, içinde biriken bütün acıları hummalı öpüşmelerle silip süpürmek niyetinde değildi. Nitekim Ömer de bunu sezer gibi oldu, haline bir sessizlik çöktü... Yatağa girer girmez ikisi de uyudular.

Macide şimdi uyanınca, kocasının bir iki saat uykudan sonra gürültüsüzce kalkıp gittiğini görüyordu.

İçinde müthiş bir ezinti peyda oldu. Madamla beraber kullandıkları mutfağa giderken kendine bir çay pişirdi, biraz kahvaltı hazırladı. Karnını doyurduktan sonra saate bakınca dörde yaklaşmış olduğunu gördü. Ortada, dün gece düşündüğü gibi bir fevkaladelik yoktu, buna rağmen içi sıkılıyordu. Yataktan kalktığı sırada hissettiği hafiflik pek çabuk geçmişti. Kendi kendine:

"Herhalde alkolün tesiri!" dedi.

Düşüncelerini mümkün olduğu kadar Ömer'den uzak tutmak istiyordu. Mutfakta akşama yiyecek bir şey bulunmadığı aklına geldi. Çantasını karıştırdı. Yirmi kuruş kadar parası vardı. Bakkaldan veresiye öteberi aldıkları için bugünü bununla geçirebilirlerdi. Yavaş yavaş giyindi. Sokağa çıktığı zaman saat altıya gelmiş, caddeleri ter kokulu ve aceleci bir kalabalık doldurmaya başlamıştı.

Macide bakkala uğramadan evvel bir dolaşmak istedi. Birçok akşamlar bu saatlerde Galatasaray tarafına yürür ve ekseriya Ömer'le karşılaşırdı. Bu sefer de Tepebaşı'na kadar yürüdü, sonra karşı kaldırıma geçerek geri döndü. Yanındaki bahçeden Rumca şarkılar geliyordu. Tekrar Galatasaray'a gelince birdenbire irkildi. On beş yirmi adım kadar önünde Ömer'e benzeyen birisi gidiyordu. Yalınayak ayaklarına uzun ökçeli, beyaz iskarpinler giymiş bir kadınla, kol kola yürüyorlardı. Macide biraz hızlandı, fakat kalabalıkta onları kaybeder gibi oldu. Kadını arkadan Ümit'e benzetti; sonra bu düşünceyi gülünç buldu. Onun bu kıyafette Beyoğlu'nda dolaşacağına imkân verilemezdi. Bu sırada, onları tekrar ve otuz adım kadar ileride gördü. Adamakıllı birbirlerine sokulmuşlardı. Macide bütün dikkatini kadında topladı; fakat mesafe uzakça olduğu için bir şey seçemiyordu. Tekrar hızlandı ve gelip geçenlere çarparak on adıma kadar yaklaştı. Gözleri kadının pembe ve çıplak topuklarına takıldı: Bunlar oldukça yaşlı bir insana aitti, iskarpinin ökçesine her bastıkça alt kenarları irin renginde bir sarılık alıyordu. Kısa kollu bluzundan aşağıya doğru sallanan kolu kıpkırmızı ve uzaktan belli olacak kadar iri mesameli idi. Başlarını birbirlerine yaklaştırıyorlar ve konuşuyorlardı. Macide olduğu yerde bir adım durarak derin bir nefes aldı. Bu kadının Beyoğlu'nda adım başında rastlanan nazlılardan biri olduğu muhakkaktı. Nasıl olup da aklından evvela Ümit'i geçirdiğine şaştı. Ani bir kararla tekrar hızlandı. Önündekileri kaybetmişti, bulamamaktan korktu. Adeta koşuyor ve geleni geçeni kendine baktırıyordu. Nihayet tekrar gördü ve bu sefer dört beş adıma kadar yaklaştı. Bu anda, ikisi birden sol taraftaki sinemalardan birine girdiler, resimlere, hatta filmin adına bile bakmadan gişeye yanaştılar. Macide bütün kafasındaki niyetlerin bir anda uçup gittiğini, hemen kaçmaktan, mümkün olduğu kadar çabuk uzaklaşmaktan başka bir şey düşünmediğini fark etti. Eve doğru koşar gibi ilerledikçe içindeki bulantı hissi daha çok arttı ve maddileşti. Birtakım pis hayaller gözünden gitmek istemiyordu. Onların locadaki hayallerini düşünüyor ve adımlarını tepinir gibi yere vuruyordu.

"Herhalde bundan evvel de böyle şeyler yapmıştır... Sonra yan yana yattık... Bana süründü. Beni kollarının, aynı kollarının arasına aldı... Ne pis şey!.. Ne pis şey!.." diye söylendi. Sesinin boğazında takılıp kaldığını ve uzun zaman bağıra çağıra konuşmuş da ağzı kurumuş gibi gırtlağının acıdığını hissetti. Yanından geçenlere kızgın gözlerle bakıyordu. Birdenbire, bu caddedeki bütün insanların öteden beri hep sırıtarak dolaştıklarını keşfetti ve kızdı. Dükkânların önünden geçtikçe burnuna vuran kokular da canını sıkıyordu. Bir manavdan yayılan şeftali kokusu yanı başındaki tuhafiyecinin naftalinine ve her ikisi birden, nereden geldiği anlaşılamayan kızarmış çiroz kokusuna karışıyordu. Gelip geçen otomobillerin arkada bıraktıkları yanmış benzin dumanları da bunlarla birleşerek, Macide'nin yüzüne yapışıyor ve genç kadın, ağaçlar arasında dolaşırken yüzüne takılan örümcek ağlarını kovar gibi elini yanaklarında ve burnunda gezdiriyordu.

Eve geldiği zaman tamamıyla sakinleşmişti. Hemen çantasını aldı, eşyasını içine doldurmaya başladı. Emine teyzelerden ayrıldığından beri bunlara bir iki çift çoraptan başka bir şey ilave edilmemişti. Kahverengi kazağı olduğu gibi duruyordu. Fakat aynı renkteki iskarpinleri bir kenara atılmış ve tozlanmıştı.

Birdenbire doğruldu. Kendi kendine:

"Nereye gideceğim? Bunları ne yapacağım?" diye sordu. "Balıkesir'e mi? Emine teyzelere mi? Ne münasebet!.." Gidilecek hiçbir yer yoktu. Fakat kim bilir belki de vardı... Bunu düşünürken asla heyecanlanmadı. Başka ne yapabilirdi? Emine teyzelerden çıkıp kapının önünde nereye gideceğini bilmeden dururken olduğu gibi gözlerinin önünde mehtaplı bir deniz canlandı... Ömer'le beraber kayıkta oturup seyrettiği, önce dokunmaktan korktuğu ve sonra elini bileğine kadar daldırdığı parlak ve esrarlı deniz...

Çantasına bir tekme yapıştırdı. Çamaşırları kirli halının üzerine dağıldı.

"Bunlara ne lüzum var?.. Aptallık!" dedi.

Yatağın başucundaki dolaptan bir deste kâğıt aldı.

Ortalık henüz tamamen kararmamış olduğu halde perdeleri kapadı ve lambayı yaktı, masanın başına geçerek, kurşunkalemiyle ve acele acele yazmaya başladı:

"Ömer! Seni bırakıp gidiyorum. Bunun bana ne kadar acı geleceğini, hayatta senden başka hiç kimsem olmadığını bilirsin... Senin de benden başka kimsen olmadığını biliyorum. Buna rağmen seni bırakıp gideceğim... Emine teyzelerin evinden çıkıp senin arkana takılarak geldiğim günden beri bunun böyle olacağı hakkında içimde garip bir korku vardı... Bunu kendimden ne kadar saklamaya çalışsam, bir fırsatını bulup tekrar kafamda beliriyor ve beni çok üzüyordu. Bu korkunun sebeplerini düşündüm, üç ayı geçen beraber hayatımız esnasında, bu ânın gelmemesi için neler yapmak lazım olduğunu araştırdım, nihayet kendimi tesadüflerin ve hayatın eline bırakmaktan başka çare kalmadığını gördüm... Bilmem sana söylemeye hacet var mı? Ömer, benim sevgili kocacığım, biz, hiçbir tarafları birbirine benzemeyen, hiçbir müşterek düşünceleri ve görüşleri olmayan iki insanız... Kim bilir ne gibi sebeplerle tesadüf bizi birleştirdi. Sen beni sevdiğini söyledin, ben buna inandım. Ben de seni seviyordum... Hem nasıl seviyordum... Hislerimde bugün de bir değişiklik yok. Fakat niçin seviyordum, işte bunu bulamadım ve beni düşündüren, seninle olan hayatımızın devamından şüphe ettiren bu oldu. Seni niçin sevdiğimi bir türlü bilmiyordum. Huylarını, yaptığın işleri, beğenmiyordum demeyeyim, fakat anlamıyordum. Sen de benim birçok şeylerimi anlamadığını inkâr edemezsin. Böyle olduğu halde nasıl garip bir kuvvet bizi birbirimize bu kadar sağlam bağlamıştı? İlk andan itibaren tamamıyla başka dünyaların insanları olduğumuzu anladığım halde beni burada tutan ve seni gördüğüm zaman içimi sevinçle dolduran neydi? Acaba şu senin her zaman bahsettiğin ve her hareketinin kabahatini kendisine yüklediğin şeytan mı? Son günlerde ben de bundan korkmaya başladım. Şimdiye kadar daima, düşünüp doğru bulduğum şeyleri yapmaya alışmıştım... Bu sefer hiçbir doğru ve akıllıca tarafını bulamadığım bu hayata beni bağlayan kuvvetin, içimde saklı bir şeytan olması sahiden mümkündü. Bu ihtimal beni adamakıllı telaşa düşürdü. Hayatta kendi düşüncelerim ve kararlarımdan başka birtakım kuvvetlerin emri altına girmek asla tahammül edemeyeceğim bir şeydi. Aynı zamanda, seninle beraber bulunduğum müddetçe, nedense i护 iademi kullanamadığımı gördüm. Sana, senin iradene tabi olmak bana ağır gelmezdi, fakat aramızda hiç olmazsa en küçük bir müşterek nokta bulunması, yaptıklarından hiç olmazsa bir kısmını benim de doğru ve iyi bulmam lazımdı. Kendi kendime hiçbir zaman yapamayacağım şeyleri, sırf bilmediğim bir kuvvete tabi olmak yüzünden, boyuna tekrar etmek beni düşündürdü ve nihayet, aylardan beri kaçtığım bu kararı verdirdi.

Ömer, benim kalmamın senin üzerinde en küçük bir tesiri, bir faydası olacağını bilsem muhakkak kalırdım. Hiç inkâr etme ve benim yanlış düşündüğümü zannetme; bana olan bütün sevgin, senin üzerindeki bütün nüfuzum, bir parçacık bile seni değiştiremedi. Yanımdayken dünyanın en iyi, en tatlı ve makul insanıydın; ayrılır ayrılmaz eski haline dönüyor ve belki de bana boyun eğdiğin için kendine kızarak daha ileri gidiyordun. Zaman bu hallerini düzelteceği yerde daha fenaya götürdü. Yanı başında oturduğum, gözlerinin içine baktığım halde sana müessir olamadığımı gördüm. Kim bilir, belki sen ve etrafındakiler haklısınız... Belki insan yükseldikçe böyle olmak mecburiyetindedir. Fakat ben bütün gayretime rağmen, içinde bulunduğum hayata ısınamadım. Bu hayatı anlayamadım. Benim eski ve manasız yaşayışımdan, bomboş çocukluk ve mektep hayatımdan büyük bir farkı olduğunu göremedim. Biliyorum: Pek akıllı olmayan bilgisiz bir kızım... Fakat bu, sende ve etrafındakilerde bir parça kuvvetli ve güzel taraflar olsa görmeme mâni miydi?.. Birçok şeyler öğrenmek, daha iyi düşünebilmek, göremediklerimi görmek istemez miydim? Aranıza gelince bunların hiçbirini bulamadım. Bizim mahalle kadınları arasında yahut Emine teyzemlerde tesadüf ettiğim, içinde büyüdüğüm muhitten bir tek farkınız, biraz daha çok ve daha anlaşılmaz konuşmanızdı. Şimdi düşünüyorum da, üç aydan beri o çeşit çeşit arkadaşlarının münakaşalarını, konferanslarını dinlediğim halde, ne öğrendiğimi bir türlü bulamıyorum.

Buna rağmen beni sana bağlayan bir şey vardı: Dış tarafın etrafındakilerin aynı olduğu halde bana büsbütün başka görünüyordu. Bu arkadaşlardan, bu muhitten, bu kokuşmuş mahluklardan hoşlanmadığını, sıkıldığını görüyordum. Günün birinde büsbütün başka bir insan olacağını ümit ediyordum. İlk günlerde biraz kuvvetlenen bu ümidim, yavaş yavaş tamamen yok oldu. Senin, bu yaşa kadar içinde bulunduğun insanlar ve muhitle birdenbire hesap kesecek cesareti kendinde bulamadığını anladım. Bende sana bu cesareti verecek kuvvet yoktu. 'Onları bırak!' dediğim zaman, 'Kimlere sarılayım?' diyecektin; ben, zavallı Macide, sana kimi, neyi gösterebilirdim? Bu hayattan daha doğru ve akıllı bir şey olması lazım, fakat bunun ne olduğunu ben de bilmiyorum. Onun için, sana yardım edemedim. Belki sen beni alıp evine getirirken büsbütün başka şeyler düşünmüştün. Sana yeni bir dünya açacağımı sanmıştın... Seni sükûtu hayale uğrattım. Ben sana rehber değil, ancak yoldaş olabilirdim, fakat yolu ikimiz de bilmiyorduk ve birbirimize yük olmaktan, birbirimizi şaşırtmaktan başka bir şey elimizden gelmiyordu.

Artık ayrılmamız lazım. Dediğim gibi, sana en küçük bir faydam olacağını bilsem her şeye tahammül eder ve kalırdım. Halbuki selametinin yalnızlıkta olduğunu görüyorum. Hâlâ, bugün bile şuna kâniim ki, bir müddet daha bocaladıktan sonra, yolunu bulacaksın, fakat yalnız olman lazım. Herhangi bir insanın, ayaklarına dolaşmaması lazım... Ne olurdu? Birbirimize birkaç sene sonra tesadüf etmiş olsaydık! O zaman hayatımız belki bambaşka bir şekil alırdı. O zaman sana tabi olur ve bundan zevk duyardım. Fakat şimdi, hiçbir faydası olmadığını bile bile, yanlış ve manasız bulduğum şeylere oyuncak olmak, bütün sevgime rağmen imkânsız...

Ömer, hep senden bahsediyorum. Bunun sebebi, seni sahiden kendimden çok düşünmemdir... Ben ne yapacağımı bilmiyorum, daha doğrusu yapılacak bir tek şey var, onu da bilmek istemiyorum. Ben hayatımda kimseye haksızlık ve fenalık etmemeye çalışmış ve başkalarına yapılan haksızlığa bile kendimeymiş gibi üzülmüş bir insanım... Nefsime hiç müstahak olmadığı bir şey yapmak, bu ağır ve tamiri imkânsız haksızlığı reva görmek bana ağır gelecek. Fakat ne yapabilirim? Ben senin arkandan gelirken her şeyi bıraktım. Her şeyle alakamı kestim. Zaten feda ettiklerim de öyle büyük bir şey değildi. Sen beni Emine teyzelerin kapısından alırken eski hayatımla olan alakamı zaten kesmiş bulunuyordum. O zaman da ne yapacağımı bilmeden sokağa fırlamıştım. Balıkesir'e, ablamla eniştemin yanına dönmek bana korkunç ve imkânsız görünüyordu... Perişan bir haldeydim. Fakat içimde kendimden bile sakladığım bir ümit vardı. Seni kapının önünde bekler bulduğum zaman sanki bunun böyle olacağını biliyormuş gibiydim. Bir söz söylemeden, hakkımda neler düşüneceğini hesaba katmadan seninle geldim. Bir genç kızın çok güç atacağı bir adımı seve seve, inana inana attım. Bunlardan pişman değilim... Kimse beni zorlamamıştı. Doğru buldum ve yaptım. Fakat şimdi... Beni hangi Ömer kapının önünde bekleyecek? Kim gece yarıları karanlık sokaklarda bana sevgisinden bahsedecek?.. Ömrümün en acı gününü en mesut bir güne çevirmiştin... Pek az tanıdığım bir adamla hiç bilmediğim bir yere giderken içimde beni coşturan arzular köpürüyordu... Şimdi gene çıkıp gideceğim... Nereye?.. Yanıma bavulumu ve eşyalarımı almıyorum... Gideceğim yere çamaşırsız da gidilir. Fakat ben son dakikaya kadar ümidimi kaybetmeyeceğim. Bana hiçbir fenalığı dokunmayan nefsime bu en büyük haksızlığı yapacağım dakikaya kadar her şeyin değişebileceğini umarak kuvvet bulmaya çalışacağım...

Ömer, senden bir tek ricam var... Ne kadar sükûnetle ve aklı başında yazdığımı görüyorsun... Benim akıbetimden dolayı kendini asla mesul sayma! Sen bana karşı değil, asıl kendine karşı kabahatlisin. Bunu düzeltmeye ve yeni bir hayata kavuşmaya çalış... Yalnız başına kalırsan bu işi başaracağına eminim... Hem bu yalnızlığa da lüzum kalmaz, belki kuvvetli ve bilgili bir insan, bir arkadaş, bir sevgili senin elinden tutar ve sana yol gösterir... Ben biraz kazaya kurban gidiyorum sayılır. Bir otomobil çarpsa, bindiğim sandal devrilse yahut dibinde oturduğum ağaca yıldırım çarpsa bunlardan kimseyi mesul etmek aklıma gelir miydi? İşte, sana da bu kadar az kabahat buluyorum. Birçok şeyleri benim yüzümden yaptığını bildiğim için hatta biraz da kendimi mesul tutuyorum. Mesela ben olmasam kafan para meseleleri üzerinde bu kadar çırpınmayacaktı ve sen veznedara belki öyle yapmayacaktın, yahut, burada hiç söylemek istemediğim halde kalemimin ucuna geldi, yahut da bir kadına bağlanmış olmak yüzünden başka kadınlara karşı arzular duymayacak ve herhangi bir sokak kadınını yanına alıp..."

Macide kalemi yavaşça masanın üzerine bıraktı. Dişlerini sıktı. Nihayet kendini daha fazla zapt edemeyerek kâğıtların üzerine kapandı ve ağlamaya başladı.

Uzun uzun, belki on beş yirmi dakika böyle kaldı. Fazla heyecanlı değildi. Üç ay evvel babasının ölümüne ağladığı gibi sessiz, isyansız gözyaşları döküyordu. Tekrar başını kaldırdı. Yanaklarındaki yaşları sol elinin tersiyle sildi ve kalemi alarak son yazdığı satırları karaladı. Ondan sonra titrek bir yazı ile ve gayet acele devam etti:

"...daha yazacak birçok şeyler aklıma geliyor... Ne faydası var?.. Oturup saatlerce konuşsak gene bitecek gibi değil.. Halbuki biz beraber yaşamaya başladıktan sonra ne kadar az konuştuk... Birbirimize söyleyecek bir şeyimiz yok muydu? Neden?.. Neden uzun uzun dertleşmedik? Belki o zaman birçok şeyler başka türlü olurdu...

Artık yeter Ömer... Sana kızgın değilim... Sana kızmayacak kadar seni iyi tanıyorum... Sonra seni seviyorum... Neden sevdiğimi bilmeden seviyorum... Bu sevgiyi her gittiğim yere beraber götüreceğim... Allahaısmarladık... Güzel dudaklarını öperim... Sen de bana kızma... Başka türlü yapamazdım... Allahaısmarladık..."

Yaşlar yanaklarından süzülmekte devam ediyordu. Yazdığı kâğıtları alt alta sıraladı. Kırmızı abajurun aydınlattığı odaya şöyle bir göz gezdirdi. Hiçbir zaman pek sevmemiş olduğu bu eşyaya teker teker bir bağlılığı bulunduğunu hissetti. Elle tutulan yerleri yağlanmış kalın perdeler bile bu akşam daha sıcak yüzlü idi. Sanki her şey onu bir tarafından çekip alıkoymaya çalışıyordu. Masanın bir kenarında öğleden kalma bir çay fincanı vardı. Dibindeki kurumuş şekere bir sinek musallat olmuş, kalkıp iniyor ve bazen uzunca bir müddet kalıyordu. Macide gözlerini o hayvana dikti ve daldı.

Bir aralık dudaklarından her zamanki "Niçin" suali döküldü. Niçin? Bütün bunlara ne lüzum vardı? Ne yapmıştı? Hangi hatasının cezasını çekiyordu. Ve bu sırada, yazıp bıraktığı mektupta istediği kadar samimi olmadığını zannetti... Ömer'e hiç kızmıyor değildi... Nasıl kızmazdı? Kendinden yaşça büyük, fazla okumuş, erkek olduğu için daha çok şeyler görmüş bir insan nasıl olur da bir çocuk kadar düşüncesiz şeyler yapar ve bu yüzden nihayet başka bir insanın feda edilmesine meydan verir? Macide kendini yabancı biri gibi düşünüyor ve adeta haksızlığa uğrayan bir zavallıyı müdafaa ediyordu...

Sonra, yazdığı mektubun bir yerinde daha samimi olmadığını hissediyordu. Fakat bunun üzerinde düşünmeye vakit kalmadan merdivenlerden koşarak çıkan ayak sesleri duydu ve hemen bütün kâğıtları toplayarak yorganın altına sokuşturdu.

XXVII

Kapıyı hızla açıp içeri giren Bedri'ydi. Yüzü sapsarı ve heyecanlıydı. Macide şaşırdı. Eski hocasının bu kadar telaşlı halini hiç görmemişti. Bedri dikkatle Macide'nin yüzüne baktıktan sonra:

"Ağlamışsınız! Demek haberiniz var!" dedi.

Macide bir şey anlamadı. Bedri herhalde Ömer'in bir kadınla beraber sinemaya gittiğini söylemek istemiyordu.

Genç adam itidalini* tekrar elde etmeye uğraşarak devam etti.

"Şimdi telaş etmekten ve şaşırmaktan bir fayda yok... Sükûnetle düşünmek ve bir çare bulmak lazım! Ben Ömer'in bu işte bir alakası olmadığına eminim... Onun böyle şeylere burnunu sokmak âdeti değildir... Bu Nihat köpeğinin nârına yandı..."

Macide, Nihat lafını duyunca uykudan uyanır gibi oldu... Korkunç bir şeyler sezdi ve Bedri'ye doğru bir adım atarak:

"Bir şey anlamadım... Ne Nihat'ı?.. Ne oldu? Benim haberim yok!" dedi.

Bedri şaşırdı:

"Nasıl olur? Peki niçin ağladınız? Demek duymadınız. Öyle ya, nereden duyacaksınız!.. Bir iki saatlik bir iş..."

Macide daha çok telaşa düştü:

"Söylesenize ne oldu? Ömer'e bir şey mi oldu?"

"Evet... Dairesinden çıkacağı sırada tevkif ettiler. Nihat'la yanındaki çocuklardan birçoğu da yakalanmış... Profesör Hikmet'i de çağırmışlar, fakat herif bir kolayını bulup yakasını sıyırmış... Hiç değilse tevkif edilmedi. Nüfuzlu ahbapları var, herhalde onlar müdahale ettiler!"

Macide bir iskemleye tutunarak:

"Neden? Sebep neymiş?.. Veznedar meselesi mi?" diye sordu.

Bedri:

"Ne veznedarı?" dedi... Ömer'in bir zamanlar kendisine anlattığı bu vak'ayı hemen hatırlayamamıştı. Macide ısrar ile sormakta devam etti:

"Siz nereden haber aldınız? Sebebini öğrenemediniz mi? Ömer şimdi nerede?.. Hemen gidip görebilir miyiz?"

Bedri Macide'ye bir iskemle göstererek:

"Oturun... Telaş etmeyin... Karakoldalar... Galiba bu gece orada kalacaklar... Görüşmek belki mümkün olmaz, şimdilik doğru da değil... İşin ne olduğunu öğrenelim... Ben meşgul olurum... Duyar duymaz hemen buraya geldim. Nihat'ın arkadaşlarından biri söyledi. Profesör Hikmet'in serbest bırakıldığını da

* Soğukkanlılığını.

ondan öğrendim!" dedi. Bir müddet genç kadının yüzüne baktıktan sonra ağır ağır devam etti:

"Bunun böyle olması korkunç bir şey... Hiç beklenmeyen bir şey... Kim bilir dün akşam nerelere gittiniz? Nihat beraber miydi? Değildi... Öyle ya, onlar Beyazıt'ta habersizce ayrılıverdiler... Yanındaki çocuklarla beraber... Ben başka herhangi bir şeyden şüphe etmiyorum. Zaten bana haber veren çocuk da bir parça çıtlattı. Bu meselelerle alakadar bir iş olacak... Fakat tevkife kadar götürecek ne yaptılar acaba? Siz Ömer'in hiçbir şeye karışmadığına eminsiniz değil mi?"

"Nihat'la yanındaki delikanlılar buraya sık sık gelirlerdi. Fakat manasız münakaşalardan başka bir şey yaptıkları yoktu."

"Neyse, bunları anlarız... Hepsini öğreniriz... Sükûnetinizi muhafaza edeceğinize emin olsam hemen şimdi gider öğrenirim. Fakat sizi yalnız bırakmaktan korkuyorum..."

Macide, korkmaya lüzum yok, demek isteyen bir gülümseme ile başını salladı.

Bedri:

"Peki, gidiyorum. Beni bekleyin... Geç kalırsam yarın sabah gelirim. İstanbul'a geçeceğim... Karakola sokmazlarsa arkadaşları filan arayıp bir şeyler öğrenmeye çalışacağım... Allahaısmarladık!"

Elini uzattı. Birbirlerinin gözlerine baktılar... Macide, size itimat ediyorum, demek istiyor ve karşısındakinin gözlerinin daha çok, daha başka şeyler söylediğini zannediyordu.

Bedri merdivenleri koşa koşa inerek çıkıp gitti.

Macide hiçbir şey düşünmüyordu. Uyku sersemi gibi olmuştu. Dün akşamdan beri birbirini kovalayan hadiselerin ağırlığını ancak şimdi ve tamamen duyuyordu. Biraz evvel kendisini eteğinden çekerek dışarı bırakmak istemeyen oda, insanı boğacak kadar daralmıştı. Pencere genişliğe ve sonsuzluğa değil, bir kuyu ağzı gibi daha karanlık ve boğucu yerlere açılıyordu. Çay fincanının şekerlerini emen sinek masa örtüsünün bir kenarında bayılmış gibi hareketsiz duruyordu. Biraz evvel, "Bu hayvanın bile yaşamak hakkı var da benim niçin yok? Niçin?" diye düşünen Macide şimdi odayı ve sineği bırakıp açık bir yere gitmek, hava almak, göğsünü şişire şişire hava almak istiyordu.

Elektriği söndürdü ve dışarı çıktı. Az insan bulunan sokaklarda gezmek istiyordu. Halbuki caddeler kalabalık ve aydınlıktı. Şişli taraflarına doğru yürüdü. Acele adımlar atıyordu. Yolda bu vakitte yalnız bir kadın gören birkaç beyaz pantolonlu ve kıvırcık saçlı kibarzade arkasına takılmak istedi. Macide yürüyüşünü daha hızlandırarak onlardan kurtuldu. Kahramanlar, bir kadın elde etmek için koşup terlemeyi fazla bir zahmet saymışlardı. Hürriyet abidesine giden şoseye gelince ağırlaştı. Yol ve hava, içindeki darlığı biraz geçirmişti. Evlerin bittiği ve uzaktan kır gazinolarının göründüğü bir yerde yolun kenarına, otların üzerine oturdu.

Burada düşüncelerin birdenbire kafasına hücum etmesiyle karşılaştı ve ilk gelen fikir onu telaşa düşürdü.

"Ben Ömer'e yazıp bıraktığım mektupla büyük bir haksızlık etmek üzereydim!" diyordu. "Bereket versin eline varmayacak. Döner dönmez yırtacağım... Nasıl oldu da elin herifini Ömer'e benzettim? Fakat elbisesi, şapkası, sonra yürüyüşü ve başını biraz yana eğerek konuşması arkadan ne kadar benziyordu. Bir adamı beş on adım gibi yakın bir mesafeden kocasına benzetmek için bu kâfi midir? Zannetmem... Demek ben Ömer'in böyle bir vaziyette ve böyle bir kadınla gezip dolaşacağını tabii, hatta muhtemel buluyormuşum!.. Bir an bile tereddüt etmedim... Neden? Onun hakkındaki hükümlerim bana böyle yanlışlıklar yaptıracak hali buldu mu?.. Belki... Mektubu hemen yırtmalıyım. Herhangi bir şekilde Ömer'in eline geçerse rezil olurum!.. Rezil mi olurum? Ne münasebet... Mektupta benzetmekten bahis yok ki... Galiba bir yerde kapalı bir şekilde yazmış, sonra karalamıştım. Karalamasam bile bir şey anlamazdı... Şu halde beni Ömer'e karşı mahcup edecek neresi var? Hiç... Mektubu hemen yırtacağım... Muhakkak... Fakat yazdıklarım yanlış mı? Bu vak'alar olmasa da mektubu aynen bırakıp gitmek mümkün değil miydi? Orada bir vak'ayı değil, bütün bir hayat parçasını söylemek istedim... Üç aylık beraberliğimizin hesabını yaptım... Evet... Hem de eksik veya fazla denecek en ufak bir yeri olmamak şartıyla... Ömer'i bir kadınla gördüğüm yanlışmış diye... Hatta... hatta Ömer tevkif edildi diye yazdıklarımın bir tekini değiştirmek mümkün mü? Hadiseler ve insanlar hep aynı olarak kalmış değiller mi? Hatta bu tevkif vak'ası düşüncelerimin ne kadar doğru olduğunu, Ömer'in kendini nasıl körce felakete sürüklediğini, daha doğrusu sürüklettiğini ispat etmiyor mu? Ömer'in başına gelen bu iş beni adamakıllı sarstı... Onun zavallı hali gözümün önüne geliyor... Fakat bütün bunlar beni tekrar ona yaklaştırıyor mu? Onunla tekrar müşterek bir hayat sürülebileceğine inanıyor muyum? Tamamen samimi olmak lazım... Her şey buna bağlı... Hayır... İnanmıyorum... Eyvah... Her şey sahiden bitmiş..."

Düşüncelerinin burasına gelince ümitsiz bir çocuk gibi gürültü ile içini çekti ve kendi kendine söylenmeye devam etti:

"Bedri gelmeden biraz evvel, yazdığım mektubun bir yerinde samimi olmadığımı düşünüyordum... Neresiydi? Evet... Bu sefer Ömer'in evini bırakıp çıkarken hiçbir ümidim olmadığını, Emine teyzelerden çıktığım zamanki gibi gizli bir hissin bana cesaret vermediğini söylediğim kısımlardı... Hiçbir ümidim yok muydu? 'Son dakikaya kadar her şeyin değişebileceğini umacağım!' derken hiçbir şey kastetmiyor muydum? Mesela... Of... Of... Çok samimi olmak lazım... Bu sefer kendime karşı... Mesela Bedri... O satırları yazarken acaba Bedri'yi hiç aklıma getirmedim mi? Farkında olmadan filan... Yoksa Bedri gelip Ömer'in tevkif edildiğini söyleyince ve benimle yakından alakadar olunca mı bu fikir kafamda belirdi? Belki de... Mektubu yazarken onu hatırladığımı zannetmiyorum... Peki, şimdi ne diye bu mesele üzerinde bu kadar çok duruyorum?.. Bedri dün akşam yanımdan ayrılırken: 'Size her zaman yardıma hazırım!' gibi bir şeyler söylemişti... Nereden biliyordu? Nasıl tahmin etmişti?.. Ne kadar insan bir hali var! Ömer'in felaketine benim kadar, belki de benden çok üzülüyor... Başkası olsa, bu kadar vak'alardan sonra, memnun bile olurdu... Hiç memnun olmuyor mu? Tavrından böyle bir şey sezilmiyor... Halbuki hislerini saklamakta pek mahir değildir... Fakat ne kadar güzel konuşabiliyormuş!.. O müsamere akşamında... Hangi müsamere akşamı, daha dün gece değil miydi? Tam bu saatlerde... Bana aylar geçmiş gibi geliyor... Dün akşam ne güzel ve ne doğru şeyler söyledi... Bu meşhur ve malumatlı adamlar onun gözlerini boyayamamışlar... Demek herkesin öyle olması ve onları beğenmesi şart değil... Belki de Bedri bizim bilmediğimiz şeyi biliyor: Bu manasız ve boş hayattan daha başka bir şey olması lazım geldiğini ve bu başkanın ne olduğunu... Eğer biliyorsa... Eğer Emine teyzelerimden, Balıkesir'deki komşularımızdan daha yüksek olanların muhakkak İsmet Şerif veya Profesör Hikmet soyundan olması icap etmediğini, daha akla yakın, daha insanca yaşamak da mümkün olduğunu o da görüyorsa ve böyle bir hayata varmak çareleri onca malum ise... ne fevkalade bir adam... Öyle ya, başında bu kadar felaket varken kendini kaybetmemesi, Ömer gibi bir arkadaşın her haline, en dayanılmaz muamelelerine tahammülü, bana karşı aldığı vaziyet ve mukabilinde bir şey beklemeden gösterdiği alaka... Daha birçok şeyler, onun nasıl düşünen, duyan ve bunları ölçüp biçtikten sonra verdiği kararlara göre hareket eden bir insan olduğunu gösteriyor... Bana hiçbir zaman Ömer'in arkadaşına yakışmayacak bir şey söylemedi, bir tavır almadı... Fakat, daha mühim ve düşündükçe daha hoşuma giden bir tarafı var: Rol de yapmadı, hislerini saklamaya çalışarak küçülmedi... Eski hatıraları ara sıra ortaya koymaktan ve hâlâ bunların tesiri altında bulunduğunu sezdirmekten kaçmadı, fakat buna rağmen herhangi bir arzusunu veya gizli bir maksadını belli ederek kendisine gösterilen arkadaşlık ve itimattan istifadeye de kalkışmadı..."

Macide yerinden kalktı. Tekrar acele adımlarla evin yolunu tuttu. Bedri'nin havadis getirmesi ve onu evde bulamaması ihtimali vardı. Fakat adımlarına bu kadar çabukluk veren şey Bedri'nin vereceği haberler miydi, yoksa kendisi mi? Dimağında belirmek isteyen bu suali zorla sürüp çıkardı...

* * *

Bedri ertesi gün öğleye doğru geldi. Macide geceyi oldukça heyecanlı geçirmiş ve hemen hemen hiç uyumamıştı. Ömer'le beraber yaşamaya başladıklarından beri ilk defa yalnız yatıyordu. Yorganın altına girmeye cesaret edemedi. Elbiseleriyle uzandı. Ara sıra dalar gibi olsa bile küçük bir çatırtı veya sokaktaki bir sesle uyanıyor, başını kaldırarak Bedri'nin haber getirmesini bekliyordu. Sabaha karşı bir saat kadar uyumuş ve karşı evlerden birinin penceresinden zerzevatçı çağıran bir kadının feryadıyla uyanmıştı. O andan itibaren Bedri gelinceye kadar müthiş bir bekleme işkencesi başladı.

Vakit geçirmek için yatağını düzeltmekten tutturarak adeta umumi bir temizlik yaptı. Masa örtülerini silkti, mutfağa gidip birikmiş bulaşıkları yıkadı. Aynalı dolaptaki çamaşırları yeniden tasnif etti ve Ömer'in gömleklerini ve çoraplarını uzun zaman ellerinde tutarak düşündü... Pencereyle kapı arasında aşağı yukarı gezindi. Masanın üstüne çıkıp bir bezle abajurun tozunu aldı. Tekrar pencereye gidip yarı beline kadar sarkarak sokağı gözden geçirdi. Beklemek ve telaş, nefes darlığı gibi göğsüne yerleşmişti. Ne kitap okuyabildi, ne karıştırdığı notalardan bir şey anladı, ne de, bütün gayretine rağmen, ağzına bir lokma aldı... Nihayet daha fazla tahammül edemeyerek sokağa fırladı. Bedri'yi yolda karşılamak istiyordu. Hızlı adımlarla yürüyor ve her köşeden onun çıkıvermesini bekliyordu. Köşeye yaklaşınca yüreği daha çabuk hopluyor, sokağın görebildiği yerlerinde Bedri'ye benzer kimse bulunmadığını anlayınca tokat yemiş gibi oluyor ve öteki köşeye kadar içinde yeniden ümitler beliriyordu.

Daha fazla yürüyemeyeceğini hissetti. Belki Bedri başka yollardan gelmiştir ve evde beni bekliyordur, diye koşarak geri döndü. Kimseler yoktu. Masanın başına geçip oturdu. Yüzünü elleriyle kapayarak uzun zaman kaldı ve Bedri'nin yavaşça içeri girdiğini fark etmedi.

Genç adam onu rahatsız etmekten çekiniyormuş gibi hafif, biraz da şefkatli bir sesle:

"Nasılsınız? Beni çok beklediniz değil mi?" dedi.

Macide ellerini süratle yüzünden çekti. Ayağa kalkmadan başını sallayarak selamladı. Ağlamış gözlerle karşılaşacağını zanneden Bedri, Macide'nin yüzündeki sakin fakat biraz ihtiyarlamış ifadeden hayrete düştü. Karşısında, kumaş kısımları yıpranmış gıcırtılı bir iskemlede oturan ve uzun senelerin tecrübe ve azabını yüklenmiş gibi yorgun bir yüzle zoraki gülümsemeye çalışan kadın, iki sene evvelki ağır fakat taze, sessiz fakat ateşli talebesi miydi? Kıvırcık saçlı başını dimdik tutan ince beyaz boynu şimdi gevşemişti, kâh bir omzuna, kâh ötekine doğru bükülüveriyordu. İnsana korkmadan ve uzun uzun bakan gözleri bezgin bir halde eşyalar üzerinde dolaşıyor ve hiçbir noktada kalmıyordu.

Bedri söyleyeceğini unutarak:

"Ne kadar çok üzülüyorsun kızım!" dedi.

Macide ona karşısındaki iskemleyi gösterdi:
"Buyurun! Ne oldu? Nerede? Anlatın!"
Bedri kendini topladı. Gösterilen yere geçerek:
"Tahmin ettiğim gibi" dedi. "Nihat meselesi. Anlatması uzun sürecek... Ben polisten, Nihat'ın arkadaşlarından, Ömer'den öğrendiklerimi toparlayarak bir şeyler çıkardım."
Macide hemen sordu:
"Ömer'i gördünüz mü?"
"Evet, şimdi yanından geliyorum, tevkifhaneye teslim etmişler!.."
"Nasıl?"
"Sakin!.. 'Herhalde bir yanlışlık oldu; hakikat anlaşılacak ve beni bırakacaklar!' diyor. Zaten ötekileri kimseyle görüştürmedikleri halde benim Ömer'le konuşmama müsaade ettiklerine göre vaziyeti pek tehlikeliye benzemez..."
"Neler söyledi? Benden bahsetti mi?"
Bedri bu suali hem bekliyor hem istemiyormuş gibi telaşlı bir hal aldı:
"Evet, mesele benim tahmin ettiğim gibiymiş!" dedi.
Fakat Macide karşısındakinin sözünü keserek:
"Niçin cevap vermediniz? Benim için bir şey söyledi mi?" diye sordu.
Bedri biraz düşündü. Sonra:
"Müsaade edin, evvela işin esasını anlatayım, sonra oraya da geliriz!" dedi ve Macide'nin cevabını beklemeden devam etti: "Nihat ve etrafına topladığı delikanlılar, gençlik, bilgisizlik, gayesizlik yüzünden ve biraz da külah kapmak arzusuyla, birtakım mecmualar, broşürler neşretmeye, memleket ve millet sevgisini inhisar altına alıp etrafa küfür ve iftira yağdırmaya başlamışlardı... Bunu biliyorsunuz... İlk zamanlarda muayyen bir hedefi olmayan, sırf yolunu bulamamış birtakım heyecanların gayri tabii şekilde feveranı intibaını bırakan bu neşriyat, son günlerde sistemli bir hal aldı. Bu, herkes gibi benim de gözüme çarptı. Münakaşalarını eskiden kahvelerde, vapurlarda, yollarda bağıra bağıra yapan, fikirlerini alenen söylemeyi ve icabında yumrukla müdafaayı bir kabadayılık addeden bu kahramanlar, birdenbire nedense esrarengiz bir hüviyet aldılar... Kahvede ikisi

üçü bir araya gelince baş başa verip fısıltı halinde konuşuyorlar, bir münakaşada fikirlerine kuvvetli bir hücum yapılsa, hasımlarına cevap vermeyerek: "Zamanı gelsin, biz sana dünyanın kaç bucak olduğunu gösteririz!" demek isteyen emin bir gülümseme ile iktifa ediyorlar ve nihayet, şimdiye kadar mahiyetleri tamamen anlaşılamayan birtakım maceraperest ve esrarlı heriflerle düşüp kalkıyorlardı. Bunlardan biri, ara sıra Nihat'ın yanında gördüğümüz o tatar suratlı herif de mevkuflar arasında... Neyse, fazla tafsilat vermeye hacet yok, bu coşkun gençler, bir kısmı bilerek, bir kısmı bilmeyerek, mükemmel bir ağın içine düşmüşler... Kendi fikirlerimizi söylüyoruz ve yazıyoruz sanırken yabancı ve barbarca kanaatlerin tercümanı, zavallı birer oyuncağı olmuşlar. Kendilerine telkin edilen yalancı ve sinsi dünya görüşünü müdafaa edeceğiz derken kendilerinin, milletlerinin ve insanlığın kuyusunu kazdıklarını bilmemişler... Ve nihayet başka bir devlet hesabına hizmet denilebilecek kadar ileri giden işlere girmişler... Ele geçen vesikalara nazaran, memlekette kendilerine muhalif bildikleri insanların listeleri yapılıp perde arkasında kalan esrarlı ellere verilmiş... Birçok insanlar düşünüşlerinin istikametine, kanlarına, yedinci cetlerinin nesebine veya doğduğu yere göre tasnif ve defterlere kaydedilmiş... Bu arada bir hayli de para dalaveresi dönmüş... Yalnız bundan ancak kodamanlar istifade edip öteki zavallı çömezler pir aşkına bağırmışlar... Zaten mesele de buradan meydana çıkmış... Ortada para oyunu olduğu halde kendilerine bir şey koklatılmadığını sezen birkaç idealist genç, işi meydana vuruvermişler... Görüyorsunuz ya, iğrenç şeyler... Ömer'in zannetmiyorum ki bir alakası olsun... Yalnız Nihat'ın evine bıraktığı iki yüz elli lira yüzünden veznedar meselesi meydana çıkarsa diye korkuyor... Korkuyor da denmez ya... Acayip bir halde... Bir gece içinde değişmiş ve kendinden ziyade veznedarı merak eder olmuş... Her şeyin üstünden haftalarca, hatta aylarca zaman geçtikten sonra bu hali bana garip göründü... Zaten bütün tavırlarında şimdiye kadar alışmadığım bir durgunluk vardı. Fazla düşünceli görünüyordu... Sonra... Sizden bahsedince..."

Bir türlü sözünü bitiremiyordu. Macide sordu:

"Beni merak ediyor mu? Ne diyor?"

Bedri yüzünü buruşturarak:

"Doğrusunu isterseniz ben pek bir şey anlamadım!" dedi. "Sizin isminiz geçince uzun düşüncelere daldı. 'Macide meselesi halledilmeli artık!' dedi. Ben: 'Ne gibi?' diye sordum. Cevap vermedi ve lafı değiştirdi. Daha heyecanlı olacağını zannetmiştim. Değil... Acaba korkuyor mu diye düşündüm. Baktım ki tevkifinden dolayı telaş ettiği yok. Kurtulacağından emin... Belki bu hal, biraz daha makul bir hayatın başlangıcıdır..."

Macide gözlerini Bedri'nin yakasındaki bir toza dikerek daldı... Karışık bir hesabın içinden çıkmak ister gibi alnını buruşturuyordu. Bir müddet sonra sabit bakışlarıyla karşısındakini bağlamak ister gibi sordu:

"Siz Ömer'in değişeceğini zanneder misiniz?"

Bedri kaçamaklı bir cevap verdi:

"Ne gibi? Neden sordunuz?"

"Hiç. Fikrinizi öğrenmek istedim. Ne dersiniz?"

"Bilmem... Değişebilir... Fakat..."

"Evet!"

"Çok zaman ister..."

"Öyle!"

Birdenbire yerinden kalktı. Şu anda bu mesele üzerinde fazla konuşmak istemediğini belli ederek:

"Haydi gidelim ve Ömer'i görelim! Herhalde bana gösterirler!" dedi.

Bedri bu teklifi bekliyordu. Beraberce çıktılar.

Tevkifhanede Ömer'i görmek güç olmadı. Macide kocasının adamakıllı değişmiş olduğunu fark etti ve derhal bunun sebebini aradı. Biraz sakalları uzamıştı. Fakat bu her zamanki hali sayılırdı. Hayır, başka bir tahavvül,* gözlerinde, yüzünün çizgilerinde başka bir mana vardı. Evvela Macide'ye, sonra Bedri'ye elini uzattı.

Beyaz badanalı görüşme odasında iki tahta sandalye bulunuyordu. Ömer misafirlerini oturtarak kendi ayakta durmak istedi, fakat Bedri yerini ona verdi.

Macide hafifçe tebessüm ederek kocasına baktı. Ömer'in cevap olarak başladığı gülümseme ise yarıda kaldı. Onun, yüzünün adalelerini, böyle rahatsızlık verecek kadar garip bir gerginlikte tutması, Macide'yi üzüyor ve acındırıyordu.

* Değişim.

Hiçbiri söze başlayamıyordu. Bedri karı kocayı yalnız bırakıp biraz ötede duran gardiyanın yanına gitmeyi daha muvafık buldu. Buna rağmen ne Ömer, ne de Macide birbirlerine yaklaşamıyorlar ve bu sıkıntılı sükût devam ettikçe aralarında kopmuş bir şey bulunduğunu daha çok hissediyorlardı. Macide dün yazdığı mektupta "Birbirimize söyleyecek hiçbir şeyimiz yok muydu?" şeklinde bir cümle bulunduğunu hatırladı ve büyük bir teessür içinde: "Belki de yoktu. Baksana... Yabancı gibi... Ben de öyleyim! Neden?" diye düşündü. "İlk görüştüğümüz gün beni tanımadan, dinleyip dinlemeyeceğimi bilmeden ne kadar çok konuşmuştu. Hep böyle... Harikulade başlıyor ve hemen arkasını bırakıyor... Belki tembellikten, belki nereye vardıracağını bilmemekten..."

Nihayet bir şey söylemiş olmak için:

"Çok sıkıldın mı, Ömer? Ne zaman buraya geldin?" dedi.

"Sıkılmaya vakit olmadı. Dün gece yarısına kadar tahkikat devam etti, bu sabah erkenden buraya gönderildik!"

"Çok üzülüyor musun?"

"Yok canım!.. Benim bir şeyle alakam olmadığını şimdiden anlamaya başladılar. Yalnız Nihat'ın ve avenesinin haline acıyorum. Kahramanlar uyuz kedilere döndüler. Her biri kabahati ötekinde buluyor. Daha bugünden kavgaya tutuştular... Arkadaşlık ve gaye uğruna canlarını fedaya kalkan yiğitler şimdi yakayı sıyırmak için birbirlerini satmaya uğraşıyorlar. Onları bütün acizleri ve çirkeflikleri içinde görmek hazin bir şey..."

Macide dikkatle dinliyor ve bu sırada:

"Kendimize dair konuşacak hiçbir şey yok mu?" diye düşünüyordu. Fakat bu yabancılığın bütün kabahati kendinde olamazdı. İşte, Ömer de deminden beri uzak durmakta devam ediyor ve kendilerine ait olmayan mevzular üzerinde dolaşıyordu. Bunu tespit etmek, zannının aksine olarak, Macide'ye hiç de acı gelmedi... Ömer'in kendinden uzaklaşmaya başladığını görmek bu kadar kolay mıydı? Fakat ona kızmaya, hatta hayret etmeye ne hakkı vardı? Karşısında her zamanki gibi hareketli ve küçük gözlerle, saçları alnına dökülmüş duran ve sustuğu zaman bile güzel dudaklarını kımıldatan Ömer, ona eski heyecanların, eski arzuların hiçbirini vermiyordu. Kocasını uzak bir akraba, yeni tanışılan şöyle bir dost gibi nazik bir alaka ile dinliyor, fakat onda hâlâ âşık olduğu, kafasında hayalini yaşattığı ve belki her zaman yaşatacağı Ömer'den pek ufak birkaç iz buluyordu.

Gardiyanın işareti üzerine ayağa kalktılar. Sükûnetle, hatta biraz da dostça ayrıldılar. Fakat Macide, kendilerini kapıya kadar getiren Ömer'in yüzünde aynen geldikleri zamanki gibi yarıda kalmış bir gülümseme takallüslerini* fark etti ve eve gelinceye kadar, hatta daha uzun zaman, bu hayali kafasından uzaklaştıramadı.

XXVIII

Macide, hep Bedri ile beraber olmak üzere, haftada iki defa Ömer'i ziyaret ediyordu. İçinde gene o tahlil edemediği birbirine zıt hisler vardı. Kocasını görmediği zaman, onu adamakıllı sevdiğini, fakat artık beraber yaşamalarına imkân olmadığını düşünüyor; fakat karşı karşıya gelince, sevdiği adamla bu Ömer arasında pek az münasebet bulunduğunu, buna rağmen, onu böyle bir vaziyette bırakıp ayrılmanın imkânsızlığını, hatta Ömer buradan kurtulduktan sonra da hayatlarını bir müddet beraber sürüklemeye çalışmanın icap edeceğini kabul ediyordu.

İlk tahkikat on beş günden beri devam etmekteydi. Bedri'nin anlattığına göre, her gün ortaya yeni bir mesele çıkıyordu. Hadise, umumiyet itibarıyla, zannedildiği kadar korkunç bir şey değildi. Beş on budala delikanlının, müthiş laflar etmek, yazılar yazmak ve kendilerine bu sayede büyük mevkiler hazırlamak hülyasıyla, birtakım dalavereci, maceraperest ve satılmış adamlara alet olmalarından ibaretti. Her biri kendini istikbalin, hatta bugünün en kuvvetli münekkidi, felsefecisi, tarihçisi, şairi, siyasetçisi, gençlik rehberi sayan ve hepsi birden iyi olmaz bir büyüklük deliliğine yakalanmış bulunan bu cahil ve korkak gençler, müstantik** karşısında ağlıyorlar, jandarmalara dert yanıyorlar, gardiyanlardan medet umuyorlar ve mahkemeye gizli

* Kasılmalarını.
** Sorgu yargıcı.

mektuplar yazıp yeni cürüm ortaklarını veya mevcut cürüm ortaklarının yeni cürümlerini haber veriyorlardı.

Macide bunları hep Bedri'den öğreniyordu. Son zamanlarda Ömer ne kendinden ne de başkalarından bahsediyor, sadece gözlerini Macide'nin yüzüne dikip susuyor, yahut Bedri ile havadan sudan konuşuyordu.

Macide bu kararsız vaziyetin daha fazla uzamasına lüzum olmadığına, her şeyi kesip atarak, ne yapacağını ondan sonra düşünmeye karar verdi. Bedri ile Beyazıt'taki kahvelerden birinde buluşup Ömer'e gitmeyi tasarladıkları bir gün, hâlâ muhatabına verilmemiş olan uzun mektubu da yanına aldı. Ömer'i görüp konuştuktan sonra ayrılırken, gardiyanlara göstermeden, bırakmak niyetindeydi.

Öğleye doğru evden çıktı. Bedri ile beraber bir aşçıda yemek yiyecekler, saat ikide tevkifhaneye uğrayacaklardı. Tramvayda gittiği müddetçe elini cebine sokmaktan ve dört kata kıvrılmış olan mektuba dokunmaktan kaçtı.

"Ne olursa olsun, bunu yapmamalıyım!" diyordu. "Onun böyle âciz, belki de bana muhtaç olduğu bir zamanda bu darbeyi vurmak... Fakat ne darbesi? Ne muhtacı? Yanına gittiğim zaman yüzü buruşan o... Beni bir tek söze layık bulmayan... Benden uzaklaştığını ilk ortaya vuran da o... Hayır... Bunlara kızmıyorum... Fakat ne diye bu haksızlığı yapıyor? Mektubu muhakkak vereceğim... Ne zaman yazdığımı da söyleyeceğim. Anlasın ki ben kararımı ondan evvel verdim. Hem de bu tevkifle alakası filan olmadan verdim...

Hiç kızmıyorum diyebilir miyim? Fakat kime olsa dokunur. Hem haklı olmak, hem kabahatli görülmek... Acaba kafasında benim hakkımda neler var? Her gidişimizde, ayrılacağımıza yakın, Bedri'nin kulağına bir şeyler söylüyor ve Bedri tasdik ediyor... Bana ait bir şey olduğunu seziyorum, fakat sormaya utanıyorum. Bedri bu işlerde çok yoruldu ve hiç mecburiyeti olmadan çok fedakârlık yaptı. On beş günden beri Ömer'e de, bana da, o para yetiştiriyor... Her ziyaretimde Ömer'in bana verdiği birkaç liranın Bedri'den çıktığını bilmek keramete muhtaç değil... Hapishanede para kazanmaya başlamadı ya!.. Fakat Bedri doğrudan doğruya bana para teklif etmeye utanıyor... Ona karşı ne kadar borçluyum... Daha doğrusu borçluyuz..."

Tramvaydan indi. Beyazıt kahveleri doluydu. Masaların ve iskemlelerin arasından geçerek Bedri'yi aradı. Hiçbir tarafta göremedi. "Burada olsa beni görürdü herhalde!" diye düşündü. Masalarda oturanların kendisine dikilen gözleri, vücudunda dolaşan yabancı eller gibi onu rahatsız ediyordu. Şaşkın şaşkın bakınırken köşelerden birinde bir grup halinde toplanmış bulunan Profesör Hikmet ve arkadaşlarını gördü. Şair Emin Kâmil, muharrir İsmet Şerif, hep beraberdiler. Muharrir Hüseyin Bey hayır cemiyetinin ak saçlı reisi ile tavla oynuyordu. Macide ile Profesör'ün gözleri karşılaştı. Genç kadın eski bir alışkanlık ve yiyecek gibi bakan saygısız bir kalabalığın verdiği şaşkınlıkla gülümseyerek o tarafa doğru bir adım attı. Profesör Hikmet derhal başını çevirerek fevkalade büyük bir dikkatle tavla oyununu seyre başladı. Dudaklarının kıpırdamasından etrafındakilere bir şeyler söylediği anlaşılıyordu. Nitekim Macide'yi fark etmiş bulunan diğer birkaç kişi de gözlerini başka istikametlere çevirerek masum tavırlar almaya çalıştılar. Genç kadın büsbütün şaşırdı. Beş on gün evvel kendisine lüzumundan biraz fazla teveccüh göstermiş olan kabadayı, arkadaş canlısı, fedakâr ve olgun âlimin bu kabalığına ilk anda mana veremedi, fakat bir mevkufun karısı olduğunu hatırlayınca gülmeye başladı.

"Aman yarabbi... Benden korkuyorlar!.." dedi.

Müsamere gecesi olduğu gibi, bu sefer de ne kızdı, ne hayret etti. Başka bir şey beklemediğini, bu adamların, şu anda cebinde duran mektupta yazdığı gibi, hakiki insanlığa yabancı olduklarını düşündü. İçinde müthiş bir arzu belirdi. İsmini bilmediği, tariften âciz olduğu bir muhit arıyordu. Hemen kahveden çıkıp gitmek, sonra da bu adamlarla hiç karşılaşmayacağı bir yer bulup sokulmak istedi. Geri döndüğü zaman henüz yolda bulunan ve kendisine doğru yaklaşan Bedri'nin gülümseyerek işaret ettiğini gördü.

İkisi de karınlarının acıkmamış olduğunu söyleyerek bir şey yemekten vazgeçtiler. Beraberce Sultanahmet'e doğru yürümeye başladılar. Macide kendini tutamayarak heyecanlı bir lisanla:

"Şu profesörlerin ve muharrirlerin halini görseydiniz!" dedi. "Beni fark eder etmez derhal başlarını önlerine eğip mırıldanmaya koyuldular... Profesör Hikmet herhalde: 'Aman bakmayın, bize doğru geliyor!' dedi ki hepsinin boyunları gerildi, sırtları kedi gibi kabardı. Aklıma ne geldi biliyor musunuz? Ben dört beş yaşındayken bazen büyükannemin odasına girer ve onu namaz kılar görünce etrafında dolaşarak konuşturmak isterdim. Kadıncağız gözlerini muayyen bir yere dikmeye çalışır, ben o tarafa geçip yüzüne baktıkça büyük bir gayret sarf ederek beni görmemek ister ve nihayet namaz surelerini yüksek bir sesle ve tehdit eder gibi okumaya başlardı. Onun bu hali bana fevkalade gülünç gelirdi. İşte bizim bu beylerin tavırları bana onu hatırlattı. Büyükannem kadar acemice ve gülünç bir gayretle gözlerini başka istikametlere çevirmeye uğraşıyorlardı. Fakat kabahat biraz da bende oldu. Sizi görüp görmediklerini sormak için yanlarına gitmek üzereydim..."

Bedri gülümseyerek dinliyordu. Macide sözünü bitirince yavaş bir sesle, tıpkı müsamere akşamı cemiyet reisinin odasında olduğu gibi, konuşmaya başladı:

"Bu adamlara kızmak bile fazladır, Macide!" dedi. Genç kadın onun kendisine sadece ismiyle hitap ettiğini fark etti. Fakat bunda samimiyetten ziyade bir hoca, bir ağabey edası vardı. Macide bunun daha iyi olduğunu, çünkü Ömer'den başka bir insanın kendisiyle içlidışlı konuşmasına dayanamayacağını hissediyordu. Hatta artık Ömer'i bile istemiyor ve ruhunda böyle tatlı ve okşayıcı hitaplara karşı hassas olan bir taraf bulunmadığını sanıyordu. Bedri devam etti:

"Bu adamların hepsi büyük bir tezat ve ikilik içinde çırpınıyorlar. Hiçbiri sırtında taşıdığı ve muhafazaya mecbur olduğu mevki veya paye ile ahenk halinde yaşamıyor. Kafaları, zekâ itibarıyla olsun, yarım yamalak bilgileri itibarıyla olsun, merhamete muhtaç bir halde. Şahsiyetleri kırpıntı bohçası gibi. Her şeyleri iğreti, her vasıfları, her kanaatleri iğreti... Basit bir insan, mesela hiç okuması yazması olmayan bir köylü, bir amele, lalettayin bir adam bunlardan çok daha mükemmel bir bütündür. Çünkü o adam, mesela Hasan Ağa, Hasan Ağa olarak düşünür, böyle yaşar. Hükümleri hayatın verdiği birtakım tecrübelerin neticesidir ve kendine göredir. Konuşurken karşısında Hasan Ağa'dan başka kimse yoktur. Fakat bu efendilerin hiçbiri kendisi değildir. Fikir diye ortaya attıkları her şey, kafalarına rasgele doldurdukları hazmedilmemiş, acayip, birbirine zıt bilgilerin tahrip edilmiş şekillerinden ibarettir. Mesela Mehmet Bey'le asla Mehmet Bey olarak konuşmaya imkân bulamazsın. Siyasetten bahsedecek olsan karşında şu Fransız gazetesinin veya bu diktatörün nutkunu bulursun... Müzik lafı açsan bilmem hangi gâvurun kitabı veya hangi Müslümanın makalesiyle karşılaşırsın... Beğendiği yemeği söylerken bile Mehmet Bey değildir. Mühim adamların nasıl yemekleri beğenmesi lazım geldiğini düşünmeden bir şey diyemez. Çok kere iki lafı birbirini tutmamak mecburiyetindedir. Çünkü edebiyat hakkında duyup veya okuyup benimsedikleri şu müellifin fikirleri ise, tesadüfen, müzik hakkındaki bilgileri de, dünya görüşü ve sanat anlayışı itibarıyla ona taban tabana zıt bir başka muharrirden edinmedir. Bu belkemiksiz malumat ve kanaatler mütemadiyen kopar, birbirinden ayrılır, sahibiyle münasebetlerini mütemadiyen değiştirir. Çünkü hiçbirinde fikirler ve bilgiler şahsiyet haline gelmemiştir. Hiçbiri ukalalık etmek için malzeme toplamaktan başka bir şey düşünmemiştir. Hiçbiri insanı insan yapan şeyin şahsiyet olduğunu, bütün ilimlerin, bütün tecrübelerin yalnız bunu temine yaradığını anlamamıştır. Onun için bu nevi insanlardan bahsedilirken boyuna birbirine uymaz sözler duyarız. Biri aptaldır derken öteki akıllı, biri ahlaksız derken diğeri haluk* der. Şu tarafı iyi ama bu tarafı çürük diye hükümler verilir. Bir insanın, bilgisi, düşünceleri, mantığı, ahlakı, hülasa her şeyiyle bir kül** olduğunu henüz anlayan yok. Bu muhtelif taraflar bir insanda ne kadar ayrı çehre gösterirse göstersin, bir noktada birleşir ve bir ahenk vücuda getirirler. O nokta da şahsiyet dediğimiz şeydir. İşte bunun için ben bu yarım, bu iğreti, bu zavallı ve gülünç adamlarla ahbaplık etmekten sıkılıyorum. Buna mukabil, piyano dersi verdiğim sekiz yaşındaki bir çocuk, eğer ailesi tarafından gayret edilip daha bu yaşta kuşa benzetilmemiş ve tabii halinde inkişafa bırakılmamışsa, benim gözümde birçok büyük muharrir ve mütefekkirlerden daha alaka verici bir mahluktur. Bir garson, bir kayıkçı, şahsi fikirleri olmak, gördüğü ve öğrendiği

* İyi huylu.
** Bütün.

şeyleri kendine mal etmek bakımından, bizim bu münevverlerin hepsinden üstün ve kıymetlidir. Konuşurken birçok şeyler öğrenirim ve karşımda bir *insan* görürüm, hazin ve geveze bir *kukla* değil... Siz onları uzaktan bir şey zannettiniz, fakat yavaş yavaş ne mal olduklarını gördünüz... Hiç hayret etmeyin... Hatta onların küstah ve mütecaviz hallerini bile mazur görün... Çünkü alelade bir *insan* bile olmadıkları halde kendilerine bir de *münevver insan* payesi verilince ve hayattaki mevki ve itibarlarını kaybetmemek için bu sıfatı akla hayale gelmeyecek hokkabazlıklarla muhafazaya mecbur kalınca, pek tabii olarak dalavereci olacaklar, ahlaksızlaşacaklar ve mütemadiyen birbirlerinin kıymetsizliklerini ortaya vurarak kıymetsizliğin esas olduğu kanaatini uyandıracaklar... Bereket versin herkes böyle değil... Daha sarp yollardan yürüyen fakat buna mukabil insan denecek bir insan olmak isteyenler de var... Belki pek az... Ama var... Unutmayın ki, dünyada en korkunç şey, ümidini kaybetmektir. Bu söylediğim gibilerin az ve henüz kendilerini tam göstermemiş olması, günün birinde iyinin, doğrunun ve kıymetlinin hâkim olacağından ümidi kesmeyi icap ettiremez... Bugün şurada burada teker teker yaşayan ve çalışanlar yarın birleşince bir kuvvet olacaklar ve en kuvvetli silahı; haklı olmak silahını ellerinde tutacaklardır."

Macide yanındaki adama hayretle bakıyordu. Birdenbire, Bedri'yi kolundan yakalamış ve bu şekilde kim bilir ne kadar yürümüş olduğunu fark etti. Her zaman Ömer'i tuttuğu yerden, dirseğinin biraz üstünden yakalamıştı. Süratle elini çekti. Bedri'nin sitem dolu gözlerle kendisine baktığını hissederek başını yere çevirdi.

Bir erkek yanı başında uzun uzun konuşmuştu. Fakat bu sefer Ömer'i dinlerken olduğu gibi elinde olmayarak bir sarhoşluğa düşmüyor, kafasında birtakım düğümlerin çözüldüğünü, iradesinin, kaybolacağı yerde, daha kuvvetlendiğini görüyordu.

Bu sırada tevkifhanenin önüne gelmiş bulunuyorlardı. Macide birdenbire cebindeki mektubu hatırladı. Nefesi tıkanır gibi oldu ve tekrar Bedri'nin koluna sarıldı. İçeri girince hiç beklemedikleri bir haberle karşılaştılar. Kendilerini tanıyan bir gardiyan Bedri'nin yanına sokuldu:

"Ömer Bey'i göreceksiniz değil mi?" dedi. "Kendisi rica etti. Siz kalacakmışsınız, hanımefendi gidecekmiş. Yalnız sizinle görüşmek istiyor... Hanım gitmezse çıkmam diyor!"

İkisi de şaşırdılar. Macide kendini daha çabuk toparladı:

"Peki... Siz kalın... Ben sizi beklerim!.. Nerede isterseniz... Bana anlatırsınız... bütün bunlara sebep neymiş?" dedi. Sultanahmet Meydanı'nın karşısındaki kahvelerden birinde Bedri'nin kendisini bulmasını kararlaştırdıktan sonra çabuk adımlarla ve başını lüzumundan biraz fazla dik tutarak odadan çıktı.

Gardiyan Ömer'i getirdi. Gene tıraşı uzamıştı. Hastaymış da sesi çıkmıyormuş gibi eliyle işaret ederek Bedri'yi çağırdı. Karşılıklı iki iskemleye oturdular. Ömer hemen söze başladı:

"Bedri... Kısa kesmek lazım. Vaktim yok. Beni hiç itiraz etmeden dinle. Beni seviyorsan -ki bunu bilmem- ve Macide'yi seviyorsan -ki bunu tahmin ederim- dediklerimi yaparsın. Her zamanki gibi, bir anda düşünülüp verilmiş kararlardan bahsetmeyeceğim. On günden beri bu mesele üzerindeyim. On günden beri kendi kendimle hesap görüyorum. Müthiş açığım çıktı... Alay etme... Gayet ciddi ve doğru söylüyorum. Otuza yaklaşmaktayım... Bugüne kadar ne yaptığımı düşündüm. Bir sıfırdan başka netice alamadım. Hayatta hiçbir şey yapmış olmamak gibi korkunç ve utandırıcı bir şey var mı? Son zamanlara kadar 'Fena bir şey yapmıyorum ya!' der ve kendimi temize çıkarmaya çalışırdım. Fakat hadiseler gösterdi ki, fena olmayışım tesadüf eseriymiş, fırsat düşmemiş, zaruret olmamış. Nitekim hayatın ilk çelmesinde yuvarlanıverdim. İyilik demek kimseye kötülüğü dokunmamak değil, kötülük yapacak cevheri içinde taşımamak demektir. Bende bu fena cevher fazla miktarda mevcutmuş. Belki herkeste var... Fakat insan olan onu söküp atmasını, yahut boğmasını biliyor... Dokunmadan bırakmak, bir gün başını kaldırmasına meydan vermek olur... Sana ahlak vaazı edecek değilim. Yalnız, benim gibi eş dost arasında akıllı geçinen bir insanın nasıl olup da bu kadar manasız ve bomboş bir gençlik geçirdiğine herkesten evvel kendimin hayret ettiğimi söyleyeceğim... Evvela bunun farkında değildim. Kendilerini derecesiz bir zekâ ve kabiliyete sahip sayan arkadaşların arasında, mukaddes ve mağrur bir aptallığa sırtımı vererek yaşıyor ve sırf bununla mühim bir şey yaptığımı sanıyordum. Ne gayem, ne düşüncem vardı. Zekâm bütün kuvvetini, içinde bulunduğu âna sarf ediyordu. Yerinde bir cevap, keskin bir nükte bütün hakikatlere bedeldi. Böyle günübirlik bir fikir hayatının tabii bir neticesi olarak tezatlara, manasızlıklara, hatta edepsizliklere düşüyordum. İsteyip istemediğimi doğru dürüst bilmediğim, fakat neticesi aleyhime çıkarsa istemediğimi iddia ettiğim bu nevi söz ve fiillerimin daimi bir mesulünü bulmuştum: Buna içimdeki şeytan diyordum; müdafaasını üzerime almaktan korktuğum bütün hareketlerimi ona yüklüyor ve kendi suratıma tüküreceğim yerde, haksızlığa, tesadüfün cilvesine uğramış bir mazlum gibi nefsimi şefkat ve ihtimama layık görüyordum. Halbuki ne şeytanı azizim, ne şeytanı? Bu bizim gururumuzun, salaklığımızın uydurması... İçimizdeki şeytan pek de kurnazca olmayan bir kaçamak yolu... İçimizde şeytan yok... İçimizde aciz var... Tembellik var... İradesizlik, bilgisizlik ve bunların hepsinden daha korkunç bir şey: hakikatleri görmekten kaçmak itiyadı var... Hiçbir şey üzerinde düşünmeye, hatta bir parçacık durmaya alışmayan gevşek beyinlerimizle kullanmaya lüzum görmeyerek nihayet zamanla kaybettiğimiz biçare irademizle hayatta dümensiz bir sandal gibi dört tarafa savruluyor ve devrildiğimiz zaman kabahati meçhul kuvvetlerde, insan iradesinin üstündeki tesirlerde arıyoruz.

Bu böyle devam edip gidecekti, fakat tesadüf karşıma Macide'yi çıkardı. Onu nasıl sevdiğimi, ne kadar sevdiğimi anlatacak değilim... Dünyada hiç kimsenin aynı şeyleri aynı kuvvette duyamayacağını zannediyorum. Onda öyle birtakım haller gördüm ki, benim saatlerce birçok insanlarda arayıp bulamadığım ve yok farz ettiğim şeylerdi. Onda bizim gibi olmayan, olduğu gibi görünen ve bir şeyler olan bir insan buldum. Derhal kendimi düzeltmek, ona layık bir hale gelmek icap etmez miydi? Yapamadım ve bu aczimi içimdeki şeytana hamlettim. Halbuki tembel ve iradesizdim. Başka bir şey değil... Hayvan taraflarımı avuçlarıma almaya, kafamla hareket etmeye alışmamıştım. Basit, çocukça birtakım hürriyetleri insan olmaktan daha ehemmiyetli buluyordum. Ne kadar seversem seveyim, bir kişiye bağlı kalmak bana garip geliyordu... Sokakta gördüğüm kadınlara dikkatli bakmaktan kendimi alamıyordum. Buna rağmen korktuğum derecede düşmedim. Bu benim adamlığımdan değil, Macide'nin şahsiyetinin benim üzerimde, istemesem bile gene mevcut olan, tesirindendi. Fakat o müsamere akşamı iş çığrından çıktı. Orada bizim eski arkadaşları; beraber okuduğumuz, koridorlarda gevezelik ettiğimiz, gezintilerde oynadığımız kızları, hatıralarımda yer tutan bir hayat devresinin canlı mümessilleri olarak görünce derhal her şeyi unuttum... Belki sana Macide anlatmıştır... İçtim ve beni seven bir insanın yanında yapılmayacak kadar sululaştım. Karım buna da tahammül edecekti... İş sadece sululuktan ibaret olsaydı!.. Fakat ben daha ileri giderek bayağılaştım... Saygısızlaştım ve etrafın çirkefliğinden bunalacak hale gelen Macide'yi yapayalnız bıraktım... Dahası var... Onu iğrendiren bu muhitin bana hiç de yabancı olmadığını, beni hiç de sıkmadığını ve tiksindirmediğini göstermiş oldum... Bunların tamiri kabil değildi... Ben aptal değilim... Her şeyin bittiğini ve Macide'nin bana inanarak sokulmasına imkân kalmadığını derhal anladım... Artık kendime ve ona vereceğim bütün sözlerin gülünç olacağını biliyordum. Çünkü daha birkaç saat evvel, hayır cemiyeti odasında seni dinlerken kafamda yeni birtakım hakikatlerin belirdiğini sezmiş ve kendimi yeniden bir tartıp toparlamaya karar vermiştim. Bu kararın verilmesiyle unutulması bir oldu... Şimdi kendime herkesten evvel ben inanmıyorum. Tamamıyla değişeceğim... Muhakkak... Fakat ne zaman? Senelerce süren bir mücadeleden sonra mı? Yoksa hiç muvaffak olamayarak bu manasız varlığı taşımakta devam mı edeceğim? Ne olursa olsun, Macide'yi böyle bir hayata iştirak ettirmek cinayettir. Sonu nereye varacağını bilmediğim bu yolda onun beraber yürümesini isteyemem, hatta o istese ben kabul etmem. Bu son günlerde kendimi hesaba çektiğim zaman namuslu bir insanın yüzüne bakamayacak kadar günahlarla yüklü olduğumu da gördüm... Bak... Veznedar nerede? Size hiçbir şey söylemediğim halde onu araştırdım, evlerini bulup önünde dolaştım. Harap yüzlü bir kadınla mağmum* çocuklardan başka bir şey görmedim! Nereye saklı? İnsanlara lanet savurup dolaşıyor mu, yoksa bir denizde ak saçlarını yeşil yosunlarla birlikte dalgalandırarak uykulara mı daldı?.. İnsan bütün bu pislikleri

* Tasalı.

ancak yalnız başına ve dövüne dövüne, didine didine üstünden atabilir... Ama yalnız başına... Kimseye bir şey sıçratmadan... İşte Macide'yle olan nikâh evrakımız... Henüz neticelenmedi... Artık lüzumu da kalmadı. Hepsini yırtıp atıyorum... Yalnız şu küçük vesika resmi bende kalsın... Bu kadar bir zaaf da çok görülmez... Denilebilir ki: Genç kadın sensiz ne yapsın? Nereye gitsin? Bunu senin demeyeceğine eminim... Sen hepsini halledeceksin... Nasıl isterseniz öyle yapın... İstersen onu al, bir kardeş gibi yanında tut, istersen onunla evlen... Beni dünyada mevcut farz etmeyin... Tamamıyla ayrı yollara ve ayrı dünyalara gideceğiz... Ben bir molozdan bir adam yapmaya çalışacağım... Bir gün, belki on sene oluyor, bir hocam bana: 'Zekânı mirasyedi gibi harcıyorsun!' demişti. Doğru... Zekâmı har vurup harman savurdum ve nihayet iflas ettim... Hiçbir şeyim kalmadı... Ben zekâyı radyum gibi bitip tükenmez bir cevher sanıyordum... Onun insan eliyle yetişip gelişen bir şey olduğunu düşünmüyordum... Adam olmak değil, enteresan olmak; bir şey yapmak değil, bir şey yapanlara istihfafla* bakacak bir yere çıkmak istiyordum... Halbuki bugün sonsuz zaman ve mesafenin içinde ben neyim? Bir solucandan, bir ayrık kökünden daha ehemmiyetsiz, daha değersiz, daha lüzumsuz bir mahlukum..."

Ömer bitkin bir halde sustu. Ağzı, gözleri, hatta derisi kuruyup gerilmiş ve neredeyse çatlayacakmış gibi bir hal almıştı. Bedri arkadaşının ellerini tutarak okşamak istedi. Ömer hemen geriye çekilerek:

"Ben bugün tahliye edileceğim!.." dedi. "Müddeiumumilikten emir geldi, tevkifhane müdürü muamelesini yapıyor... Şimdi çıkacağım... Onun için Macide'yi geri çevirdim... Beraber çıkıverirsek belki ayrılamam diye düşündüm. Yoksa onu son bir defa görmek isterdim. Hem ne kadar isterdim..."

Sesi titriyordu. Gözleri odanın beyaz badanalı duvarına dikilmişti. Büyük bir gayretle kendini topladı:

"Anlıyorsun, değil mi Bedri?" dedi. "Ne sen, ne Macide, beni asla aramayın... Benden bu lütfu esirgemeyin. Belki Balıkesir'e giderim. Belki başka bir köşeye çekilip kendimle uğraşır, yahut bizim muhitimizdekilere benzemeyen insanların arasına dala-

* Küçümseyerek.

rak yeni bir hayata başlamaya çalışırım. Yalnız, geçmiş günlerimle bütün alakamın kesilmesi lazım... Kim bilir... Belki uzak bir günde, büsbütün başka insanlar olarak tekrar karşılaşırız ve belki gülüşerek birbirimize ellerimizi uzatırız... Macide hakkında bir şey söylemeye lüzum yok... Onu bütün bir emniyetle sana bırakıyorum. Onu benim kadar ve sahiden sevdiğini, onu benden daha çok koruyabileceğini biliyorum... Göreceksin, yavaş yavaş sana alışacaktır... Fakat bir müddet bırakmak lazım... Bir erkek ona çok acı tecrübeler verdi, bunları unutmadan, kim olursa olsun, başka bir erkeğin fazla sokulmasını belki istemeyecektir... Sen bütün bunları daha iyi anlar ve düşünürsün... Onu bir doktor gibi tedavi et... Dünyada ondan daha harikulade bir mahluk yoktur... Bedri... Yemin ederim ki Macide'den daha kıymetli hiçbir şey mevcut değildir... Bunun kadrini bil..."

Hemen ayağa kalkarak arkasını döndü, gardiyanın uzattığı tahliye kâğıdını aldı ve kapıya doğru yürüdü.

Bedri arkasından geliyordu. Sokağa çıkınca durdular. Ömer sağ kolunu dimdik uzattı. Bedri bu eli yakalayacağı yerde karşısındakinin boynuna sarıldı. Ömer'in kendi vücuduna sarıldığını ve bu esnada delikanlının her tarafının titrediğini hissetti.

Ayrıldıktan sonra Ömer hiçbir şey söylemeden deniz tarafına inen dar ve dik sokaklardan birine daldı. Bedri Macide'nin bekleyeceği kahvelere doğru ağır ağır yürüdü.

Ne yapacağını, Macide'ye bunları nasıl anlatacağını değil, sadece Ömer'i, arkadaşı Ömer'i, Macide'nin hâlâ sevdiği ve ihtimal hep seveceği Ömer'i düşünüyor ve onu, her şeye rağmen kendinden daha mesut buluyordu.

Genç kadın Bedri'yi görünce yerinden kalktı:

"Ne yaptınız?" diye sordu.

"Ömer tahliye edildi... Fakat..." Bir müddet düşünerek kelime aradı. Sonra yüzünü başka tarafa çevirdi ve mırıldandı: "Fakat başını alıp gitti. Beni hiç aramayın!.. Ne sen, ne Macide... dedi. Yalnız kalmak, yeni bir hayatı denemek istiyor... Kendini iki kişinin mesuliyetini yüklenecek kadar kuvvetli hissetmiyor!.."

Tekrar sustu, Macide de susuyor ve ötekine bakıyordu. Bir şey söylemeden yan yana yürümeye başladılar. Nihayet Bedri:

"Bunun böyle biteceği belliydi!" dedi.

Macide, daha ziyade kendi kendineymiş gibi mırıldandı:

"Evet belliydi!"

Bedri başka bir şey söylemek istiyor fakat cesaret edemiyordu. Onun dudaklarının kımıldadığını gören Macide sordu:

"Ne dediniz?"

"Hiç... Şimdi size gideriz... ben Ömer'in eşyalarını alır, onun uğrayacağı bir yere bırakırım... Sonra..."

Tekrar tutuldu. Macide önüne bakıyor ve dinliyordu. Bedri bundan cesaret aldı:

"Ablam ölüm halinde!.." dedi. "Doktorlar bir iki günlük ömrü var diyorlar... Ondan sonra benim evime taşınır mısınız?.. Annem sizinle teselli bulur..."

Sonra manasız ve yersiz bir şey söylemiş gibi ürktü ve Macide'nin cevabını korku ile bekledi. Fakat genç kadın gayet tabii bir sesle: "Niçin ümidinizi kesiyorsunuz?" dedi. "Ablanız gençtir... Ben ona bakarım..."

Bedri deminki sözleriyle, ablasının mahut ziyaretini hâlâ unutmadığını anlatmıştı; Macide bunun için ilave etti:

"Ben her şeyi unuttum!"

Genç adamın ne kadar üzüldüğünü, ne kadar sıkıldığını görüyor ve ona acıyordu. Cesaret vermek için kolundan tuttu...

Sultanahmet'ten Alemdar yokuşuna doğru yürüdüler. Bir aralık Macide ensesinden çekilir gibi olduğunu sandı. Garip bir ses bu hisse mukavemet etmesini söylüyordu... Fakat dayanamayarak başını geriye çevirdi.

Arkalarından, on beş yirmi adım uzaktan Ömer geliyordu. Macide'nin başını çevirmesiyle onun geriye dönmesi bir oldu... Şimdi, başı biraz öne doğru eğilmiş, ağır adımlarla tekrar yokuş yukarı çıkıyordu.

Macide durakladı. Bedri'nin kolunu bırakmıştı. Kalbi deli gibi çırpınıyor, gözünün önünden bin bir türlü hayaller, manzaralar, insanlar, dumanlar, renkler geçiyordu... Fakat bu hal ancak bir an sürdü. Derhal kendini topladı. Tekrar Bedri'ye tutunarak:

"Hayır... Hayır... Gidelim!" dedi.

Genç adam gözlerinde nihayetsiz bir hüzün ile başını salladı:

"Evet... Gidelim..."

Birkaç adım yürüdükten sonra dönüp baktı ve Ömer'in ortadan kaybolmuş olduğunu gördü.

"Onu unutamayacaksınız!.." dedi. "Ondan ayrılamayacaksınız!"

Macide düşünceli gözlerle yanındakini süzdü. Sonra elini cebine sokarak Ömer'e yazmış olduğu mektubu çıkardı:

"Öyle değil Bedri..." dedi. "Ben ondan ayrılmaya daha evvel karar vermiş bulunuyordum... Her şeye rağmen!"

Dörde bükülü kâğıdı yanındakine uzatarak mırıldandı:

"Fakat beklemek lazım... Uzun zaman!"